PASSIONNÉMENT GIVRÉE

Données de catalogage avant publication (Canada)

Parily, Audrey, 1979-
Passionnément givrée

(Lime et citron)

ISBN : 978-2-89074-789-0

I. Titre. II. Collection.

PPQ2716.A73P37 2009   843'.92   C2008-942327-5

Édition
Les Éditions de Mortagne
Case postale 116
Boucherville (Québec)
J4B 5E6

Distribution
Tél. : 450 641-2387
Téléc. : 450 655-6092
Courriel : info@editionsdemortagne.com

Dépôt légal
Bibliothèque et Archives Canada
Bibliothèque et Achives nationales du Québec
Bibliothèque Nationale de France
1er trimestre 2009

ISBN : 978-2-89074-789-0
1 2 3 4 5 – 09 – 13 12 11 10 09
Imprimé au Canada

Nous reconnaissons l'aide financière du gouvernement du Canada par l'entremise du Programme d'aide au développement de l'industrie de l'édition (PADIÉ) et celle du gouvernement du Québec par l'entremise de la Société de développement des entreprises culturelles (SODEC) pour nos activités d'édition. Gouvernement du Québec – Programme de crédit d'impôt pour l'édition de livres – Gestion SODEC.

Membre de l'Association nationale des éditeurs de livres (ANEL)

Audrey Parily

PASSIONNÉMENT GIVRÉE

ÉDITIONS DE MORTAGNE

REMERCIEMENTS

C'est avec une grande fierté ainsi qu'une immense reconnaissance que je remercie toutes les personnes suivantes sans qui ce roman ne serait pas ce qu'il est aujourd'hui.

À Annie, lectrice de la première heure qui, grâce à ses commentaires, m'a amenée à faire évoluer certains personnages et certaines situations. Merci pour tes encouragements sincères qui m'ont donné le souffle nécessaire d'aller jusqu'au bout.

À Emmanuelle, pour son regard et ses idées dont je me suis honteusement servi. Merci pour ton enthousiasme et pour avoir parlé de *Passionnément givrée* à tout le monde, du Saguenay jusqu'en Alsace !

À Agathe, pour cet après-midi de brainstorming au bord du fleuve qui m'a permis de trouver des solutions à un passage délicat qui ne me satisfaisait pas. Merci pour ton imagination et ta créativité.

À François B., mon premier lecteur masculin qui, sans le savoir, m'a fait le plus beau des cadeaux de Noël en me disant qu'il avait adoré mon livre en décembre 2007. Merci pour ton soutien dans mes moments de doute qui furent fort nombreux !

À mon éditrice, Caroline, pour avoir cru en mon projet et pour son accueil très chaleureux au sein de sa maison d'édition ainsi que son professionnalisme. Merci de m'avoir donné ma chance.

À Carolyn, ma coach littéraire, pour ses idées foisonnantes, ses conseils et sa disponibilité. Merci pour ta collaboration, travailler avec toi fut un vrai plaisir.

À François M., mon âme sœur, pour toute cette confiance qu'il m'a donnée. Merci pour ta patience et pour m'avoir écoutée parler de mon roman des milliers d'heures !

À ma mère, qui m'a élevée de telle sorte que je ne renonce jamais à un projet auquel je tiens. Merci de m'avoir transmis ton courage et ta détermination.

Enfin, à tous ceux que je n'ai pas cités mais qui, d'une manière ou d'une autre, ne serait-ce que par leur présence dans ma vie, m'ont accompagnée dans mes démarches d'écriture et de publication.

Merci à vous. Vraiment.

Sommaire

PREMIÈRE PARTIE

SAMUEL

Chapitre un

— C'est officiel, ma belle, l'hiver vient de commencer !

Je laisse retomber la porte de la faculté et jette un œil acerbe à l'épaisse couche de neige qui recouvre le sol. Tout en grommelant, je resserre mon écharpe pour empêcher le vent de se frayer un chemin jusqu'à mon cou et murmure :

— C'est vrai, ce qu'on dit. Au Québec, soit c'est l'hiver, soit c'est bientôt l'hiver. Ce n'était pas hier la fin de l'été ?

Cécile émet un petit soupir rieur avant de protester :

— Arrête. Moi je compte les jours qui nous séparent du début de cette aventure hivernale. Depuis le temps que j'en entends parler. Je crois que j'ai traversé l'Atlantique seulement pour ça.

Mais oui, bien sûr, et moi je suis la fille cachée de la princesse Diana.

— On en rediscutera quand tu auras goûté au grésil, à la poudrerie, au facteur vent et aux chaussées glacées.

Elle hausse les épaules pour me signifier que tout ça ne lui fait pas peur et je secoue la tête, attendrie. Moi aussi, en novembre dernier, j'étais impatiente de baigner dans tout ce folklore hivernal *made in Québec*. Moi aussi, lorsque les premières gelées sont apparues, je mourais d'envie de découvrir les sensations que provoquent les moins trente degrés sur la peau. Oui, oui, vous avez bien lu. Et je vous rassure tout de suite, je suis saine d'esprit. La curiosité nous pousse à désirer des choses étranges parfois. Cela étant dit, je pense que pour cette deuxième édition, je vais rejoindre la majorité et me plaindre. La température est à peine en dessous de zéro que je suis déjà frigorifiée. Heureusement que vous avez Stéphane Archambault. C'est lui qui me garde ici ! Chaque fois que je tombe sur *Rumeurs*, j'ai envie de le manger.

Cécile et moi pressons le pas vers l'arrêt de bus tandis que les flocons dansent autour de nous, éclairés par les lampadaires qui jalonnent la rue. Je n'ai qu'une hâte, rentrer chez moi pour réaliser dans l'ordre la liste suivante :

1. Vérifier si Samuel m'a appelée ;

2. Vérifier si Samuel m'a envoyé un courriel ;

3. Grignoter deux ou trois biscuits au chocolat pendant qu'une eau chaude, parfumée à la vanille, remplira la baignoire ;

4. Me prélasser dans ledit bain pendant une heure ;

5. En ressortir détendue et partager du poulet ou une pizza garnie sans champignons avec Maxim, mon colocataire.

Le jeudi soir en général, c'est *la* soirée de hockey de la semaine à la maison et Maxim nous commande toujours quelque chose pour regarder le match. Une fois rassasiée, je le laisse s'extasier devant ces athlètes en patins à glace qui me laissent... de glace et m'enferme dans ma chambre en quête d'inspiration. J'écris. Oui, je sais, ça fait pompeux dit comme ça, surtout que je n'ai jamais rien publié, à part une petite nouvelle, mais ça sonne bien à mes oreilles. Alors, j'écris. Quand j'y arrive. Quand les mots refusent de sortir de leur tanière, en l'occurrence de mon esprit sinueux et tourmenté, je n'insiste pas. J'éteins mon portable et me plonge dans les concertos de piano de Chopin.

Mon esprit est déjà bien au chaud sous ma couette lorsque mon corps, lui, arrive près du pavillon Desjardins. Je sautille sur place pour empêcher mon sang de figer dans mes veines et me sermonne mentalement : « Tu as connu bien pire qu'un minable zéro degré, Isa, ça suffit tes bêtises ! »

C'est vrai, zéro degré, c'est ce qu'on appelle une température clémente ici. D'ailleurs, en mars, quand les Miss Météo annoncent la fin des gelées, c'est comme si c'était Noël. Au placard ces gants, ces bonnets et ces manteaux qui nous défont la silhouette ! Au placard les chandails en poil de yack ! Place au festival des jupes et des robes bain de soleil ! En attendant ce jour béni, ce sont plutôt mes mitaines en laine que je vais dépoussiérer en arrivant chez moi. Je suis au bord de l'hypothermie lorsque le 801 s'arrête à ma hauteur.

Les choses étant bien faites, je n'habite qu'à deux arrêts de l'université et, en à peine cinq minutes, je souhaite une bonne soirée à Cécile et descends sans tarder. Je marche d'un pas vif et seul un infinitésimal soupçon d'orgueil me retient de ne pas courir jusque chez moi. Une fois devant ma porte, je me débarrasse de mes bottes à la hâte. J'enfonce la clé dans la serrure, tourne la poignée et me dirige sans attendre vers la console où trône mon Saint-Graal. Avec une insupportable insolence, la lumière rouge de mon répondeur me nargue en restant obstinément fixe. Histoire de m'assurer que cette saleté de machine n'a pas décidé de me jouer un tour, j'appuie tout de même sur « lecture ».

« Arrête de vérifier tout le temps si tu as des messages. Non, personne n'a essayé de te joindre. Ni Samuel, ni tes amis, ni personne. Get a life ! »

Je rêve. Non mais je rêve. Dire que j'ai acheté cet instrument de torture moi-même. Mon penchant pour le masochisme m'étonnera toujours. Je file dans ma chambre allumer mon ordinateur, double-clique sur l'icône de mon navigateur et mon cœur s'emballe. Mon cœur s'emballe toujours pour pas grand-chose.

Boîte de réception vide. Rien. Aucun courriel. Pas même un pourriel. Personne n'a envie de me vendre du Viagra, un allongement du pénis ou un produit laxatif pour perdre du poids aujourd'hui ?

« Arrête de vérifier tout le temps si tu as des messages... »

Je claque le couvercle de mon portable, bondis de mon fauteuil et m'assois en tailleur (ou en Indien si vous préférez) à même le sol. Je m'adosse contre mon lit et pousse un soupir à me couper le souffle. Je ne comprends pas. Non, vraiment, je ne comprends pas. Six jours sans nouvelles de Samuel. Six jours. D'accord, il n'a jamais été du genre à m'appeler toutes les vingt secondes, même au début de notre relation, mais six jours de silence radio, ça, il ne me l'avait jamais fait.

Étudiant lui aussi à l'Université Laval, nous nous sommes rencontrés cinquante et un jours plus tôt, lors d'un match du Rouge et Or. Match qui à l'origine n'était pas du tout prévu dans mon programme. Je suis une fille – si vous suivez, vous commencez à vous en douter, sinon recommencez depuis le début – et en tant que telle, je revendique mon droit de détester le hockey, le football américain*, le rugby et tous ces trucs-là. Franchement, c'est quoi l'intérêt de regarder pendant trois heures des hommes se faire plaquer au sol ? Mais Marie-Anne, une amie québécoise, ne l'entendait pas de cette oreille. Ayant obtenu des billets par je ne sais qui, elle nous a affirmé, à Cécile et moi, qu'il était inconcevable de vivre en Amérique du Nord sans assister au moins une fois à une partie. Nous n'avons pu que nous incliner face à cet argument implacable.

À peine installée dans les gradins, elle a tenté de parfaire notre éducation en nous expliquant les règles du jeu. Si Cécile a été attentive jusqu'au bout, moi j'ai décroché au milieu des essais, des touchés, des bottés et des verges. J'étais venue pour lui faire plaisir, pas pour devenir une inconditionnelle de ce sport. Et puis d'abord, c'est quoi ce jeu où l'on parle de verges ?

Il faisait particulièrement doux pour une fin de septembre et l'ambiance était survoltée. Le Rouge et Or massacrait les Bishop's Gaiters. Entre deux hot-dogs dont les odeurs piquantes montaient jusqu'à nous, les spectateurs jouissaient de voir s'écrouler l'équipe adverse. Score final : 29-0.

Samuel était assis à une dizaine de mètres de nous. On se lançait quelques regards. Il me souriait et je lui rendais ses sourires. J'étais assez fière qu'entre Marie-Anne, une belle grande blonde avec des yeux bleus angéliques qui aurait pu être mannequin si elle n'avait pas trouvé ça futile, et Cécile, une brune au corps de déesse, ce soit moi qu'il remarque. Moi avec mes cheveux châtains, mes yeux bruns, ma taille normale, mon poids normal. Tout est normal chez moi. Je suis

---

* Oui, je sais qu'ici, le football américain c'est le football, pas besoin de préciser, mais moi, quand on me parle de football, je pense à un ballon rond !

désespérante de normalité. Si Dame Nature n'avait pas eu pitié de moi en me dotant de lèvres bien dessinées, je serais entrée au couvent.

À la fin du match, Samuel s'est approché de nous. Il a hésité une fraction de seconde puis m'a lancé un simple « salut ». Mes jambes flageolaient et mon cœur flambait. Oh ! mon Dieu, oh ! mon Dieu, oh ! mon Dieu, il est venu me parler ! Je n'y crois pas, je n'y crois pas, je n'y crois pas ! Je retombe à quinze ans dès qu'un homme s'approche de moi. Je vous le dis, au cas où cela ne vous aurait pas sauté au visage. J'ai néanmoins réussi à prendre sur moi et à lui rendre son salut. J'ai essayé de transmettre le plus de choses dans ce petit mot de cinq lettres. Le plus de choses étant : je te veux, je t'aime, épouse-moi, fais-moi quatre enfants et allons nous installer dans une ferme près du fleuve. Dire que les gens se saluent tous les jours sans savoir ce qu'ils encourent.

Samuel a enchaîné avec des questions qui, même si elles ne m'ont pas rebutée, manquaient grandement d'originalité. J'étais certaine de les avoir déjà lues dans un livre du style « L'amour de A à Z. Chapitre premier : la première rencontre ».

Numéro un : abordez votre proie en vous inspirant du contexte : « Est-ce que t'as aimé le match ?... Tu viens souvent ?... » *Note : si seuls des monosyllabes vous parviennent, laissez tomber, sinon passez à l'étape deux, vantez-vous :* « Le quart-arrière est un de mes meilleurs chums... Eh ! mais t'es Française, non ? J'ai passé quelques jours à Paris l'an dernier, c'était... très parisien... »

Euh ??? Je ne me rappelle pas avoir lu ce passage !

— Je vais boire une bière au pub de l'université avec quelques gars de l'équipe, m'a-t-il annoncé alors que je me questionnais encore sur son « très parisien ». *Si ça te tente, tu peux te joindre à nous.*

– J'y allais justement.

Il a hoché la tête dans un sourire et s'est présenté :

– Je m'appelle Samuel.

– Isabelle.

Une demi-heure plus tard, nous étions assis l'un en face de l'autre et il délaissait ses questions préfabriquées pour toujours. Nous avons discuté de ses études, de son travail à la Coop, de sa sœur qui attendait son premier enfant, de la France aussi. Chaque fois qu'il me regardait avec un peu trop d'insistance, je rougissais et baissais les yeux, comme une vierge à son premier rendez-vous. Il aimait ça. Je le sentais. Il me frôlait la main sans en avoir l'air et je savourais ces contacts éphémères et pourtant si intenses. Vers minuit, telle Cendrillon, je me suis levée pour partir et Samuel m'a demandé mon numéro de téléphone. Le lendemain – le lendemain ! –, il m'appelait pour m'inviter à souper au Café du Monde, un restaurant aux allures de brasserie parisienne sur le bord du fleuve. Des serveurs en veston noir et tablier blanc, du boudin noir et des moules frites sur la carte, et le Saint-Laurent qui se prenait pour la Seine. En fermant les yeux, je pouvais voir la tour Eiffel s'y refléter.

J'ai flotté durant tout le repas. Après avoir payé l'addition, Samuel a suggéré une balade en traversier. Il faisait froid mais pas trop sur le pont. Appuyée contre une balustrade, je sentais la chaleur de son corps et des papillons gambadaient dans mon ventre. On vivait ce moment unique entre deux personnes. Celui où on se regarde en sachant que le premier baiser est imminent. Celui où on peut lire notre désir dans les yeux de l'autre. Celui où les secondes s'étirent jusqu'à l'infini. Samuel m'a prise dans ses bras et m'a embrassée, le Château Frontenac tout illuminé nous contemplait en souriant. On ne pouvait faire plus romantique, et j'ai craqué. Évidemment. Je suis le prototype parfait de la femme qui se laisse attendrir par toutes ces petites choses.

Je m'ennuie du Samuel que j'ai découvert lors de notre premier rendez-vous, je ne l'ai jamais retrouvé. Il est pourtant toujours aussi sensible et adorable, mais je ne le sens pas investi. Je n'ai d'ailleurs aucune idée de ce qu'il veut ou de ce qu'il attend. On passe des moments agréables, on discute, on sort, on se loue quelques films, on se délecte dans des restaurants divins. Samuel adore la gastronomie. Si on ne se balade pas sur Saint-Joseph, Cartier ou Grande Allée à la recherche d'un endroit où ravir nos yeux et nos papilles sans pour autant amener notre banquier à envisager le suicide, on se commande quelque chose chez un traiteur de quartier.

De l'extérieur, on ressemble à un petit couple amoureux. De l'intérieur, rien n'est plus faux. Notre relation stagne, piétine, et voilà que maintenant, je dois en plus gérer six jours de silence total ! C'est bizarre et... inquiétant. D'habitude, soit je l'appelle trois jours après notre dernier rendez-vous, soit il finit par le faire quand je refuse de décrocher mon téléphone. Je ne viole jamais cette maudite loi des trois jours d'attente. Vous savez, celle qui nous catalogue « dépendante affective à la recherche d'un mec à épingler » si on ne la respecte pas ? Non mais qui a inventé cette stupide règle ? Je lui arracherais bien la tête avec mes dents, à cet imbécile (parce que ça ne peut être qu'un homme), s'il se trouvait en face de moi. Ces trois jours me font l'effet d'une traversée des enfers. À force de sentir mon cœur sauter dans ma poitrine comme une grenouille aussitôt que le téléphone sonne, je vais sans doute finir mes jours foudroyée par une crise cardiaque vers trente ans.

Je me relève, m'installe à mon bureau et commence à pianoter un message à Lucie, ma meilleure amie. Ça ne changera rien à ma relation avec Samuel, mais au moins, ça me fera du bien.

De moi à Lucie :

« *Objet : J'en ai marre (j'évacue ma frustration) !*

Je veux que mon téléphone sonne, que ce soit Samuel au bout du fil, et qu'il m'invite dans un resto encore plus romantique que le Café du Monde. Là, il m'avouera d'une voix tremblante qu'il est en train de tomber amoureux de moi, que ça lui fait peur, mais qu'il va combattre ses angoisses, car sans moi il n'est plus rien... Est-ce que ça n'arrive que dans les romans de Danielle Steel ? Si oui, qu'on me transforme tout de suite en une de ses héroïnes parce que, pour le moment, c'est presque toujours moi qui décroche cette saleté d'appareil pour appeler Samuel ! Les êtres humains de sexe masculin naîtraient-ils sans le gène du téléphone, par hasard ? Ça expliquerait bien des choses.

Ah ! Lucie, j'ai beau faire de l'humour, je ne suis plus capable de faire face à cette situation. Samuel m'envoie des signaux on ne peut plus contradictoires. D'un côté, il est si parfaitement adorable quand on se voit que c'en est presque agaçant ; de l'autre, je le sens fermé et réticent à s'investir. Les mecs devraient respecter un code : s'ils ne veulent qu'une histoire de cul, qu'ils arrêtent de se comporter comme s'ils étaient amoureux ! Ce n'est pourtant pas compliqué !

Presque une semaine sans un signe de Samuel ! Une semaine ! Sept jours moins un jour ! Cent soixante-huit heures moins vingt-quatre heures ! Dix mille quatre-vingts minutes moins mille quatre cent quarante ! O.K., j'arrête, sinon je vais finir prof de maths.

21

Toi, comment ça va ? Toujours dans des questionnements par rapport à ta relation avec Justin ? Jette ton livre de Beigbeder au feu ! Non, l'amour ne dure pas trois ans ! Non, l'amour n'est pas un combat perdu d'avance ! Votre couple n'est pas en train de sombrer, il traverse juste une mauvaise passe, c'est normal. N'oublie pas que je suis là, à n'importe quelle heure, si tu veux discuter. Dors bien, ma belle, même si tu dois déjà dormir.

Isa xxx »

Le début ne laisse pas présager la fin.

Hérodote

Chapitre deux

Dans la vie, il existe deux catégories de personnes : celles à qui tout réussit et les autres. Réfléchissez-y deux minutes. Vous n'avez jamais croisé ces gens beaux, drôles, intelligents, cultivés, avec un super boulot ? Par exemple, Brad Pitt ? Il incarne à lui seul cette catégorie, non ? Incroyablement beau. Incroyablement doué. Incroyablement riche. Incroyablement marié à une des plus belles femmes de la planète. Incroyablement divorcé d'une des plus belles femmes de la planète. On a connu pire, comme destin. Je suis certaine qu'il a signé un pacte avec le diable pour obtenir cette existence si parfaite, je ne vois pas d'autre explication.

Et il a une adresse, le diable ? Un numéro de téléphone ? Un courriel ? Parce que j'en ai assez de faire partie de celles qui n'ont pas eu la chance de voir une bonne fée se pencher sur leur berceau. Autant passer du côté obscur de la force. Si je réussis toujours à m'empêtrer dans des relations abracadabrantes, ça ne peut être qu'à cause de cette absence de marraine magique. Je dois émettre une sorte de signal qui attire tous les mecs instables à dix kilomètres à la ronde. Comble de malchance, ce sont eux qui me font craquer. Les gars qui veulent le beurre, l'argent du beurre et une branlette de la crémière en plus (traduction : qui veulent du sexe sans engagement et sans essuyer un flot de reproches et d'insultes), ils sont pour moi.

J'en ris la plupart du temps, et avant mon départ pour le Québec, c'était même devenu un jeu entre Lucie et moi. On pariait sur le nombre de jours qu'il me faudrait pour découvrir de quelle tare était affublé mon nouvel amant. Était-il *téléphonophobe* ? Allait-il faire une crise cardiaque en apercevant ma brosse à dents sur son lavabo ? Me sortir cette excuse carbonisée tellement elle a été réchauffée par tous les mâles depuis les années 1980 : « Tu comprends, ce n'est pas que je ne suis pas bien avec toi. Mais je sors d'une histoire difficile et j'ai besoin de ma liberté. Tu comprends ? On peut quand même continuer à se voir, on s'amuse bien tous les deux, non ? »

Certes, j'en ris, mais je commence aussi à trouver le temps un peu long, seule, perdue dans l'univers parallèle des célibataires. Je veux bien être patiente et attendre comme une sage fillette avec deux couettes – style Laura Ingalls – que Cupidon s'occupe de mon cas, seulement... ma patience va-t-elle finir par être récompensée un jour ? Dois-je me faire à l'idée que mon destin est de devenir une vieille fille aigrie qui converse avec ses quatre chats ? « Monsieur Cupidon, je me doute que vous devez être surbooké. C'est vrai, les célibataires n'ont jamais été aussi nombreux qu'au XXIe siècle. Mais, euh, ça ne vous tenterait pas d'engager un assistant, histoire d'accélérer les choses dans le traitement de mon dossier ? »

La sonnerie du téléphone stoppe net le cours de mes délires fantasmagoriques. Moi qui me voyais déjà allongée, sur une plage aux Bahamas, en compagnie de l'homme super-parfait que Cupidon junior m'aurait envoyé pour se faire pardonner du peu de considération de son patron au cours des dernières années.

Mon cœur s'échappe de ma poitrine. Je le récupère au vol et cours jusqu'au salon. Je suis pathétique, je sais. Je saisis le combiné, aperçois le nom d'Antoine inscrit sur l'afficheur et laisse le répondeur se déclencher. C'est le petit frère de Maxim.

Six jours sans nouvelles, bordel, six jours ! Les mères devraient enseigner cette règle de savoir-vivre à leurs fils : les filles dans lesquelles tu remues ton pénis pendant une demi-heure tu rappelleras ! Moi, en tout cas, si un jour j'ai un fils, je lui rabattrais les oreilles avec ça jusqu'à ce que ça rentre. Il faut que je me rende à l'évidence, je ne suis qu'un passe-temps ludique pour Samuel. Un jouet à orgasmes. On ne laisse pas une femme dans un silence total aussi longtemps si on tient à elle.

— *Et s'il lui était arrivé quelque chose ? Il faut que tu l'appelles pour en avoir le cœur net, tu n'as pas le choix !*

Tiens, tiens, voilà ma petite voix. Je ne vous avais pas dit que j'étais schizophrène ? Je me sens parfois comme le gars de « François en série », vous savez, ce téléroman avec Martin Laroche et Julie Le Breton ? Non ? Allez faire un tour sur Google.

Je me réponds à moi-même :

— *S'il va bien, je vais passer pour une femme sans fierté ni amour-propre qui le rappelle après six jours de désintérêt flagrant.*

— *D'accord, mais s'il est malade ? As-tu envie d'avoir l'air d'une fille égoïste et orgueilleuse ? Une fille qui n'a même pas décroché son téléphone pour s'enquérir de la santé de son amant alors qu'il était évident que ces six jours de silence étaient la preuve flagrante qu'il était à l'article de la mort.*

— *Mouais... Je ne suis toujours pas convaincue. Il ne m'appelle pas parce qu'il s'en fout, c'est tout ! Chut ! Je ne veux plus t'entendre !*

La porte d'entrée s'ouvre sur Maxim qui me sauve de la démence. Je tuerais pour installer dans mon cerveau un bouton *off* qui stopperait toutes ces activités masturbatoires que je m'inflige. Après la crise cardiaque, la tumeur au cerveau me guette.

— Pizza ou poulet, ce soir ? me demande mon colocataire en retirant ses bottes.

La neige doit encore tomber à grosses bordées. Maxim ressemble à un bonhomme de neige avec ces flocons collants qui recouvrent son coupe-vent et ses cheveux. Les hommes me feront toujours rire. Même à moins vingt degrés, beaucoup s'obstinent à sortir sans leur tuque ou à rabattre leur capuche. Ça ne doit pas faire assez viril : « Moi homme, moi endurer froid au risque de perdre une oreille. »

— Alors, pizza ou poulet pour ce soir ?

Je hausse les épaules et marmonne un « comme tu veux » éteint. J'ai perdu l'appétit. Après cardiaque et cancéreuse, me voilà anorexique maintenant. Maxim retire sa veste et me regarde.

— Qu'est-ce qu'il y a ? me demande-t-il les sourcils froncés.

— Samuel ne m'a pas appelée depuis vendredi ! Est-ce que tu crois que c'est à moi de lui téléphoner ?

— Non, ma belle, il faut que tu sois forte. C'est à lui de t'appeler, et il va le faire. Rappelle-toi ce film que tu m'as obligé à regarder. *Ce que veulent les femmes*, si je me souviens bien. C'est exactement ce que Mel Gibson dit à une de ses collègues.

Je l'ai peut-être obligé, mais en attendant, c'est lui qui la connaît par cœur, cette histoire.

– Ce n'est qu'un film, Maxim. Dans la vraie vie, les choses sont différentes. Les accidents, ça arrive, surtout en hiver !

La petite voix a fini par me convaincre. Traîtresse !

– T'es vraiment la spécialiste des excuses, toi.

Pas moi ! Elle ! C'est elle qui dispose d'une liste non exhaustive qu'elle essaie de me refourguer :

~ Il n'appelle pas parce qu'il travaille sur un gros projet.

~ Il n'appelle pas parce qu'il est cloué sur un lit d'hôpital.

~ Son chien a dévoré son téléphone même s'il n'a pas de chien.

~ Sa grand-mère est morte et il a dû partir au fin fond de la Gaspésie pour l'enterrement. Là-bas, il n'y a ni réseau pour les cellulaires, ni Internet pour envoyer un courriel.

Je suis une honte pour la gent féminine. Debout dans le salon, je lorgne sur le téléphone depuis dix bonnes minutes, hésitant à appeler Samuel, tout en priant de toutes mes forces pour qu'il le fasse avant moi. C'est ça, ma vie ? C'est ça, ma question existentielle de la semaine ? Allez ! hop ! au placard la petite voix ! Si Samuel est malade, dans le coma, mort, rayez la mention inutile, je finirai bien par le savoir.

Je me force à sourire et m'exclame :

– Poulet pour ce soir !

Maxim s'approche de moi et me caresse l'épaule.

– Souris, tu vas voir qu'il va t'appeler.

Ouais. J'aimerais être aussi confiante que lui.

Une heure plus tard, des boîtes en carton et des canettes de soda recouvrent la table basse du salon. Affalée sur la causeuse, je grimace devant Cristobal Huet qui arrête chaque tir des Sénateurs. Qu'est-ce que Maxim peut bien trouver à ce sport ? J'essaie vaguement de m'intéresser au jeu, espérant ainsi découvrir la source de son enthousiasme. Sans succès. J'étouffe un bâillement et capitule. Je le laisse à son match et me rends aux points trois et quatre de ma liste. Allez, je vous évite de retourner les pages en sens inverse et vous rafraîchis la mémoire (que cela ne se reproduise pas par contre ! Suivez, à l'avenir) :

> 3. Grignoter deux ou trois biscuits au chocolat pendant qu'une eau chaude, parfumée à la vanille, remplira la baignoire.

> 4. Me prélasser dans ledit bain pendant une heure.

Je sais, je n'ai pas suivi l'ordre, mais ce n'est pas une excuse pour vous disperser.

Notre salle de bains est étonnamment spacieuse pour un quatre et demie. Un grand miroir ovale domine le lavabo et l'armoire installée à côté me permet de ranger tous mes produits de beauté. Le soir, la fenêtre qui donne sur l'ouest laisse entrer une douce lumière orangée et l'été, on peut même sentir l'odeur du gazon fraîchement coupé.

Je ferme les robinets, teste l'eau du coude et rajoute des sels de bain avant de me glisser dans la baignoire. Toute ma tension musculaire disparaît et je ferme les yeux. Merci à l'inventeur de la baignoire.

Vingt minutes plus tard, le déferlement d'enthousiasme de Maxim me tire du jardin d'Éden. On dirait que les Canadiens viennent de marquer un but. Si ça se trouve, Samuel regarde le match, lui aussi. Peut-être passe-t-il la soirée avec des amis. Peut-être a-t-il bondi d'excitation lorsque la rondelle est entrée dans le but adverse.

O.K. Espérer que mon cerveau se perde pendant plus d'une heure sur le chemin qui mène à la case Samuel, c'était trop demandé. Je m'amuse souvent à ce petit jeu. J'essaie d'imaginer ce que Samuel peut faire au même moment. Parfois, je le sais. Il est en cours, il fait du sport ou il travaille. Je connais son emploi du temps presque par cœur. D'ailleurs, si je n'étais pas moi, je me traiterais de psychopathe. Schizophrène et psychopathe, de mieux en mieux. Ce soir, cependant, c'est le trou noir. J'ignore comment Samuel occupe sa soirée et avec qui, et j'ai besoin de savoir. J'ai besoin de savoir si ne pas me rappeler est sa manière de me faire comprendre qu'il ne veut plus me voir.

Je sors en trombe de mon bain. J'enfile mon peignoir, récupère le téléphone et file dans ma chambre. J'enfonce la première touche, quand j'entends Maxim me crier depuis le salon :

– Tu n'appelles pas Samuel ?

– De quoi je me mêle ?

– Isa...

Je réprime un soupir. Mon colocataire a la fâcheuse manie de croire que ce que je fais de ma vie amoureuse le concerne. Cette façon qu'il a de vouloir me protéger est assez étouffante. Je m'approche de la porte de ma chambre avec l'intention de la refermer lorsqu'il laisse tomber d'une voix tranchante :

— Rampe à ses pieds une fois et tu ramperas pour toujours.

Je serre le combiné, appuie si fort sur *off* que le bouton reste enfoncé et je déboule dans le salon.

— Dis-moi ce que je dois faire, alors !

— Assieds-toi.

Je reste plantée devant lui, hésitant entre lui jeter le téléphone à la figure et écouter ce qu'il a à me dire. Je m'exé-cute finalement de mauvaise grâce. Il se tourne ensuite vers moi, les yeux légèrement plissés. Il me lance souvent ce regard. Énigmatique. Impénétrable. Songeur. Interrogateur aussi, comme s'il essayait de me percer à jour. Comme s'il essayait de percer tout le monde à jour, en réalité.

— Pourquoi tu ne lui demandes pas ce qu'il veut ? À quoi ça te sert de passer des heures à tout analyser ? À tirer de ses phrases ou de ses gestes des conclusions qui, de toute façon, sont fausses une fois sur deux ? Demande-lui ce qu'il veut, Isa, c'est beaucoup plus simple.

Je secoue la tête et réprime un soupir d'agacement. La simplicité, toujours la simplicité, c'est le maître mot des hommes. J'ai une théorie pour ça : les hommes et les femmes ne jouissent tout simplement pas du même cerveau. Jusque-là, pas de quoi révolutionner l'espèce humaine, j'en conviens.

Sauf que les hommes héritent d'un cerveau de base à la naissance. D'un cerveau, certes, de bonne qualité, mais sans aucune possibilité d'y ajouter des options essentielles telles que... appeler la femme avec laquelle ils font l'amour. Par exemple.

– Parle-lui, Isa, et tu verras bien, reprend Maxim, mais surtout évite ces allusions toutes féminines que l'on ne comprend pas.

Je lâche un rire moqueur. Paraît-il que les hommes ne savent pas interpréter nos messages codés et subtils, ni même nos messages les moins subtils, d'ailleurs. Je trouve ça déprimant parce que s'ils se donnaient la peine, ils verraient que ce n'est pas bien compliqué. Oui, on pourrait aussi s'exprimer dans un français compréhensible pour tout le monde, mais ce ne serait plus drôle.

Parler à Samuel, donc ? Sans détour ? Sans allusion ? Pourquoi pas ? Ma petite voix ne semble pas avoir d'objections, et au moins je serais fixée.

– Qu'est-ce que je dois lui dire ?

Maxim hausse les épaules.

– « J'aimerais qu'on passe un peu plus de temps ensemble et savoir comment toi tu envisages notre relation » devrait suffire.

Discuter d'une relation en si peu de mots, c'est possible ? Moi, quand je m'imagine avouer à Samuel ce que j'éprouve pour lui et lui demander ce que lui ressent, c'est aussi long que des vers de Racine. Et tout aussi incompréhensible. Je donnerais cher pour aller faire une incursion dans l'univers des hommes et découvrir cette simplicité qui le domine.

Je me lève et repose le téléphone. Parler à Samuel attendra demain. Ce soir, je n'ai pas envie, pas le courage, pas l'énergie. Je me retourne vers Maxim, de nouveau absorbé par le match, et le remercie à voix basse pour ses conseils. Il relève les yeux vers moi et me lance avec un air espiègle :

– Ce n'est pas gratuit.

J'éclate de rire.

– Qu'est-ce que tu veux ?

– Que tu fasses ma lessive et que tu plies mon linge pendant une semaine.

– Et cent balles et un Mars aussi ?

– Hein ?

– C'est un truc qu'on dit en France quand quelqu'un exagère. Cent balles, c'est cent francs, et un Mars, c'est la barre de chocolat.

– Et maintenant que vous êtes en euros, vous dites quoi ?

– Quinze euros et un Mars, peut-être.

Nos rires s'emmêlent, résonnent dans le salon, et je me sens mieux. Finalement, avoir un colocataire protecteur, cela a ses bons côtés.

Il n'existe aucun bruit plus irritant
que celui d'un téléphone qui ne sonne pas.

Rupert Holmes

Chapitre trois

Le jeudi est enfin derrière nous ! Place au roi vendredi, annonciateur de la fin de semaine !

Vers onze vingt, alors que mon cours de management s'achève, je rassemble mes affaires et me dirige vers la cafétéria du pavillon. J'ai rendez-vous avec Cécile et Marie-Anne dans dix minutes. Quelques d'étudiants s'entassent dans les couloirs tandis que d'autres descendent au sous-sol récupérer leur veste dans leur casier. En passant devant le Salon MBA, j'aperçois quelques visages connus, attablés. Je leur fais un rapide signe de la main et leur souris. Voilà presque un an et demi que je sillonne les corridors de la faculté, allant du bureau de mes professeurs à la salle informatique, et je me sens comme un poisson dans l'eau ici.

Un an et demi déjà. Pourtant, je n'ai qu'à fermer les yeux pour me revoir débarquer à Québec avec mon sac à dos comme si c'était hier. Je dis sac à dos, mais j'imagine qu'intelligent comme vous êtes – vous êtes en train de lire ce livre, preuve irréfutable de votre intelligence hors du commun –, vous avez deviné que c'était une métaphore pour me donner un air d'Indiana Jones. En réalité, ce sont plutôt deux grosses valises de trente kilos chacune que j'ai récupérées sur les tapis à bagages.

C'était en septembre de l'année dernière. Grâce au programme du CREPUQ*, je devais suivre pour une session quatre cours du MBA et valider mon diplôme d'école de commerce française par la même occasion. Sans les caprices de la vie qui s'amusent pour ainsi dire presque tout le temps à défaire nos plans, je serais rentrée en France en décembre. Mais comme beaucoup avant moi, je suis tombée amoureuse du Québec et je n'ai pas voulu repartir si vite. Il me restait trop de choses à découvrir. L'hiver avec le froid et la neige jusqu'en mai, et l'été avec ses chaleurs écrasantes dont on me parlait si souvent, mais qui me laissaient sceptique. Ah bon ! le Québec n'est pas à longueur d'année un congélateur géant ?

À la fin de la session, j'ai réglé tous les détails administratifs pour pouvoir continuer mon aventure québécoise : inscription de manière régulière à l'université, renouvellement de permis d'études, et surtout longue discussion avec ma mère. Ou plutôt, long monologue parental. « Dis donc, tu vas rester étudiante encore longtemps ? C'est loin quand même, le Québec, tu aurais pu choisir un autre pays, je ne pourrai pas venir te voir souvent. » Oui, maman, tant mieux. De toute façon, quitter ta précieuse salle d'op' plus de cinq jours d'affilée, ça relève de l'exploit.

Je l'aime, ma mère, mais qu'est-ce qu'elle peut être chiante lorsqu'elle essaie de contrôler ma vie. Je ne sais pas si c'est parce qu'elle est médecin, mais elle s'imagine qu'elle sait tout, mieux que tout le monde, et sur tout. Certes, je ne saurais jamais différencier un foie d'un estomac, mais il me semble que je suis la mieux placée pour savoir ce qui me rend heureuse, non ?

---

* Oui, alors c'est quoi ça, vous vous demandez. En gros, c'est un organisme qui permet aux Français de venir étudier ici. Si vous voulez en savoir plus, Google !

Je rejoins Cécile qui patiente dans le hall d'entrée. Nous commandons notre repas avant de nous installer autour d'une table. Cécile et moi ne nous connaissons que depuis trois mois, nous avons deux cours ensemble, mais notre entente a été immédiate. Quand je suis arrivée ici, j'ai été assez surprise de me retrouver entourée de Français, la Faculté des sciences en administration en étant remplie. Bienvenue à Paris ! Heureusement que Marie-Anne et Maxim mettent un peu de couleur québécoise à ma vie. Je pourrais passer des heures à les écouter employer des expressions que je ne connais pas : parquer son char, donne-moi un bec, je suis tannée, je capote, maudit qu'il fait frette. Je me sens happée par une autre culture et j'adore ça. Cécile aussi. Ensemble, nous nous amusons souvent à confronter nos perceptions du Québec, de la France vue de loin, et de l'expatriation. Nous nous en donnons d'ailleurs à cœur joie en attendant notre retardataire. Marie-Anne est toujours en retard.

Tout comme moi, Cécile a quitté la France pour faire un échange universitaire grâce au CREPUQ. Elle rêvait de retrouver la Belle Province depuis ce voyage fait avec sa famille quelques années plus tôt. Elle ne touche plus terre depuis son arrivée. Elle ne se lasse et ne se choque de rien – mais qu'est-ce que ça peut bien faire si les Québécois arrosent les trottoirs avec leurs gicleurs automatiques ? Ils en ont plein, d'eau. Euh !... mais arroser les pelouses alors qu'il a plu la veille, ou pire, la neige à la fin de l'hiver pour l'aider à fondre, tu ne trouves pas ça aberrant ? Quoi qu'il en soit, Cécile n'a pas l'intention de retourner en France de sitôt. Avant même de traverser l'Atlantique, elle savait qu'elle ne rentrerait pas à la fin de la session.

Peu de temps après son arrivée, elle se dénichait une colocation dans le quartier Montcalm et quittait le demi-sous-sol d'une maison qu'elle avait loué depuis la France.

Elle partage désormais un quatre et demie avec une étudiante invisible qui passe la plupart de son temps chez son chum.

Marie-Anne arrive en trombe. Elle s'excuse de son retard, dépose ses affaires, et file vers le comptoir commander son dîner. Une vraie tornade. Je ne sais pas comment elle réussit à gérer sa vie, entre son poste d'adjointe au chef de produit dans une firme spécialisée en marketing et les deux cours qu'elle suit chaque session. Je lui lève mon chapeau.

Après son baccalauréat, elle s'est vu proposer un travail dans la Vieille Capitale et a décidé de quitter Chicoutimi, sa ville d'origine. Elle s'est installée elle aussi dans le quartier Montcalm, rue des Érables, et c'est toujours dans le grand salon de son appartement que nous nous réfugions lorsque nous n'avons pas envie de traîner sur Grande Allée. De nous trois, elle est la seule à ne pas avoir de colocataire. Ça ne pouvait en être autrement. Je ne la vois pas vivre avec quelqu'un, même avec son futur chum, c'est dire.

Lookée à la *working-girl*, pantalon et veste de tailleur noirs, dénichés chez Zara, porte-documents sous le bras, cheveux sobrement attachés avec une barrette, cellulaire à la main, elle me fait penser à Miranda de *Sex and the City*. D'ailleurs, j'aime bien penser que toutes les trois, nous sommes les nouvelles célibataires branchées de Québec qui se réunissent le midi pour s'épancher sur leurs histoires de fesses. Oui, d'accord, la cafétéria du Palasis-Prince, avec ses pâtés au saumon ou à la viande, ses sous-marins au jambon, ses tables dispersées au gré des envies des étudiants, et ses haut-parleurs qui crachent une musique inaudible, ne ressemble en rien aux derniers restaurants à la mode de la Grosse Pomme que fréquentent les quatre héroïnes. Mais on fait avec ce qu'on a, pas vrai ?

La conversation roule à bâtons rompus. L'hiver qui s'installe, les cours, les profs, le boulot, les hommes, tout y passe. Cela me fait toujours sourire de constater le nombre d'heures que certains Québécois peuvent consacrer à parler de l'hiver. Chaque fois que le mois de novembre revient, tout le monde se plaint. « Ouin ! l'été est déjà fini... Faut que je me dépêche de faire poser mes pneus d'hiver... Faut que je fasse rentrer du bois... » Le plus drôle, c'est quand les bancs de neige se font de plus en plus hauts et que chacun se met à comparer ses performances de déneigement. « Arrête, tu n'as pas pelleté pendant une heure et demie pour dégager ton entrée ? Attends que je te montre la nouvelle souffleuse que je me suis achetée chez Canadian Tire, elle est géniale ! »

Vers la fin du repas, Marie-Anne nous lance une bombe :

– Est-ce que vous avez déjà essayé les rencontres sur Internet ?

– Pourquoi ? T'es tentée ? je lui demande en ouvrant grand les yeux.

Elle était bien la dernière personne que j'imaginais se laisser séduire par ça.

– Oui... peut-être. Je ne sais plus trop. Je l'étais, mais je suis tombée sur le blogue d'une fille qui raconte ses expériences et, franchement, les gars qu'elle rencontre ont tous l'air de cas sociaux. Je me suis aussi promenée sur un ou deux sites de rencontres en ligne. Ce que j'ai vu ne m'a pas rassurée. Des annonces de trois lignes bourrées de fautes d'orthographe. Et une montagne de banalités. « J'adore les sorties entre amis ou manger dans un bon resto autour d'une bouteille de vin... » Qui n'aime pas ça, je vous le demande ?

Je hoche la tête et confirme :

– D'après les quelques rencontres que j'ai faites quand j'étais en France, je peux te dire qu'effectivement, quatre-vingt-quinze pour cent des personnes inscrites sont des cas sociaux.

J'ai testé *Meetic**.pendant six mois avant de faire une croix définitive dessus. Dans le meilleur des cas, je suis ressortie déçue de mes pseudo-relations avec mes *meetic boys*, dans le pire avec des envies de meurtre. La faune masculine qui arpente ces sites n'est pas des plus reluisantes, et pour ma part, je n'ai côtoyé que des menteurs, des inexpérimentés, des *je sais pas ce que je veux*, et des immatures. Du côté des filles, ce n'était guère mieux. Je m'amusais à parcourir leurs fiches et ce n'était qu'une avalanche de désespérées, de complexées et de *je cherche le père de mes enfants*.

Oui, je sais, il y a toujours quelqu'un qui connaît quelqu'un pour qui ça a marché, ils vivent heureux et ont beaucoup d'enfants. Mais si on établit des statistiques, ça donne une réussite à long terme pour combien d'échecs ? Ces sites se remplissent les poches sur le dos de la solitude et du désespoir, et les gars qui les fréquentent se frottent les mains en pensant à ce vivier de femmes naïves qu'ils vont pouvoir baiser, n'étant, eux, pas touchés par ce fléau qu'est l'envie d'aimer. Un cliché ? Peut-être, mais s'ils existent, c'est parce qu'ils ont pris racine dans une réalité récurrente. Qui couche avec les filles sans les rappeler ? Qui se morfond en chantant « un jour mon prince viendra » et en s'écriant « Bordelllllll, je veux qu'on m'aimeeeeeeeeeeeeee ! » ? Voilà, CQFD.

---

* Comme il a déjà été établi que vous êtes d'une intelligence hors du commun, vous avez naturellement déduit que c'est un site de rencontres français. Cette note ne sert donc à rien.

– Sérieusement, Marie, toi qui es très exigeante envers les hommes, je ne suis pas certaine qu'Internet soit l'endroit le plus propice aux rencontres intéressantes !

– Je ne suis pas exigeante.

– Euh, je te rappelle que t'as *flushé* un gars parce qu'il faisait du bruit en mangeant.

Marie-Anne est célibataire un peu par obligation, aucun homme n'arrive à la hauteur de ses attentes, il est toujours trop ci ou pas assez ça. Il faut tout de même préciser qu'il n'est pas si facile de la suivre, fonceuse comme elle est. Rien ne l'arrête et elle ne craint pas grand-chose. Elle est du genre à partir seule en vacances avec son sac à dos dans un pays étranger dont elle ne parle pas la langue.

Elle repose son verre de soda *diet* et s'offusque à moitié :

– Mais c'est vraiment désagréable, ça ! Mastiquer en silence, c'est la moindre des politesses. Et puis, ce n'est pas comme si, à côté, il était parfait.

– Toujours est-il que je ne pensais vraiment pas que tu étais tannée de ton célibat au point de songer à te rabattre sur ça.

– Arrête, à t'entendre, on dirait que je veux me vendre sur la place publique.

Je réprime une grimace et tente de nuancer ma réponse :

– Je crois plutôt que c'est la solution de la dernière chance. Au début, quand je me suis inscrite sur *Meetic*, je pensais sincèrement que j'allais rencontrer des gens enrichissants, différents de ceux que je côtoyais et que je n'aurais jamais eu l'occasion de connaître ailleurs. Je vous le concède, j'étais naïve et pas mal ingénue, d'ailleurs c'est peut-être pour ça que je me suis plantée en beauté, ou peut-être que j'ai mal filtré, je ne sais pas. Ce que je sais, c'est qu'Internet n'est pas un remède efficace au manque d'amour.

– Propose-moi autre chose, alors. Qu'est-ce qu'on fait quand on côtoie toujours les mêmes personnes et qu'on est fatiguée des *fuck friends* ? Des relations qui ne mènent nulle part ?

Ah ! les *fuck friends*, mon deuxième choc culturel après le tutoiement. Et dire qu'on ose appeler ça un ou une amie moderne. L'amour serait-il passé à la trappe de la modernité ? Pourquoi s'encombrer de sentiments quand on peut prendre son pied sans prise de tête ? Pourquoi s'encombrer de sentiments tout court ? Au début, je trouvais que ce genre de relation cadrait parfaitement avec l'indépendance des Québécoises. Elles refusent si fort de s'engager avec un homme qui ne correspondrait pas à tous leurs critères.

« Hors de question de m'embarquer avec un gars pas capable de cuisiner, de se ramasser ou de faire sa lessive. Hors de question de m'embarquer avec un gars pas capable d'endurer une femme avec du caractère. Hors de question de m'embarquer avec un gars qui passe toutes ses fins de semaine devant sa télé ou avec ses chums et qui n'a pas le goût de faire autre chose. Hors de question de m'embarquer avec un gars trop proche de sa mère. Hors de question de m'embarquer avec un gars qui veut attendre pour faire des enfants, attendre quoi au juste ? Hors de question de m'embarquer avec un homme qui travaille soixante heures semaine. Hors de question de m'embarquer avec un gars qui ne gagne pas au moins autant que moi. Hors de question de m'embarquer avec un gars de trente ans qui est encore locataire. Ce n'est pas compliqué de se payer un condo aujourd'hui. Hors de question de... » Et ça ne s'arrête jamais, la recherche du prince charmant fait des ravages des deux côtés de l'Atlantique. Il reste qu'Internet me semble plus propice au magasinage d'une relation qu'à autre chose.

– Ce n'est pas grâce à Internet que tu vas commencer une relation sérieuse, Marie, crois-moi.

– Ne l'écoute pas, proteste Cécile, tu dois faire tes propres expériences.

Elle se tourne vers moi et ajoute :

– Arrête de la décourager, tu es trop cynique et blasée.

Je pince les lèvres et fixe le reste de mon sandwich qui gît dans mon assiette. Moi aussi je me trouve cynique et blasée ces derniers temps. L'image que j'ai des hommes est de moins en moins belle. Mon père m'a abandonnée quand j'avais dix ans, ça commençait mal. Mon premier amant m'a laissée tomber pour une autre quand j'avais dix-huit ans, ça continuait mal. Mon colocataire ne croit pas à l'amour et il ne veut rien savoir des relations de couple. Il ne se conduit peut-être pas comme un salaud avec les filles, mais n'empêche qu'il les baise et c'est tout. Next ! Un jour, je lui ai demandé pourquoi il se contentait de relations superficielles. Sa réponse fut sans équivoque :

– On est sur terre pour avoir du plaisir, non ?

– Mmm... Ouais.

– Et qu'est-ce qui procure le plus de plaisir : le sexe ou l'amour ?

41

Il ne m'a pas laissé le temps de disserter sur cette question et a enchaîné :

– Pourquoi j'irais me prendre la tête dans des relations amoureuses qui me mettront le moral à zéro alors que je peux tirer le maximum de la vie en me contentant de faire l'amour ?

– Mais tu ne trouves pas que tes relations sont vides ? Qu'elles sont incomplètes ?

– Non.

– Le plaisir d'être complice avec quelqu'un ne te manque pas ?

– Je t'ai pour ça. Et puis l'amour, l'amour, c'est très surfait. Les amoureux ne sont heureux que quelques semaines. Après ça, ils se défoulent au gym, prennent des cours de yoga, rentrent tard le soir pour éviter de voir l'autre et de lui taper sur la gueule. Cet autre qu'ils ont choisi sans parvenir à se rappeler pourquoi, mais qu'ils n'arrivent pas à quitter. Les gens en amour ne sont pas plus heureux que toi et moi, Isa.

– Peut-être, mais rien n'est comparable à l'amour dans la vie.

Il a affiché un air dubitatif.

– Tu n'as jamais été amoureux, Maxim, moi je sais ce que ça fait d'aimer.

– Ça t'a fait pleurer si je me souviens bien de ce que tu m'as raconté.

Ah ! ça, pour pleurer ! Daniel, mon premier amour, a ouvert le barrage en me quittant. J'aurais pu à moi seule alimenter l'île de Montréal en hydroélectricité. Je crois en l'amour pourtant, et si je conseille à Lucie de ne pas abandonner avec Justin, c'est parce que je veux continuer à y croire malgré tout. Je veux croire qu'il est possible de rencontrer quelqu'un et de bâtir quelque chose de solide. D'ailleurs, chaque fois que j'entame une nouvelle relation, c'est toujours avec l'espoir que cette fois les choses seront différentes. Je suis cynique et naïve à la fois. Plus contradictoire que moi, ça n'existe pas !

– *Anyway*, je vais continuer à y penser, je vous tiendrai au courant.

Marie-Anne jette un coup d'œil à sa montre et se lève.

– Faut que je vous laisse !

Son cellulaire sonne au même moment. Elle décroche, ramasse ses affaires, et nous fait un signe de la main en s'éloignant. Qu'est-ce que je vous disais ? *Working girl*. O.K., c'était sa mère au téléphone, mais quand même : *Working girl !*

Cécile et moi quittons la cafétéria après quelques minutes.

– Dis donc, tu n'es pas cynique, toi, peut-être ? Qui est-ce qui surnomme les mecs les enfoirés affectifs ?

Cécile rougit. C'est la seule chose un peu « méchante » qu'elle s'autorise. Sa dernière relation sérieuse remonte à loin et depuis, tout comme moi, elle tente sans grand succès d'échapper aux hommes qui ne veulent rien d'autre qu'une relation sans engagement. Des enfoirés affectifs. Ça doit être la nouvelle mode. Kevin, le dernier gars avec lequel elle est sortie, était un spécimen du genre. Il a commencé à la voir alors qu'il vivait toujours avec son ex et a disparu de la circulation lorsque celle-ci est redevenue sa blonde. Non content d'avoir agi comme un... lâche, pour rester polie, quand Cécile lui a téléphoné pour s'assurer qu'il n'était pas mort, il a enfoncé le clou en lui demandant et je cite, ouvrez les guillemets : « Mais si ça ne marche pas avec mon ex, est-ce que je pourrais te rappeler ? » Cécile lui a raccroché au nez. Moi, j'aurais crevé ses pneus.

Nous formons un beau trio, Marie-Anne, Cécile et moi. Nous nous consolons souvent autour d'un verre de vin ou devant un film les soirs de fin de semaine. Nous tentons tant bien que mal de trouver une solution pour relancer le couple sur les rails de la longue durée et terrasser les relations kleenex. Vous savez, ces relations où, dès que quelque chose ne va pas avec la personne qu'on voit, on ne cherche même pas à comprendre, on la jette et on en prend une autre. Combien de temps dure un couple en moyenne ? Cinq ans ? Huit ans ?

Comment faisaient-ils avant ? Ils se taisaient et encaissaient, ils n'avaient pas le droit de se plaindre. Notre génération, elle, recherche la perfection coûte que coûte, quitte à tout laisser tomber au moindre problème. Mais qu'est-ce qui est mieux ? Enfouir ses déceptions et ses douleurs au plus profond de soi jusqu'à les nier ? Ou ne pas pouvoir les supporter plus de deux semaines ?

Marie-Anne sur Internet, c'est plus fort que moi, je n'arrive pas à m'y faire. Elle est tellement... belle, intelligente, déterminée. Quel genre de gars pourrait-elle rencontrer là-dessus ?

— Je te parie vingt dollars que Marie-Anne ne rencontrera jamais sur Internet quelqu'un avec qui ça pourra marcher !

44

– Mais je rêve ! s'écrie Cécile. T'es prête à te faire de l'argent sur le malheur d'une de tes amies !

– Quoi ? Elle n'en saura rien !

– Et alors ?

Mince ! Suis-je si méchante ? Je ne pensais pas que...

– Je plaisante et je tiens le pari ! Marie-Anne est beaucoup plus rationnelle que toi, elle ne se laissera pas avoir par de belles paroles.

– Eh !

– Tu sais bien que tu es comme ça. De toute façon, je suis pareille. Tu crois que c'est parce qu'on est Françaises ?

– Je ne sais pas, mais en tout cas, les Québécoises que je connais ne sont pas comme ça.

– Faudrait creuser la question un jour.

– Faudrait, lui dis-je en lui faisant la bise. Faudrait...

Seuls les enfants savent ce qu'ils cherchent.

Antoine de Saint-Exupéry

Chapitre quatre

J'arrive gonflée à bloc à la bibliothèque. Bien décidée à affronter ma boîte de courriel, je m'assois derrière l'un des ordinateurs qui trônent vers l'entrée, sans même prendre le temps d'enlever mon manteau. Ouf ! un nouveau message !

De Lucie à moi :

« *Objet : Take back the power !*

> *Bon, Isa, je vois que Samuel te fait tourner en bourrique. Ne te laisse pas faire et reprends le pouvoir. Il se prend pour qui pour te traiter comme ça, pour disparaître après chacun de vos rendez-vous en attendant bien sagement que tu l'appelles ? S'il ne veut pas être avec toi, alors toi non plus tu ne veux plus être avec lui ! Et ne me dis pas "Oui, mais je tiens à lui, blablabla" parce que tu n'as pas le choix ! Les mecs ne veulent pas ce qu'ils ont, ils veulent ce qu'ils ne peuvent pas avoir. Ils veulent partir à la chasse, se battre et revenir avec une belle proie dont ils pourront être fiers ! Néandertaliens ? Stupides ? Immatures ? Les trois à la fois ? Pourquoi crois-tu que toutes les chieuses ont une armée de gars qui leur courent après ? Les hommes sont masos, ils aiment souffrir.*

O.K., j'arrête ! Je ne veux pas te contaminer plus que tu ne l'es déjà avec mon défaitisme et mon découragement. Mais c'est Justin qui m'énerve avec sa froideur et son indifférence face à ce que je ressens. Je passe mes soirées sur ma PS 2 à jouer à mes jeux vidéo pendant que lui regarde des films sur le DVD du salon. On dirait qu'on est ensemble depuis plus de vingt ans. Il dit qu'il m'aime, mais il ne le montre pas, je passe toujours en dernier.

"Il n'y a pas d'amour, il n'y a que des preuves d'amour", disait Saint-Exupéry. Facile de dire je t'aime ; l'assumer et le vivre pleinement, ça c'est une autre paire de manches. Justin devrait comprendre que notre couple ne me satisfait plus et tout faire pour me rendre heureuse, non ? Ou au moins essayer. Oui, juste essayer, je n'en demande pas plus.

Isa, si tu savais comme c'est dur de faire fonctionner une relation quand toute la magie disparaît. Quand les petits défauts, que l'on trouvait si adorables au début, finissent par nous sortir par le nez. Quand dans le regard de l'autre, on ne lit plus que l'habitude à la place du désir et de la passion. Je ne sais pas comment passer ce cap où je nous sens enlisés, mais ce que je sais, c'est que je ne peux plus vivre comme ça ! J'ai l'impression de vivre avec un colocataire alors que ça ne fait que cinq ans qu'on est ensemble ! J'ai jeté mon livre de Beigbeder parce que je commençais à avoir peur, mais tout ce qu'il a écrit se tient. C'est tout autant cynique que réaliste.

Bref ! Joue les indifférentes avec Samuel, ne sois pas à sa disposition, ne l'appelle plus et il va te manger dans la main. C'est comme le mécanisme de Pavlov, tout ça. Action-réaction ! Au pire, si ça ne marche pas, prends-toi un chien. C'est vrai ça, c'est obéissant, affectueux, toujours à disposition. À quoi sert un homme, finalement ?

À faire l'amour ? On n'est jamais mieux servi que par soi-même, non ? Mon Dieu que je suis aigrie ! Je ne me reconnais plus. Il faut vraiment que je prenne une décision par rapport à tout ça et vite !

À bientôt, Isa.

Lucie »

Que Lucie me manque ! Sa vivacité, son sens de la repartie me manquent. Elle a toujours quelque chose de drôle, souvent de grinçant, à répondre à mes lamentations. Nous nous sommes connues à notre entrée au collège et nous avons tout partagé. Des premiers slows aux premiers baisers, des premiers rendez-vous aux premiers chagrins, des premières règles aux premières plaquettes de pilules. Tous les trucs classiques d'adolescentes, en somme. Un vrai cliché. Mais du bonheur à l'état pur. L'amitié de Lucie est une des choses auxquelles je tiens le plus et elle me manque tous les jours.

Ma réponse est immédiate.

De moi à Lucie :

« Objet : À quoi sert un homme ?

Tu poses une excellente question, Lucie. Les hommes ne servent à rien ! Tout au plus sont-ils bons pour changer une roue en cas de crevaison. Ils bricolent aussi, réparent la plomberie, mais c'est de plus en plus rare. À part regarder des matchs de foot ou de hockey, une main dans leur caleçon et l'autre autour d'une bière, à nous demander d'être là pour un petit coup vite fait si l'OL* ou les

---

* Olympique Lyonnais. En gros, ce sont nos Canadiens à nous, mais pour le foot, et quand je dis foot, je ne parle pas de football américain !

Canadiens gagnent, ils savent faire quoi exactement ? Qu'est-ce qu'ils nous apportent ? Finalement, a-t-on besoin d'un homme, et si oui, pourquoi ?

C'est peut-être la pression de la société qui nous pousse à vouloir trouver la bonne personne à tout prix, et avant trente ans s'il vous plaît, sinon nous devenons des parias inaptes à l'engagement. Des parias qui n'ont même pas été capables de garder un mec alors qu'elles étaient dans la fleur de l'âge. Encore une façon qu'ont trouvée les hommes pour continuer d'exercer leur domination depuis des millénaires. Les femmes qui assument leur célibat et qui osent dire qu'elles sont heureuses ainsi se font, au mieux, regarder comme des ovnis, au pire, on ne les croit pas...

Il faut que je t'avoue, Lucie, je suis la première à ne pas croire ces célibataires qui clament haut et fort leur bonheur d'être seules. Je veux bien présumer que pendant un temps, on puisse se sentir épanouies dans cette liberté qu'apporte le célibat, dans ce quasi-narcissisme du je/me/moi, mais à la longue il manque quelque chose, non ? Le problème, c'est que les hommes ne sont pas foutus de nous apporter ce qu'on recherche, et comme on est stupides, on se contente de ce qu'ils nous donnent en espérant qu'ils finiront par changer. Regarde-nous. Regarde l'état de nos vies amoureuses.

En même temps, je crois qu'il est inévitable qu'une relation perde ses charmes du début, Lucie. Les moments où l'on se colle l'un contre l'autre à la moindre occasion ne sont qu'éphémères. En revanche, il doit quand même bien exister une alternative entre un amant fougueux qui nous regarde comme si nous étions Vénus réincarnée en nous murmurant des mots d'amour à l'oreille et avoir un colocataire qui se cure joyeusement le nez devant nous... Je l'espère, en fait.

50

Bref ! Je vais jouer ma dernière carte avec Samuel, celle de l'indifférence, et je verrai bien. Je trouve ça plus marrant que ce que Maxim m'a conseillé. "Parle-lui, qu'il m'a dit, et demande-lui comment il envisage votre relation." Sur le coup, j'ai trouvé que c'était une bonne idée, mais depuis, j'ai réalisé que si je faisais ça, j'allais encore me mettre dans la position de la dépendante affective qui le harcèle pour qu'il soit officiellement son chum. Non, merci. S'il veut jouer au jeu de la sonnerie muette, il va trouver son maître !

Prends soin de toi, ma belle, et à très bientôt.

Isa xxx »

Je me lève et dépose mes affaires sur un bureau à l'écart. Je n'ai plus envie de penser aux relations de couple, c'est épuisant. Je préfère de loin me laisser envahir par le calme si particulier d'une bibliothèque. Par l'ambiance. Elle me détend. Je passe au minimum une soirée par semaine à traîner dans les rayons de la bibliothèque Gabrielle-Roy. Je hume l'odeur des vieux livres, je caresse leur couverture, j'écoute le bruissement des pages qui se tournent. J'en saisis un au hasard des titres ou des auteurs et je me plonge pour quelques heures dans un monde imaginaire. Quand je ne lis pas, c'est mon univers à la fois réel et fictif qui prend forme sur mon portable.

J'ai commencé à écrire vers l'âge de douze ans. Je me souviens, c'était un mercredi après-midi. (Nous n'avons pas école le mercredi après-midi en France, les plus jeunes ont même toute la journée de congé. Vous pouvez pleurer...) Je traînais dans ma chambre, les écouteurs de mon baladeur sur mes oreilles, Patrick Bruel se cassait la voix et je m'inventais une vie. J'ai saisi un stylo et je me suis mise à noircir les pages d'un cahier en racontant de manière assez banale – j'étais loin d'être une jeune prodige – et romancée le récit de ma première boum. Ne levez pas les yeux au ciel. Vous auriez voulu que je parle d'amour, de sexe et de drogue à douze ans ? Non ? Alors, attendrissez-vous.

Après cette première nouvelle, j'ai continué à remplir des dizaines de carnets, puis des dizaines et des dizaines de pages virtuelles sur l'écran de mon ordinateur. Il n'y a rien au monde qui me fasse triper comme écrire. Entremêler des mots, des phrases, des sons pour leur donner une seconde vie et les faire s'envoler. Se laisser envelopper par le processus créateur et en savourer chaque parcelle. C'est plutôt jouissif, quand on y réfléchit, pouvoir créer un monde et des personnages, et moi, je suis une fille qui carbure aux émotions. N'importe laquelle. Oui, n'importe laquelle. Je préfère pleurer et avoir mal plutôt que de ne rien ressentir, car au moins, je me sens vivante. Vous vous doutez que cela me cause quelques soucis parce que ma vie ressemble plus souvent à un électrocardiogramme plat qu'à une descente de montagnes russes ? Que faire si rien ne se passe ? S'abrutir devant *Loft Story* et vivre par procuration ? Je préfère me créer toute seule des mini-drames, c'est bien plus drôle et ça relance la machine de la vie. Chacun son truc.

Allô ! Houston, on a un problème.

Samuel vient de passer le tourniquet de la bibliothèque et mon cœur me brûle. Qu'est-ce que je fais ? Je plonge sous le bureau en attendant qu'il déguerpisse ? Je ramasse mes affaires et me sauve pour ensuite laisser éclater mes sanglots sous la neige ? Voilà. Maintenant je sais qu'il ne lui est rien arrivé. Maintenant je sais qu'il n'a tout simplement pas eu *envie* de m'appeler. C'est affreux. Bordel, il n'a pas eu d'accident ! Il va bien ! Il sourit à la dame qui scanne ses livres. Il discute avec les deux gars qui l'accompagnent. Il va bien !

Je fourre mes notes de cours pêle-mêle dans mon sac, luttant contre des larmes de frustration et de colère. Je ferme les yeux, me mords la lèvre quelques secondes et quand le monde réapparaît, c'est d'une vision troublée mais bien réelle que j'aperçois Samuel se diriger vers moi. Je savais que j'aurais dû m'installer à un bureau au fin fond de la bibliothèque. Je le regarde s'avancer en essayant de me donner une contenance.

Il n'est pas d'une beauté flagrante. Un mètre soixante-quinze, peut-être un peu plus, cheveux châtains, yeux pers. Rien de bien exceptionnel, mais il a un charme fou et qu'est-ce qu'il peut m'électriser ! De la racine des cheveux jusqu'au bout des ongles ! Et puis j'adore ses mains. Des mains puissantes tout en étant délicates, des doigts longs et fins aux ongles propres, coupés. Je craque toujours pour une partie précise de l'anatomie des hommes. Non, mauvaises langues, je n'ai encore jamais craqué pour un pénis !

On prend une profonde inspiration, on arrange discrètement ses cheveux et on sourit. Jouer les indifférentes, jouer les indifférentes, jouer les indifférentes.

– Salut, toi !

– Eh !... salut.

Je me racle la gorge et Samuel dépose un baiser sur mes lèvres.

– Comment ça va ?

– Très bien, merci. Et toi ?

Je vais mourir si cet échange de banalités s'étire encore ne serait-ce qu'une seconde !

– Je voulais t'appeler, mais j'ai été dans le jus toute la semaine.

Bien sûr, oui. Tu n'as pas trouvé cinq minutes durant les cent soixante-huit heures qui se sont écoulées depuis notre dernier rendez-vous ? Tu me prends pour une conne ? Je le fixe néanmoins en haussant les épaules avec une nonchalance appuyée :

– Oh ! tu sais, moi aussi j'ai été débordée. Les jours passent si vite, je n'ai le temps de rien.

Il hoche la tête, se rapproche de moi et commence à me caresser le dos.

– Pis, qu'est-ce que tu fais ce soir ? Tu veux venir chez moi ?

Pincez-moi quelqu'un ! Il pense que je suis à sa disposition peut-être ? Les hommes vivent sur quelle planète ou plutôt à quelle époque ? Moi avoir envie de baiser femme, toi te déshabiller. N'importe quoi ! Les mains me démangent et j'ai peine à retenir cette gifle qui me ferait tellement de bien. Allez, une gifle, juste une gifle ! Comme dans les films. Salaud ! Clac ! Il ne s'excuse même pas de son silence radio qui aurait peut-être duré je ne sais combien de jours si on ne s'était pas croisés par hasard !

La bouche en forme de o, je le dévisage quelques instants puis dis :

– Je ne peux pas ce soir.

– Et pendant la fin de semaine ? Ils annoncent de la neige, ce serait parfait pour rester au chaud devant un bon film.

Je serre les dents. Il le fait exprès ou quoi ? Il ne voit donc pas que je suis en colère ? Non, évidemment, il a envie de faire l'amour, ce qui occulte tout le reste, et comme je me suis toujours laissée faire, il ne comprend pas que je puisse refuser maintenant. Je ne suis vraiment pas fière de mon comportement, mais à ma décharge, laissez-moi vous dire que c'est ce qui est conseillé dans un livre. Oui. Parfaitement. « Les hommes ont besoin de sexe pour s'ouvrir à l'amour, alors faites l'amour avec eux. » O.K., je l'avoue, ce n'était pas formulé *exactement* comme ça et si je fais l'amour avec Samuel, c'est aussi parce que j'en ai envie. Cette fois-ci néanmoins, cela ne se passera pas comme ça.

Je le regarde avec des éclairs dans les yeux.

— Je ne peux pas non plus !

Ses caresses se font plus insistantes. Ses doigts glissent sur ma peau et il m'attire contre lui.

— Allez, Isa, t'as bien un petit moment, non ?

Je me dégage de son étreinte.

— Non mais tu te prends pour qui ? Tu crois que tu peux disparaître pendant une semaine et revenir la bouche en cœur pour me proposer un après-midi de sexe ?

Wow ! L'orgueilleuse en moi s'est réveillée, ça fait du bien ! Il faudrait qu'elle prenne sa place plus souvent.

Quelques étudiants nous font signe de nous taire et je leur lance un regard qui les cloue sur place. Je ferme néanmoins mon sac, enfile ma veste et me dirige vers la sortie, laissant un Samuel pantois. Évidemment. Je ne l'avais pas habitué à ça. J'étais toujours douce, toujours souriante, jamais un mot plus haut que l'autre, un vrai paillasson. J'ai honte.

En bas des escaliers, j'enfile mes gants et ma tuque et me retourne pour voir si Samuel ne m'aurait pas suivie. Non, bien sûr, ça n'arrive que dans les films. Un couple se dispute, la fille s'en va, le gars la rattrape dehors. Là, ils discutent, se réconcilient et s'embrassent sous la neige pendant que le mot *fin* illumine l'écran. Si la société pouvait arrêter de nous bercer d'illusions romantiques, ça aiderait.

Je fouille dans mon sac à main, à la recherche de ma carte de bus. Je vous jure, les sacoches de filles, c'est l'enfer. La mienne ressemble à une véritable salle de bains : un baume pour les lèvres, un paquet de mouchoirs, une crème pour les mains, une pince à épiler, une lime à ongles, un échantillon de mon parfum Ange ou Démon de Guerlain, un...

— Isa, attends !

Oh, oh ! Me serais-je transportée dans le téléfilm à l'eau de rose du dimanche après-midi sur M6 (ou si vous préférez dans un téléroman de TVA dégoulinant de bons sentiments mais avec de *vraies* émotions) ?

Je me retourne et aperçois Samuel en bas des marches.

— Excuse-moi, j'aurais dû t'appeler.

— Oui, t'aurais dû ! Durant toute la semaine, je n'étais qu'une pauvre conne qui se lamentait en attendant que tu décrochasses ton téléphone.

— Que je décrochasse ?

— C'est du subjonctif imparfait. J'utilise toujours ce temps quand je suis submergée par un trop-plein d'émotions. Des vieilles règles de grammaire qui remontent à la surface.

– Explique-moi ça.

Je soupire, lève les yeux au ciel et dis :

– Tout le monde emploie le subjonctif présent à l'oral, même lorsque la proposition principale est au passé. Pourtant, c'est le subjonctif imparfait qui s'applique quand l'action de la proposition subordonnée est simultanée ou postérieure à l'action de la principale.

Samuel affiche un large sourire et je gronde entre mes dents :

– Ne te moque pas de moi ou je ne réponds plus de rien.

– Mais non, je trouve ça adorable.

Son sourire devient penaud et ma colère s'envole déjà. Elle n'est pas très coriace, celle-là ! *Oui mais il s'est excusé.* Bon, si ma petite voix s'y met...

– J'aime passer du temps avec toi, Isa, me dit-il en s'approchant de moi, j'adore quand tu m'apprends toutes ces petites choses et je ne veux pas qu'on arrête de se voir.

Argrr ! je déteste mes gènes féminins ! Je me sens déjà plus faible entre ses bras. Dans un dernier sursaut, je le préviens tout de même :

– Tu n'as pas intérêt à recommencer, Samuel, je veux que tu m'appelles et je veux te voir plus souvent.

– O.K., chuchote-t-il contre mes lèvres.

Il me serre plus près encore et m'embrasse. C'est si doux, si langoureux, mes papillons sont en folie et... je carbure aux émotions.

Mais... ce que vient de me dire Samuel, c'est une mini-déclaration, non ?

Je dois m'occuper d'être heureux.

Albert Camus

Chapitre cinq

Le rush de fin de session vient d'ouvrir ses portes !

Je dois maintenant combattre une envie perpétuelle de me jeter par la fenêtre devant tout ce qu'il me reste à faire avant de passer la ligne d'arrivée des fêtes de fin d'année. Depuis une dizaine de jours, je ne sais plus où donner de la tête. Entre mes travaux à rendre, mes révisions et mes préparatifs pour mes vacances en France, ma vie sociale se réduit comme une peau de chagrin. Seules mes discussions avec Maxim le soir et mes sorties avec Marie-Anne et Cécile résistent à cet effilochage. J'ai baptisé ces soirées *There's Something about Mary*, car Marie-Anne, qui s'est finalement lancée dans les rencontres sur Internet le mois du dernier, accapare toujours notre attention avec ses péripéties. C'est qu'elle a bien du mal à se débarrasser des − et là, je cite − *trous du cul, crosseurs et maudits chiens sales* pour arriver jusqu'à une éventuelle perle rare. Grâce à elle, j'apprends de nouvelles façons d'insulter les hommes après salaud, connard et enculé. D'ailleurs, si je devais qualifier Samuel, j'irais d'un joyeux *trou du cul*. Non seulement me voilà de retour à la case départ, mais en plus j'ai l'impression d'être enfermée dans le film *Un jour sans fin* ou *Le jour de la marmotte*, comme vous l'avez traduit ici. Oh joie !

Bien décidée à ne pas me laisser pourrir l'existence une minute de plus par Samuel, je me rends d'un pas vif chez Marie-Anne. Sans toutefois être glacial, l'air est froid et j'enfonce mes mains dans les poches de mon manteau. J'adore aller chez Marie-Anne parce que je suis amoureuse de son appartement, de son grand salon lumineux, qu'elle a décoré avec soin surtout. Pot-pourri parfumé aux fruits rouges sur la table basse, causeuse assortie à ses meubles en érable, murs d'un rose pâle, presque blanc, très discret, sur lesquels sont accrochées quelques toiles. Et puis, il y a cette célèbre photo en noir et blanc encadrée : *Déjeuner sur un gratte-ciel*, prise par Charles C. Ebbets en 1936. On y aperçoit des ouvriers de la construction durant leur heure de dîner, assis sur une poutre à des centaines de mètres du sol, New York à leurs pieds. En se rapprochant, on peut presque entendre des bribes de leurs conversations et deviner le bourdonnement de la ville en bas.

C'est une Marie-Anne au visage assombri par du dépit mêlé à de la colère qui m'ouvre la porte. L'heure est grave. Marie-Anne ne laisse presque jamais tomber son air imperturbable. Nous nous connaissons depuis un peu plus d'un an toutes les deux et je ne l'ai pratiquement jamais vue déprimer. Nous nous sommes rencontrées quelques jours après le début de ma première session. D'abord coéquipières pour un travail en gestion de projet, nous avons sympathisé. Elle jouait les guides touristiques, me racontait l'histoire du Québec, la Révolution tranquille, René Lévesque, la nuit des longs couteaux. Je lui parlais de la France, de Sarkozy, de Paris et de Lyon. À travers ces cours de politique et d'histoire, nous évoquions également nos relations amoureuses foireuses et j'étais contente de pouvoir me confier à elle comme je me confiais à Lucie. En septembre, je l'ai présentée à Cécile et nous sommes devenues les trois mousquetaires.

Marie-Anne referme la porte en soupirant.

– Qu'est-ce qu'il y a ?

– Oh ! rien. J'étais sur mon site de rencontres. Je suis découragée.

Je répète : l'heure est grave. Nous nous installons sur le sofa près de la fenêtre. L'échiquier, souvenir d'une adolescente qui participait à des tournois et qui les gagnait, me nargue du haut de sa table carrée. J'ai affronté Marie-Anne une fois, elle a tué mon roi en six coups. Je n'ai jamais rejoué avec elle.

– Les gars sont des ovnis, déclare-t-elle en secouant la tête.

Euh ! elle est protégée par des droits d'auteur, cette phrase. Je la gazouille à ma mère depuis que j'ai un an. Marie-Anne reste silencieuse un moment puis finit par me demander :

– Est-ce que tu penses qu'on attire ce qu'on reflète ? Parce que si c'est le cas, il faut que je commence une thérapie dès aujourd'hui !

– Je ne sais pas si on attire ce qu'on reflète, mais Internet n'est pas un bon miroir pour se faire une idée. Crois-moi.

– Oui, marmonne-t-elle, j'espère que tu as raison parce que depuis le début, je ne fais que pêcher cas social par-dessus cas social. À force, je vais me retrouver avec une belle brochette.

Voici donc la mise à jour de ses péripéties *intercyberales*.

Cas social numéro un (CS 1) ou le gars aux trois cent dix-huit conquêtes (chiffre réel).

Marie-Anne et lui discutent par ordinateurs interposés depuis plusieurs jours, le courant passe bien. Une rencontre se profile à l'horizon, quand le sujet du sexe arrive sur le tapis. Ce sujet arrive toujours sur le tapis. *CS 1* s'interroge sur le nombre approximatif des amants de Marie-Anne. Question sexiste au possible à laquelle je ne réponds jamais. De un, cela ne regarde personne à part moi et mes ex, et de deux, les femmes sont toujours jugées sur ça. Dire la vérité ? Grand Dieu jamais ! Un nombre trop élevé d'amants nous catalogue illico « fille aux cuisses légères », tandis qu'un nombre trop faible nous coiffe du chapeau « fille à décoincer, possible refus de fellation ». Conclusion : je ne réponds jamais à cette question. Marie-Anne, elle, oui. Elle assume le nombre de ses amants. Elle assume tout, d'ailleurs. *CS 1* ne la juge pas et lui demande en retour ce qu'elle considère comme étant un nombre élevé de partenaires.

– Pressentant le pire, poursuit Marie-Anne, je réfléchis un peu. Je lui écris un chiffre, et là il me sort que je suis conservatrice. Conservatrice ! Moi ! Plus libérée que moi, tu meurs !

– Tu lui as donné quoi comme chiffre ?

– Soixante, et encore, c'était plutôt cinquante, ma limite.

D'accord. Si elle est conservatrice, moi je suis aussi coincée que la reine d'Angleterre niveau sexe. Quarante. Voilà ce que je considère comme énorme. Vous vous imaginez coucher avec quarante gars différents ? O.K., ça a l'air glamour d'être Samantha dans *Sex and the City*, mais dans la vraie vie ?

– Soixante, c'est beaucoup, tu sais.

– Oui ? Eh bien, multiplie donc par cinq pour trouver le nombre de ses maîtresses.

Si je jouais une scène de film dans laquelle je me prélasserais avec une amie, un verre de limonade à la main, ce serait à ce moment-là que je le laisserais glisser et qu'il se fracasserait au sol.

– Attends, j'ai toujours été nulle en maths, on parle bien de trois cents partenaires différentes ?

– Trois cent dix-huit, pour être précise. Ce chiffre ne me sort plus de la tête !

– Trois cent dix-huit ?!

– Ouais, un double Maxim !

Je me redresse comme si une abeille venait de me piquer.

– Arrête, Maxim n'a pas couché avec le dixième du chiffre de ton cas social !

– Qu'est-ce que tu en sais ?

Je hausse les épaules.

– Je le sais, c'est tout... Alors, comment ça s'est terminé avec ton Don Juan ?

– Je lui ai dit que son expérience sexuelle me mettait mal à l'aise. Et on a décidé de ne pas se rencontrer. Il n'a pas bronché, et tu veux que je te dise, je crois que c'est *mon* expérience sexuelle qui le mettait mal à l'aise. Le monde à l'envers.

Elle pousse un soupir et se lève.

– As-tu envie d'un cosmopolitan ? Je vais m'en préparer un. Je te raconterai mes péripéties avec mon cas social numéro deux en même temps.

– Je ne refuse jamais ce genre de proposition, tu le sais bien.

Elle se dirige vers la cuisine, ouverte sur le salon, et je m'installe sur un tabouret près du comptoir.

Cas social numéro deux (CS 2) ou le gars de trente ans désespéré qui vit encore chez son père.

Avec lui, dès le début, Marie-Anne sent que ça ne collera pas. Elle sent qu'ils sont le jour et la nuit, tous les deux. Il est fan de bandes dessinées, ne rate jamais un épisode de *Family Guy*, vit toujours chez son père et résume le mot *aventure* en une sortie dans un nouveau restaurant. Curieuse et bien décidée à ne pas se laisser abattre par les premières différences – après tout, elle voulait rencontrer des personnes de tout horizon –, Marie-Anne tente de ne pas se formaliser de ces différences. Leurs conversations se poursuivent donc jusqu'à ce qu'elle perçoive chez *CS 2* une telle envie, non un tel besoin, d'être avec une fille que cela en devient presque effrayant. Tous ses amis sont en couple, il vient de dépasser la trentaine, il *veut* une fille. N'importe laquelle. Le problème, c'est que le côté « je vis encore chez mon père » en rebute certaines, pour ne pas dire toutes.

– Je veux bien être tolérante et ne pas m'arrêter à ça, mais t'as trente ans. Trente ans ! Bouge-toi ! En plus, il commençait déjà à m'appeler ma chérie. Beurk !

Ah, ah ! Marie-Anne vient d'atteindre la phase insultes, la soirée peut commencer ! Elle me tend une coupe remplie de liquide rouge, saisit la sienne et la porte à ses lèvres.

– Le « je vis encore chez mes parents », j'aurais peut-être pu m'y faire, reprend-elle après une gorgée. C'est vrai, c'est plutôt craquant le style *Tanguy*. Mais quand je repense à sa façon désespérée et désespérante de vouloir à tout prix me rencontrer, j'en ai des frissons.

– Euh ! Marie, craquant le style *Tanguy* ?

On se regarde, sourire aux lèvres.

– Au cinéma, ça passait bien en tout cas.

– Tu l'imagines piquer une crise d'angoisse la première nuit qu'il passe chez toi parce qu'il ne dort pas dans son lit ?

Marie-Anne éclate de rire.

– Au moins, ce n'est pas sa mère qu'il aurait appelée ! En tout cas, j'espère !

Je ne sais pas si ce sont les cosmopolitans qui nous montent déjà à la tête, mais je nous trouve beaucoup plus pimpantes depuis quelques minutes. C'est vraiment dommage que l'alcool entraîne une dépendance, des gueules de bois d'enfer, une cirrhose du foie et autres choses tout aussi agréables. La vie serait tellement plus marrante si tout le monde pouvait s'enivrer à longueur d'année.

Marie-Anne continue de se vider le cœur en défilant sa liste de cas sociaux. Je vous en fais grâce, tout ça est assez pathétique. Entre le gars qui cherche une fille comme il chercherait un appartement : « Doit être ouverte à de nou-velles expériences » (traduction : « Doit avoir envie de tester le bondage ou le triolisme avec une autre fille »), et celui qui pèse plus de cent kilos mais qui recherche exclusivement une fille entre quarante-cinq et cinquante kilos, le monde virtuel va mal. Ou bien est-ce le monde tout court ? Le monde occidental ? Notre génération ? L'effet de la vodka ? Préférant ne pas trop creuser la question, j'écluse mon verre et m'exclame :

– T'es aussi inapte à l'amour et aux rencontres que moi !

– Non, Isa, ce sont les gars ! Pas nous. D'ailleurs, j'ai failli effacer ma fiche de ce site tantôt, mais je ne veux pas laisser tomber avant d'avoir fait au moins une rencontre réelle.

– Derrière un écran, les gars s'arrangent. Ils oublient qu'ils ont une blonde, qu'ils font un mètre cinquante-deux, et que leur demi-sous-sol n'est pas un condo sur la rue Cartier. Ceux avec qui tu parles en ce moment seront forcément pires en vrai.

– Peut-être, mais je refuse de laisser tomber maintenant, sans avoir essayé jusqu'au bout. Et puis, de quoi on remplirait nos soirées si je mettais fin à tout ça ce soir ?

Elle marque un point. Pour une fois que ce ne sont pas mes histoires foireuses qui sont à la source de nos fous rires, je ne vais pas m'en plaindre.

La sonnerie de l'interphone retentit. Marie-Anne se lève et, une trentaine de secondes plus tard, réapparaît accompagnée de Cécile. Une excitation grandissante m'envahit soudain. Nous sommes vendredi soir, les examens commencent la semaine prochaine, nous vivons notre dernière occasion d'avoir du plaisir. Une virée dans un bar de la Grande Allée s'impose et je sens germer l'ombre d'une mauvaise idée.

– Non, Isa, passer la soirée au Charlotte n'est pas envisageable. Tu ne crois pas que tu as déjà assez rampé devant Samuel ?

Réjouissons-nous en chœur : ma petite voix est de retour ! Elle apparaît même quand je ne suis pas seule maintenant. C'est certain, l'année prochaine, je passe les fêtes à l'hôpital psychiatrique.

— Je ne sais même pas si Samuel sera là.

— Tu oublies que je suis toi, alors n'essaie pas de m'embobiner. On sait toutes les deux que Samuel passe presque tous ses vendredis soir au Charlotte.

— Tu n'es pas censée me pousser à le voir ou à l'appeler, toi ?

— Désolée, ce soir, je suis en mode guerrière.

— Je vois ça et c'est moi la serpillière, donc.

— C'est toi qui l'as dit.

O.K., je suis d'accord avec vous : il FAUT que j'arrête ces conversations avec moi-même. Ça devient vraiment perturbant. Pourquoi ce serait mal d'aller passer quelques heures dans un bar pour danser en espérant y voir Samuel ? S'il n'est pas là, tant pis. Je passerai une excellente soirée avec mes amies et s'il est là... S'il est là, je me ferai un plaisir de l'ignorer et de le rendre jaloux.

— Tu ne te trouves pas un peu trop vieille pour ces bêtises ?

— Et toi, tu ne te trouves pas un peu trop envahissante pour une petite voix ?

Je bondis du sofa pour éviter de tomber dans la schizo-phrénie à temps complet et demande à Marie-Anne et Cécile si elles n'ont pas envie d'aller danser au Charlotte. Bien sûr, elles ignorent que c'est son lieu de prédilection, sinon elles ne se gêneraient pas pour me sermonner comme une petite fille. Marie-Anne surtout, elle qui me somme de l'envoyer au diable depuis plusieurs jours déjà. Cécile, bien que plus réservée, l'a tout de même rangé dans la case enfoiré affectif.

Enthousiastes à l'idée du Charlotte, Marie-Anne disparaît dans sa chambre tandis que Cécile envahit la salle de bains. J'enlève mon chandail et lisse ma camisole d'une main avec un sourire. Ce haut moulant avec de fines bretelles est parfait. Sexy à souhait, le rouge carmin me donne l'air d'une tigresse. C'est un signe.

Je me recoiffe devant le miroir du salon et mon cœur s'accélère. Vais-je vraiment croiser Samuel ce soir ? Et s'il vient me parler, qu'est-ce que je vais lui dire ? Comment l'amener à me jurer un amour éternel ? Je suis bloquée à l'âge de quinze ans. Navrant.

Je donnerais tout pour être comme les autres et avoir un chum normal, intéressé, aimant et présent. Pourquoi est-ce devenu l'une des choses les plus difficiles à trouver de nos jours ? Bon, dès demain, je pars à la recherche d'une marraine magique prête à m'adopter et à se pencher enfin sur... mon lit deux places. Euh ! est-ce que les marraines magiques sont recensées dans l'annuaire, par hasard ?

– Isa, tu es prête ? me demande Cécile en sortant de la salle de bains.

Je hoche la tête et me souris à moi-même. D'abord, d'un sourire trop forcé, puis d'un sourire sincère. Je vais passer la soirée avec mes amies, c'est tout ce qui compte.

Le vrai est trop simple,
il faut y arriver toujours par le compliqué.

George Sand

Chapitre six

Le Charlotte est le *lounge* du Maurice, situé à l'étage. Les mi-vingtaines se fondent parmi les trentenaires dans un décor fait de velours, de cristal et de fauteuils propices à la détente. Nous nous installons dans un coin avec nos verres. La piste de danse se remplit. Un gars avec un chapeau de cow-boy se trémousse derrière une jolie fille sur *Wake me up*. La musique est forte, peu propice à de longues conversations à trois. Après une quinzaine de minutes, nous décidons d'aller danser. Je tourne la tête de gauche à droite tout en essayant de me concentrer sur la musique. Mon petit manège n'échappe pas à l'œil alerte de Cécile. Elle se penche vers moi et me demande ce que j'ai. Je secoue la tête en lui faisant signe que ce n'est rien. Elle devine que je mens, mais n'insiste pas.

Bon, si Samuel est là, il faut qu'il me voie en galante compagnie. La jalousie, c'est peut-être enfantin, mais ça marche depuis la nuit des temps. Pourquoi chercher une autre méthode quand il en existe une qui a fait ses preuves ?

Mon regard se pose tour à tour sur les gars autour de moi, mais aucun ne me donne envie de me frotter contre lui. Je ne m'explique pas mes attirances, ça fait tilt ou pas.

Mon sang se retire subitement de mes joues en même temps que Shakira qui entame son *Hips don't lie*. Mon cœur cogne dans ma poitrine. Samuel est là, accoudé contre le bar, avec des amis. Vêtu d'une fine chemise grenat et d'un jean sombre, il discute et sourit. Il sourit et j'ai tout autant envie de le tuer que de l'embrasser.

Je quitte la piste de danse en trombe et m'enfuis dans les toilettes. C'était une erreur. Je n'aurais jamais dû venir ici. Samuel ne s'engagera jamais dans une relation avec moi. Je le sais maintenant. J'étais prête à mettre sa nouvelle prestation du *Jour de la marmotte* sur le compte de la fin de session, mais il est là. Et il sourit.

Je me fais du mal en continuant à le voir et à espérer. Il faut que je sois forte et que je mette un terme à tout ça.

Je suis forte et je vais mettre un terme à tout ça.

Je me pince les joues pour atténuer mon air livide. Je souffle un peu et tente de puiser un peu de courage au fond de moi. Sans grand succès. Le puits est presque tari.

Cécile débarque dans les toilettes au moment où je m'apprête à en sortir.

– Je viens de voir Samuel. C'est pour ça que tu t'es volatilisée ?

– Oui, mais je me doutais qu'il serait là.

Devant la mine de Cécile, je lève les mains comme si elle venait de me mettre en état d'arrestation.

– Je sais, ce n'était pas une bonne idée de venir ici, mais c'est fait. Je me sens déjà assez stupide, alors s'il te plaît, ne me regarde pas comme ça. De toute façon, c'est fini. J'ai décidé que c'était fini. Son jeu du *je t'aime moi non plus* a assez duré. À partir de maintenant, il faut que je sois plus forte. Comme Marie-Anne. Elle n'accepterait jamais de se faire traiter comme ça.

Voilà, je suis Marie-Anne et je m'en vais de ce pas balancer ses vingt-huit vérités à Samuel. Pourquoi se limiter à quatre ? Les vérités ne sont-elles pas infinies ?

Munie de mon nouveau courage, je quitte les toilettes et tombe nez à nez sur celui qui me torture depuis trois mois. Je retiens un cri de surprise. On peut reprendre la scène ? Je n'ai pas eu assez de temps pour me préparer.

– Je pensais bien que c'était toi.

Apparemment, le clapet vient de tomber et le réalisateur a crié « Action ». En scène, alors.

– Salut.

Eh oui. Voilà ce que ça donne, une actrice qui ne connaît même pas son texte. Un cerveau s'il vous plaît ? Cécile en profite pour sortir des toilettes et s'éclipser. Samuel s'approche de moi, essaie de m'embrasser, mais je recule. Il se redresse et me lance un regard interrogateur. Bon, il est temps. Allez, mes cordes vocales, à vous de jouer. Faites de votre mieux et, surtout, pas d'hystérie.

– Il faut qu'on se parle.

Plus cliché, tu meurs.

– Je crois que... enfin que nous deux... tu sais...

O.K., j'ai dit pas d'hystérie, mais je n'ai pas non plus dit lobotomie. Un peu plus de conviction et moins d'hésitation serait apprécié.

– Notre relation ne mène à rien et moi, j'ai besoin d'aller quelque part.

On se contentera de ça. Merci, mes cordes vocales.

– Si tu tiens tant que ça à aller quelque part, me répond Samuel avec un large sourire, on peut aller souper demain soir.

Sa nonchalance me fait l'effet d'une gifle.

– Je ne plaisante pas ! J'en ai assez de ton petit jeu. Est-ce que tu sais au moins ce que tu veux ?

C'est maintenant à son tour de soupirer. Il me regarde tel un petit garçon pris en faute. Il ne sait peut-être pas ce qu'il veut, mais il sait que ce regard me fait craquer. Non. On ne rejouera pas la scène de la bibliothèque.

– Tu me rappelleras quand tu auras grandi. Si ça t'arrive un jour...

Je tourne les talons et me retiens de ne pas m'applaudir. On est loin des vingt-huit vérités qui tournent en boucle dans ma tête depuis plusieurs jours, mais au moins, j'ai réussi à lui faire comprendre que je ne veux plus être cette fille qu'il voit entre deux rendez-vous. Pour se divertir.

Je rejoins Cécile et Marie-Anne, le souffle court. Je leur annonce que j'ai envoyé Samuel au diable, quand celui-ci se plante devant moi.

– On pourrait...

Il s'arrête, glacé par le regard que pose Marie-Anne sur lui. Je frissonne. Effectivement, je n'aimerais pas qu'on me lance ce genre de regard. Froid, hautain, empreint de mépris. Comment fait-elle pour faire passer tout ça à travers deux globes oculaires ? Cécile, elle, affiche une mine plus indulgente.

Samuel se racle la gorge et se penche vers moi :

– On pourrait se parler ?

Je jette un œil à mes deux amies, m'oblige à attendre quelques secondes avant de quitter mon fauteuil et le suis dans un endroit plus calme. Samuel se dandine d'un pied sur l'autre et son hésitation me rend folle. C'est lui qui voulait qu'on se parle et il ne dit rien ? Un coup dans le tibia le ferait peut-être réagir. Je serre les poings pour éviter de mettre mon projet à exécution et gronde :

– Trouve-toi quelqu'un d'autre pour satisfaire tes besoins sexuels et laisse-moi tranquille !

– Attends ! me crie-t-il en me retenant par le bras. Depuis dix minutes, tu me balances révélation sur révélation. Peux-tu me laisser le temps d'y voir plus clair ?

– Je te balance révélation sur révélation ?

Retenez-moi, quelqu'un, je vais l'étrangler !

– Excuse-moi, mais je viens seulement de comprendre que tu veux plus qu'une simple relation sans engagement avec moi.

Euh ! c'est pour la caméra cachée ?

– Pardon ?

– Isa, tu ne m'as jamais dit que tu avais envie d'une relation sérieuse, avant ce soir. Tu ne me l'avais même jamais montré.

Serais-je victime d'une hallucination auditive, par hasard ? Devant mon air estomaqué, il ajoute :

– Sois honnête et réfléchis un peu à ton comportement avec moi.

Il est vraiment en train d'insinuer que c'est moi qui l'ai amené à la conclusion que je ne prenais pas notre relation au sérieux. Oh ! mais suis-je bête ! Les filles se doivent de le crier haut et fort si elles veulent être aimées, sinon tant pis pour elles. Oui, c'est vrai, je l'avoue, j'affiche toujours en sa présence cette façade d'indifférence. Je ne montre jamais ce que je ressens, de peur de devenir vulnérable ou d'être rejetée. J'agis comme si je n'avais besoin de personne. Mais... les hommes savent quand on joue un rôle, non ? Ils sont capables de voir plus loin que le bout de leur nez ?

Comme pour me contredire, Samuel continue :

– T'as toujours l'air si indépendante, Isa. Je ne pensais pas que tu avais envie, ni même le temps, d'une relation sérieuse.

Je continue de le dévisager comme une espèce en voie de disparition. Il tente de retourner la situation contre moi et de me donner le mauvais rôle, je ne vois pas d'autre explication. Cela ne se passera pas comme ça.

– Et comment tu expliques la fois où je t'ai dit qu'il fallait que tu m'appelles et qu'on se voie plus souvent ?

– Je pensais que c'était un jeu. T'avais refusé de me voir cinq minutes plus tôt.

Hal-lu-ci-nant. Samuel a l'air sincère pourtant, presque perdu. Je décide de lui accorder le bénéfice du doute. Je peux paraître froide et distante, j'en conviens.

– O.K., mais maintenant que tu sais ce que je veux, toi, de quoi as-tu envie ?

Il me fixe sans rien dire et un bourreau sorti de nulle part commence à m'arracher le cœur à mains nues. Un « je n'ai pas envie de m'engager, de m'investir, de me prendre la tête avec une fille » serait mille fois mieux que ces yeux qui me fuient, et cette bouche qui se tait.

– Samuel...

– Je ne sais pas ce que je veux.

Il aurait mieux fait de rester muet. Mon cœur, sorti de ma poitrine, est sur le point de s'arrêter. Je rassemble le peu de dignité qu'il me reste et dis d'une voix calme :

– Restons-en là. L'océan est rempli de poissons, comme on dit. D'ailleurs, ça ne pouvait pas mieux tomber. Rompre dans un bar, c'est idéal pour repartir à l'attaque, non ?

Pour un peu, je lui faisais un clin d'œil complice. Il pâlit puis se renfrogne. Je le vois chercher une réplique appropriée. Je lui décoche mon plus beau sourire, tourne les talons et essaie de balancer mes hanches de gauche à droite en remontant les escaliers. Je n'ai pas choisi le meilleur endroit pour pratiquer ma démarche sexy. Je sens qu'il me suit des yeux et je me concentre sur mon mouvement. Gauche. Droite. Gauche. Droite. En haut des marches, il m'arrête. Ça y est, il va me dire qu'il ne veut pas me perdre, qu'il veut être avec moi, s'engager et me faire des enfants. Je me retourne avec une lenteur calculée, prête à savourer ma victoire.

À peine suis-je face à face avec lui que son corps se colle contre le mien. Ses lèvres se déposent sur les miennes et je sens le goût sucré de sa langue. C'est ça, ma victoire ? Je tente de me dégager, mais il resserre son étreinte. Me voici donc parachutée au milieu du passage classé X d'un livre Harlequin. La jeune fille vierge qui ne peut résister au grand magnat du pétrole, terriblement séduisant, et macho à souhait.

Sans que je sache comment, je me retrouve dans les toilettes des filles, enfermée dans une cabine. Le corps de Samuel est toujours scotché au mien. C'est ça qu'il veut ? Faire l'amour ? Il faut que je me dégage de ses bras. Il m'a prise par surprise tout à l'heure, mais maintenant que je suis plus calme, mon cerveau devrait intimer l'ordre à mon corps de se détacher de lui. Le problème, c'est que les connexions qui les relient semblent être brouillées. Mon corps est devenu une entité propre, hypnotisé par celui de Samuel. Je sens ses mains qui remontent sous mon pull et son érection contre mon bas-ventre. J'ai chaud et je veux continuer à sentir mes papillons festoyer dans mes reins. Qu'est-ce que je fais ? Pouvez-vous me dire ce que je suis en train de faire ?

– *C'est exactement ce que je me demande depuis dix minutes !*

Il ne me manquait plus que ça ! Une petite séance de schizo-phrénie.

– *Toujours en mode guerrière ?*

– *Oui, madame. Et tu as intérêt à sortir rapidement de ces toilettes si tu ne veux pas que je m'attaque à toi.*

– *Euh, ça ne se voit peut-être pas, mais j'essaie !*

– *Essaie plus fort !*

– *Laisse-moi tranquille ! Quel est le problème si je fais l'amour avec lui maintenant ? J'ai toujours voulu faire l'amour dans un lieu public.*

– *Vraiment ? Avec un gars qui pour seule réponse à ta question « Qu'est-ce que tu attends de moi ? » t'a répondu un « Je ne sais pas » on ne peut plus humiliant, avant de t'entraîner ici pour un p'tit coup rapide ?*

Touchée. Et même coulée. Bon sang que je préférais ma petite voix en mode serpillière ! Allez, on se dégage de cette étreinte. Allez, allez... Au bout de trois minutes, j'arrive à installer vingt centimètres entre Samuel et moi. Je vous rappelle que je me trouve actuellement dans une cabine de toilettes, alors vingt centimètres, c'est excellent.

– Samuel, tu ne peux pas continuer à me traiter comme ça. Tu te rends compte de ce que tu voulais faire ?

Il rejette la tête en arrière, souffle quelques secondes et replonge son regard dans le mien.

– Mais pourquoi tu tiens tant que ça à mettre des mots sur tout ?

– Parce que c'est comme ça dans la vraie vie ! Grandis un peu ! On se voit depuis trois mois, Samuel. Pas trois semaines. Trois mois. Je n'aurais jamais pensé que t'avouer ce que je ressens fût si dramatique !

– Je sais que t'en as autant envie que moi.

Ça suffit maintenant, les passages Harlequin ! « Oh ! Sarah, pourquoi résister à ce feu qui nous dévore les entrailles ? Je veux te chevaucher pendant des heures et te faire jouir jusqu'à ce que tu t'évanouisses. »

– Mes amies m'attendent, alors j'en reviens à ma conclusion de tout à l'heure : restons-en là.

– Non. Ne pars pas comme ça.

Il pousse un long soupir sans me quitter des yeux et cela suffit à m'insuffler un peu d'espoir. Il n'a pas envie de me perdre. Je le sens à sa façon de me regarder. Je le sens à sa façon de me toucher. Ce n'est pas seulement sexuel. Ça ne peut pas être seulement ça. Peut-être a-t-il besoin de temps pour se faire à l'idée de s'engager dans une relation ? Samuel est resté ce petit garçon à qui on n'a pas refusé grand-chose dans la vie et il me touche malgré moi. Je sais ce que c'est de ne pas savoir ce qu'on veut, d'avoir peur du changement, de prendre des décisions.

Je glisse mes cheveux derrière mes oreilles et murmure :

– Appelle-moi, Samuel, mais n'attends pas trop.

Ses yeux ne quittent pas les miens et j'ai envie de l'embrasser.

Rassurez-vous, je me retiens.

– N'attends pas trop...

L'ennui, en matière de décision,
c'est de ne jamais savoir si on pourra vraiment s'y tenir.

Jacques Languirand

78

Dans la tête de Maxim

Est-ce qu'Isa va finir par comprendre que Samuel n'est pas fait pour elle ? Je sais qu'elle l'a vu hier soir. Je l'ai entendue en parler au téléphone à Cécile un peu plus tôt dans la journée. Sa voix était tout autant attristée que révoltée. Je me demande ce que Samuel a pu encore inventer. On ne sait jamais sur quel pied danser avec lui.

Je l'ai croisé deux ou trois fois. Quand Isa nous a présentés, il m'a toisé comme si nous étions deux étalons face à une pouliche. N'importe quoi. Il me donne l'impression d'être ce genre de gars, ceux qui savent qu'ils plaisent et qui en jouent. Moi je n'en joue pas, j'ai toujours été clair avec mes blondes.

Avec Sophie aussi. Nous nous sommes connus au début de la session et je l'ai tout de suite prévenue : « Ne t'attache pas à moi. » Elle m'a répondu du tac au tac en haussant un sourcil hautain : « Pour qui tu te prends ? Toi, ne t'attache pas à moi ! » J'aime ça, même si elle n'est que mon alternative comme je suis à peu près certain que je suis le sien. Elle n'en a rien dit, mais je sais qu'elle s'intéresse à un chargé de cours. Elle n'a pas froid aux yeux et je lui souhaite bien du succès.

J'ai commencé à voir Sophie pour prouver à Antoine – O.K., pour me prouver à moi-même – que je n'étais pas amoureux d'Isa. Mon petit frère m'a balancé cette vérité à la figure cet été. « Ça se voit gros comme le nez au milieu de la figure que t'es amoureux d'Isa. Ça prend juste un orgueilleux comme toi pour ne pas le voir ! » J'ai ri. Pff ! moi amoureux ? Mais je ne crois pas même à ça. Une demi-heure plus tard, je me rendais à l'évidence. Ce à quoi je ne crois pas, c'est au couple, et Isa... Isa, quand je la regarde, je me dis que peut-être, avec elle...

Le problème, c'est que c'est encore plus compliqué que de sauver le *Titanic*, nous deux. D'abord, il y a cet énergumène qui la manipule et qui me donne des envies de meurtre, mais qu'est-ce que je peux y faire ? C'est à elle de s'en rendre compte et puis, de toute façon, il n'est que la pointe de l'iceberg. Isa me voit comme son meilleur ami et je ne peux m'en prendre qu'à moi-même.

Je suis très con.

Dès le premier jour de son emménagement, je n'ai laissé aucune ambiguïté entre nous. Je ne tenais pas à ce que notre colocation vire au cauchemar.

Je suis vraiment très con.

D'un autre côté, comment aurais-je pu deviner qu'une chose pareille allait m'arriver, à moi ? Que j'allais me retrouver dans la peau du gars qui attend qu'une fille le remarque ? Je me suis tellement moqué d'Antoine qui se laisse mener par le bout du nez par sa blonde et aujourd'hui, tel est pris qui croyait prendre. Me voilà fou amoureux de ma colocataire.

Comment le lui dire ? Et quand ? Elle va avoir peur. Je le sais. Elle va protester. « Mais... et notre amitié ? » Et puis après, je ne sais pas.

Elle me rend fou, cette fille, elle n'en a même pas conscience et c'est encore plus craquant. Mes sentiments pour elle sont arrivés sans même s'être annoncés et ils se logés là sans me demander mon avis. Isa n'y est pour rien et pourtant, parfois je lui en veux. Elle me fait tout remettre en question. Mes convictions. Mon style de vie. Je déteste ça.

Oui, tout est de sa faute. Elle n'avait qu'à ne pas être si jolie avec ses yeux en amande qui me regardent comme si elle voulait tout savoir de moi. Elle n'avait qu'à ne pas me parler avec cet accent irrésistible qui glisse sur moi comme les notes d'une mélodie troublante. Elle n'avait qu'à ne pas être si sensible, si délicate et si obstinée à la fois. Elle me donne envie d'écrire de longues lettres passionnées, de rester des heures à la contempler sans bouger, de réciter des vers de Baudelaire, de humer son parfum jusqu'à m'en tourner la tête. Je pourrais tout donner pour un seul de ses sourires, un seul de ses regards. Je pourrais me contenter de la regarder vivre et être heureux dans mon coin. La maladie d'amour, comme elle chante parfois lorsqu'elle croit être encore seule dans l'appartement, ça doit être ça. *Elle court, elle court, la maladie d'amour...*

C'est clair. Je suis totalement et irrémédiablement amoureux d'elle.

Je vais lui parler, mais quand ? J'attends le bon moment.

Chapitre sept

Assises sur le canapé de mon salon, nos livres de marketing sur les genoux, Cécile et moi sommes plongées dans nos révisions. Les quatre P : prix, produit, place, promotion, ou comment manipuler le consommateur pour lui faire dépenser tout le fric qu'il n'a pas dans des choses dont il n'a pas besoin. On devrait pouvoir faire la même chose avec les hommes pour les forcer à s'investir dans une relation amoureuse. L'amour peut-il être un produit à consommer comme les autres ? Je creuserai cette question pendant les vacances. Pour le moment, des choses plus importantes m'attendent.

La semaine d'examens commence lundi et Cécile est venue m'aider à rester concentrée sur le *marketing mix* et les principes de Kotler. Je dois avouer que ce n'est pas une réussite. Samuel s'invite dans mes pensées plus que je ne l'aurais voulu et j'ai bien du mal à ne pas y prêter attention. Quand je repense à ce qui s'est passé et à ce que je lui ai dit, j'ai envie de me terrer au fond d'une grotte jusqu'à ce que mort s'ensuive. Je devrais prendre mon téléphone et lui dire d'aller au diable. Non mais, sérieusement, il n'est pas capable de décider si oui ou non il veut être avec moi ? Eh bien, qu'il aille se faire foutre ! Ah ! que j'aimerais avoir le courage de l'envoyer balader ainsi. Mais j'ai bien trop peur de tout gâcher. Je préfère attendre de voir ce qui se passe.

Je tourne une page de mon livre et m'attaque au résumé du chapitre, lorsque, mine de rien, Cécile me demande :

– Est-ce que tu savais que la maturité sexuelle d'un mec est atteinte à dix-huit ans alors que celle des femmes n'arrive que vers trente ans ?

Je fronce les sourcils et me tourne vers elle.

– Il me semble avoir déjà lu ça dans un magazine. Pourquoi ?

Elle hausse les épaules.

– Comme ça.

– Tu as envie de sortir avec un mec plus jeune ?

Elle rosit en évitant de me regarder. Je trouve ça adorable.

– Je ne sais pas, peut-être. Il y a ce gars qui m'a donné son numéro de téléphone hier soir. Un gars plus jeune.

– Attends, tu t'es fait draguer hier et tu ne nous as rien dit ?

– Je ne pensais pas donner suite, mais depuis ce matin, j'hésite. Quand je suis sortie des toilettes pour vous laisser discuter, Samuel et toi, je suis allée au bar me commander quelque chose à boire. C'est là que P.-O. m'a abordée.

– P.-O. ?

– Oui, je sais, ce diminutif lui donne l'air d'avoir quinze ans. Il s'appelle Pierre-Olivier.

– Il a quel âge ?

Ses joues ne sont plus roses mais écarlates.

– Vingt ans.

– Tu vas l'appeler ?

– Qu'est-ce que tu en penses ?

Je baisse les yeux sur la page de mon livre, comme si j'y cherchais une réponse, mais le livre de Kotler s'étend davantage sur les techniques de vente que sur les relations avec le sexe opposé. Avec un soupir, je tourne la tête vers Cécile.

– Je ne vois pas très bien ce que tu peux avoir en commun avec un gars de vingt ans.

– Je sais, c'est plutôt le côté... sexuel qui m'attire. Je n'ai jamais couché avec un gars plus jeune que moi et je crois bien que ça me tente.

Je la dévisage en essayant de ne pas paraître trop interloquée tandis qu'une légère excitation me fourmille dans les jambes. J'adore découvrir ce genre de choses sur mes amies, découvrir qu'elles ont un côté « j'ai envie de faire une bêtise ou quelque chose de superficiel ». Je me sens moins seule, et de la part de Cécile, c'est encore plus saisissant.

– J'ai toujours été une petite fille modèle, continue-t-elle, gentille, parfaite. Aujourd'hui, j'ai envie de faire des folies et d'enfreindre les règles. J'ai envie d'une relation totalement et uniquement basée sur le sexe.

Est-ce vraiment Cécile qui parle ? Cécile la réservée ? Cécile qui rougit dès qu'on parle de sexe dans des termes trop précis ? Je ne l'ai jamais entendue prononcer le mot pénis, c'est dire. Je n'arrive plus à masquer ma surprise.

– Oui, moi aussi je me surprends. Mais Isa, si tu savais comme j'en ai marre d'être moi en ce moment. Depuis deux ans, je ne récolte que des enfoirés affectifs. Je ne sais pas ce que je fais mal, mais j'ai décidé qu'il était temps que je pense à moi. Et tant pis si je passe pour une égoïste.

– Ce n'est pas du tout égoïste, Cécile. Au contraire. Et tu sais, j'attends que tu te dévergondes depuis tellement long-temps que je n'y croyais plus.

Elle éclate de rire et je souris.

– Alors, il est comment ton P.-O. ?

– Tu vois Brad Pitt ? C'est lui en brun et en plus jeune.

Je me retiens pour ne pas hurler.

– Je suis absolument et définitivement jalouse. Toi, tu as Brad Pitt et moi, un handicapé des relations !

– Qu'est-ce que vous avez toutes à vous pâmer devant Brad Pitt ?

Je réprime un sursaut et jette un œil vers la porte du salon, Maxim vient de sortir de la salle de bains. Pieds nus, les che-veux encore mouillés de sa douche, il boucle la ceinture de son jean, arrange sa chemise, puis relève la tête.

– Alors, Brad Pitt ? Éclairez-moi. Qu'est-ce qui le rend si irrésistible ?

– Je ne sais pas. Tout ? lance Cécile.

Maxim me regarde et j'acquiesce.

– Ah bon !... Mais il n'est pas un peu trop... lisse ?

Cécile et moi répondons par la négative. Mon colocataire n'insiste pas et disparaît dans la cuisine. Est-ce qu'on lui demande ce que les hommes trouvent à Angelina Jolie, nous ?

– Je ne sais pas comment tu fais pour vivre avec un gars comme Maxim, dit Cécile avec un petit rire.

– Comment ça ?

– Tu n'as pas envie de lui sauter dessus et de l'embrasser parfois ?

C'est à mon tour de rougir. Bien sûr que j'en ai eu envie. Qui n'aurait pas envie de Maxim ? Avec ses cheveux châtain foncé et ses yeux bleus, sa barbe naissante qui lui donne un air viril presque affolant et ce sourire un brin impertinent qui danse en permanence sur ses lèvres, il charme tout le monde. Pas étonnant que les filles défilent dans sa vie.

Les premiers temps de notre colocation, j'ai cru qu'il ferait un pas vers moi. Après tout, lui aussi avait l'air de me trouver à son goût. Mais il n'a jamais rien tenté. J'imagine qu'il a dû se dire que coucher avec sa colocataire, pour ensuite repartir voguer vers d'autres cieux, n'était pas la chose la plus intelligente à faire. Aujourd'hui, je l'en remercie. Être sa colocataire-meilleure amie est un statut beaucoup plus stable.

– Quand même, il est craquant, Maxim. Je ne sais pas si je pourrais cesser d'espérer qu'il vienne me rejoindre dans ma chambre la nuit si je vivais avec lui vingt-quatre heures sur vingt-quatre.

– Eh ! ça suffit maintenant !

– Pourquoi ? Tu es jalouse ?

– Non. Pas du tout. Je peux même t'arranger un rendez-vous avec lui si tu veux.

Cécile me fixe d'un air perplexe.

– Quoi ?

– Si je ne te connaissais pas, je dirais que tu n'aimes pas l'idée que je puisse m'intéresser à Maxim.

– Tu t'intéresses à lui ?

– Non, Isa, je ne m'intéresse pas à lui.

Je soupire et époussette quelques miettes imaginaires sur mon jean.

– Excuse-moi, je ne sais pas ce qui me prend. Je dois être un peu sur les nerfs à cause de Samuel.

– Je comprends. Mais je plaisantais, tu sais.

– Je sais. Excuse-moi encore, je me sens ridicule.

– C'est rien, ne t'en fais pas, mais il faut que je me sauve maintenant. On se voit lundi ?

– Oui.

Je la raccompagne jusqu'à la porte et m'installe ensuite dans ma chambre. Samuel me rend folle. Voilà que je houspille mes amies pour un rien maintenant. J'ai vraiment besoin de vacances. Encore une petite semaine de patience et samedi prochain, à cette heure-ci, je serai en France. Je m'allonge sur mon lit et ferme les yeux. Deux semaines seule avec ma mère.

Deux longues semaines. Et si je n'y survivais pas ? Sur une échelle des colocataires allant de un à dix, ma mère atteint péniblement le niveau trois, bien loin derrière Maxim à qui je donnerais un huit sans problème. Pourtant, si on m'avait dit qu'un jour je me lancerais dans les joies de la cohabitation avec le sexe opposé, je lui aurais ri au visage. C'est que j'avais en tête toute une série de clichés : la bière dans le frigo, les cartons de pizza vides traînant sur le comptoir de la cuisine, les soirées devant le hockey trois fois par semaine avec la meute de copains rotant allégrement après chaque gorgée de bière. Aussi, quand je suis tombée sur l'annonce de Maxim sur les babillards de l'université, il s'en est fallu de peu pour que je passe mon chemin.

« Étudiant cherche colocataire pour partager 4 et demie,
proche de l'université et de tous les services :
épicerie, pharmacie, bus. Tout est meublé sauf la chambre.

350 $/mois. 652-5496.»

J'habitais aux résidences de l'université depuis mon arrivée au Québec et je cherchais un appartement avec une chambre plus grande, une cuisine, un salon privé et surtout une salle de bains que je ne partagerais pas avec le reste du monde. La colocation m'apparaissait comme une alternative parfaite que parce que je n'avais pas envie de vivre seule. Ayant grandi sans frère ni sœur, refaire de la solitude une habitude ne me tentait pas.

Le quatre et demie qu'annonçait Maxim me semblait idéal. J'ai passé outre à mes craintes et j'ai relevé le numéro. Le lendemain, je me rendais à Sillery visiter le deuxième étage d'un duplex et rencontrer celui qui allait devenir mon colocataire. Je suis tombée sous le charme de l'appartement dès que je suis entrée. Un salon double doté d'une petite terrasse pour se prélasser l'été, des planchers de bois franc, une cuisine avec un comptoir immense qui me permettrait de tester quelques recettes les dimanches après-midi, et une chambre aux murs vert pâle avec une fenêtre guillotine donnant sur la cour. La semaine suivante, je prenais mes cliques et mes claques pour investir les lieux.

Oui. La vie avec Maxim mérite bien un huit sur dix. Voire même un neuf. Certains de mes clichés sur les hommes sont peut-être réalisés – notamment les cartons de pizza sur le comptoir – mais je ne l'échangerais pour rien au monde, mon colocataire. D'ailleurs, s'il ne m'interdisait pas de monopoliser le DVD du salon plus d'une fois par semaine avec *Pretty Woman*, *Nuits blanches à Seattle* et *Titanic*, je pourrais accorder un dix sur dix à notre vie commune. Un film de filles contre un match de hockey, voilà sa règle.

– Cécile est partie ?

Maxim entre dans ma chambre et vient s'asseoir près de moi. Lui aussi fantasme sur elle ? Je ne réponds pas. J'attends de voir s'il insiste.

– Pis ta soirée de filles ? enchaîne-t-il.

– Bien. J'ai vu Samuel.

Soulagée que le sujet Cécile soit clos, je lui narre en quelques mots ce qui s'est passé au Charlotte. Je me prépare à faire face à une série de reproches, mais il ne réagit pas. Il se contente de détailler les photos que j'ai accrochées sur le mur en face de mon bureau. Il les détaille comme si c'était la première fois qu'il les voyait. Des photos de Lucie et moi s'emmêlent à celles prises un jour d'automne au parc de la Jacques-Cartier. Il reste ainsi plusieurs secondes puis finit par murmurer :

– Laisse-le, Isa, il ne te mérite pas.

Il se tourne vers moi et je secoue la tête, affligée. J'ai été à deux doigts hier et je le voulais vraiment. Je le voulais et pourtant je n'y suis pas arrivée. Pourquoi ? Parce que je ne peux pas m'empêcher d'espérer. Espérer qu'il change, qu'il tombe amoureux de moi, qu'il gagne au 6/49 et qu'il m'achète un chalet aux Îles-de-la-Madeleine. Non mais quelle bêtise, l'espoir ! C'est le plus court chemin vers la déception.

Avec un sourire forcé, je change de sujet :

– Et toi ? Tu l'emmènes où... euh... Sophie ?

– Oui, Sophie. Au Cochon Dingue, sur Maguire.

– Oh ! on a été à celui du Petit-Champlain avec Samuel. On a adoré, surtout les « desserts cochons », un vrai délice.

Maxim s'apprête à répliquer quand je m'exclame :

– Allez, va-t'en, tu vas être en retard !

Il soupire, se lève mais reste planté devant moi.

– Qu'est-ce qu'il y a ?

– Un gars le sait s'il a envie d'être avec une fille ou pas. Il n'a pas besoin d'y réfléchir.

– Mais il a peut-être besoin de temps pour se faire à l'idée de s'engager avec elle, non ?

Maxim me jette un regard énigmatique.

– Peut-être, mais je ne comprends pas pourquoi tu laisses les gars te traiter comme ça. Des fois, j'ai l'impression que vous aimez vous faire souffrir, les filles.

– Tu es bien placé pour parler !

– Eh ! je ne leur raconte jamais d'histoires, à mes blondes !

– Peut-être, mais je suis sûre qu'elles s'en racontent toutes seules. C'est dans notre nature d'y croire, même si ça nous semble impossible.

– Mais tu n'as pas envie d'autre chose avec quelqu'un d'autre ?

– Avec qui ?

Il hausse les épaules.

– Je ne sais pas, t'as le choix.

– Non, Maxim, je n'ai pas une liste de prétendants qui s'entretuent sous ma fenêtre. On ne vit pas tous dans le même monde que toi. Et puis de toute façon, c'est Samuel qui me fait craquer... Allez, va-t'en, ne fais pas attendre Sophie.

– O.K., je m'en vais. À demain, ma lionne.

Il se penche et dépose un baiser sur ma joue. J'esquisse un sourire. Maxim adore m'appeler comme ça parce que je viens de Lyon. J'ai droit à « belle exilée », parfois à « étoile polaire » ou à « luciole des neiges ». « Luciole des neiges », c'est mon préféré. Ça ne veut rien dire, mais je trouve ça poétique. Un jour, pour le taquiner, je lui ai demandé s'il n'était pas gay. Dans les films, ce sont toujours les gays qui affublent les filles de petits noms affectueux. Il a éclaté de rire.

– Non, j'aime trop les femmes pour ça.

– En attendant, tes blondes n'apprécient pas vraiment.

– Au moins, elles savent que je suis sérieux quand je leur dis de ne pas s'attacher à moi et que je ne serai jamais vraiment leur chum. Mais tu sais quoi ? On dirait que c'est une arme de séduction infaillible, le « je ne veux pas de relations sérieuses ». C'est quoi ? C'est le défi qui les stimule ? Elles pensent qu'elles vont réussir là où toutes les autres ont échoué ?

C'est à peu près ce qu'on se dit, oui. « Il va se rendre compte que je suis celle qu'il attendait et renoncer à sa vie de Don Juan pour moi. » C'est ce que je me dis avec Samuel en tout cas, sans le côté Don Juan. Les femmes ne se pâment pas devant lui comme devant mon colocataire. Je n'ai pas avoué tout ça à Maxim. Il n'a pas besoin de connaître tous nos secrets de filles, lui qui en connaît déjà une bonne partie. Il s'en sert d'ailleurs sans aucun remords pour faire tomber les femmes dans son lit. Je ne sais pas d'où lui vient sa parfaite maîtrise de la psychologie féminine. Il n'a pourtant pas de sœurs, sa mère est partie l'année de ses quinze ans et il n'a jamais regardé *Ally McBeal*.

– Je ne fais pas que les baiser, les filles, m'a-t-il précisé le jour où je lui ai demandé de m'éclairer sur la source de ses connaissances. Je discute aussi avec elles.

Eh bien, il a dû coucher avec toutes les filles de La Malbaie, sa région d'origine, et plus tard, toutes celles de l'université pour arriver à nous cerner si bien. Mon tableau de chasse, bien qu'incomparable au sien, pourrait concurrencer ceux des filles de *Sex and the City* – O.K., disons celui de Charlotte – et pourtant, je ne les comprends toujours pas, les hommes. Je ne dois pas assez parler avec eux, ça doit être ça.

Mais on ne se bat pas dans l'espoir du succès !
Non, non, c'est bien plus beau lorsque c'est inutile !

Edmond Rostand

Chapitre huit

L'appartement est silencieux depuis une dizaine de minutes. Je dépose une casserole remplie de lait sur la cuisinière, m'appuie contre le comptoir de la cuisine et contemple sans la voir la fine neige qui tombe. Maxim a raison. Certaines filles adorent se torturer et rejouer les amours impossibles de Buffy avec son vampire. La souffrance a quelque chose de magnifique, de romantique, d'artistique même. Les plus belles histoires n'ont-elles pas été écrites dans des moments de souffrance absolue ? Il faudrait que je me décide à écrire le début de mon roman. Vu l'état dans lequel je me trouve, je suis certaine de remporter le prix Goncourt.

Je jette un coup d'œil à ma montre et renvoie mes rêves de succès littéraires d'où ils viennent. Je verse le lait frémissant dans une immense tasse, saisis un paquet de viennoiseries à moitié ouvert et retourne dans ma chambre pour allumer mon portable. Presque tous les samedis soirs, Lucie et moi nous retrouvons sur Skype. Je double-clique sur l'icône verte et me connecte au monde. Je n'en reviens toujours pas de pouvoir parler gratuitement pendant des heures à tous mes amis de l'autre côté de l'Atlantique. J'adore les nouvelles technologies et j'adore faire partie de la génération Y.

Lucie est en ligne. Tout en mordant dans un mini-croissant, j'enfile mon casque et nous voilà aussi proches que si nous étions assises dans un café l'une en face de l'autre.

– Ta mère ne t'a jamais dit qu'il ne faut pas parler la bouche pleine ? me taquine-t-elle.

– Oh ! mon Dieu si, des millions de fois, je suis rebelle, tu me connais...

Je l'entends rire.

– C'est vrai que de nous deux, c'est moi la petite fille modèle.

Effectivement. À l'école, Lucie avait toujours les meilleures notes, elle était la préférée des professeurs. Durant nos années au lycée, elle n'a même jamais eu la moindre heure de colle* alors que mon carnet de correspondance en était rempli. J'avais appris à imiter la signature de ma mère, ce qui m'évitait d'en entendre parler jusqu'au milieu de la nuit.

Mon adolescence a été assez turbulente : « Regagnez vos sièges et attachez votre ceinture, merci. » Mais Lucie a canalisé cette énergie quelque peu destructrice qui m'habitait durant notre adolescence. Les mauvais garçons que je me plaisais à fréquenter auraient pu m'entraîner sur une pente glissante et c'est en partie grâce à elle si je n'ai pas commis de bêtises irréparables, comme bousiller ma scolarité. Au lieu de ça, j'ai embrassé un look de fausse gothique pendant quelques mois pour continuer à afficher mon air de révolte. Ça a rendu ma mère folle et moi je jubilais. Je jubilais jusqu'à ce que je m'aperçoive que mon teint blafard et mes traits de

---

* Heure de retenue.

96

khôl noir autour des yeux ne m'avantageaient pas. Bon gré mal gré, j'ai troqué mon costume pour des vêtements plus féminins. Deux semaines plus tard, je rencontrais Daniel. Il a été le premier homme, et le dernier d'ailleurs, que j'ai aimé. Celui avec lequel je suis devenue une femme.

Elle est vraiment stupide, cette expression, comme si on devenait adulte en faisant l'amour. On joue à être adulte, ce n'est pas pareil.

Je regrette un peu cette période de rébellion : j'avais une force, entretenue par ma colère, que j'ai perdue. Comment se fait-il qu'en grandissant, je sois devenue plus molle et plus fragile ? Ce n'est pas censé être l'inverse ? Jamais à dix-sept ans je ne me serais laissé marcher sur les pieds par Samuel et tous les autres.

— Alors, t'en es où avec ton prince pas charmant ? me demande Lucie.

Je lui raconte avec moult détails ce qui s'est passé au Charlotte et attend son verdict. Elle reste silencieuse un moment puis dit :

— Si j'étais toi, je ne lui laisserais pas le choix, je prendrais mon téléphone et je lui dirais que c'est trop tard. Cette relation ne t'apporte rien, tu sais.

Je ne réponds pas. Mon regard s'arrête sur cette photo de vacances, prise sur la plage. Lucie et moi sourions à pleines dents. Nous avons dix-sept ans, nous sommes amoureuses et nous avons la vie devant nous. Quand est-ce que tout ça a déraillé ?

— Je ne comprends pas pourquoi tu ne veux pas arrêter de le voir, insiste Lucie.

– Parce que je sais qu'il tient à moi et que je me dis qu'avec le temps, il va me donner ce que j'attends. Parce que mon cœur s'embrase dès que je le vois, dès qu'il me touche. Parce qu'il a cette façon particulière de me regarder qui me...

– Est-ce que tu es amoureuse de lui ?

Je fronce les sourcils.

– Quoi ?

– Est-ce que tu es amoureuse de lui ?

Euh... Bonne question. Figurez-vous que, occupée comme je suis à dépenser une énergie folle en espérant que mon téléphone sonne, à écrire dans ma tête toute sorte de scénarios dans lesquels il tombe en pâmoison devant moi, eh bien, figurez-vous que je ne me suis jamais demandé si moi je l'aime ! Incroyable.

Je réfléchis quelques secondes et tente une réponse :

– On passe de très bons moments tous les deux, je le trouve adorable, il est si tendre. Il me manque quand on ne se voit pas.

– Ça ne veut pas dire que tu l'aimes.

– Non, je sais.

Mais comment sait-on qu'on aime quelqu'un ?

– Tu veux savoir ce que je pense, Isa ? Je crois que ce que tu aimes chez lui, c'est le fait qu'il ne veuille pas être avec toi.

– Le cliché du mec inaccessible ?

– Ouais, tu es en plein dedans. C'est presque toujours ce que tu fais, d'ailleurs.

Elle hésite un peu puis continue sur sa lancée :

– Tu n'as jamais pensé que si toutes tes relations foirent, c'est parce que tu ne veux pas qu'elles marchent ?

– Arrête, la seule chose que je veux vraiment, c'est construire une relation amoureuse.

– Alors, pourquoi tu t'attaches toujours à des hommes lâches, égoïstes et réfractaires à toute forme d'engagement ?

– Je te signale que je n'ai pas le choix, ils sont tous comme ça !

– Non, Isa. Tu es tellement contradictoire. Tu crois au grand amour, mais tu penses les pires choses des hommes.

Pitié. M'accrocher au mauvais mec pour ne pas souffrir, je ne peux pas être comme ça. C'est trop... trop commun. Un psy serait affligé face à cette banalité. Oh non ! pas encore une autre, qu'est-ce qu'elles ont toutes, ces filles, à agir ainsi ? C'est navrant.

– Tu n'es pas contradictoire, toi, peut-être ? Tu restes avec Justin, mais tu n'es plus heureuse.

– Je reste avec Justin parce que je me dis que c'est peut-être ça, l'amour, après plusieurs années. Il faut s'y faire et arrêter de croire à la passion éternelle des films d'amour.

Ma main se crispe sur la souris de mon ordinateur que je tapotais de l'index.

– Tu es sérieuse, là ?

– Oui, peut-être. Comment veux-tu que le désir et l'amour puissent rester aussi forts qu'au début et pendant des années ? C'est impossible parce que le désir vient de l'attrait de l'inconnu, et l'amour... l'amour, lui, vient de la magie de découvrir quelqu'un avec qui le quotidien s'embellit. Le problème, c'est qu'avec le temps, tout se perd.

– Oui, mais...

– Mais quoi ? Je tourne ces questions en boucle dans ma tête depuis des semaines. J'en veux à Justin de ne pas me comprendre. Je m'en veux de rester avec lui sans arriver à me contenter de notre couple. Je me demande quoi faire et il faut que je trouve des réponses, sinon je vais devenir folle. Pour recommencer à être heureuse, il faut que j'arrête de penser que l'amour puisse être autre chose que ça.

– Ça, c'est quoi ?

– Une complicité, une tendresse et un désir, inconstant, mais tout de même, là. Ce n'est pas rien, toutes ces choses. Vouloir l'impossible, c'est courir à sa perte.

– Je ne crois pas que tu veuilles l'impossible.

– Mais si ! On va passer à côté de l'amour et même de la vie si on continue à poursuivre des chimères. Être adulte, c'est savoir accepter que le monde ne soit pas comme on le pensait quand on était enfant.

Je pousse un long soupir. Oui, le monde est difficile, injuste, blessant, seulement il ne faut pas se résigner. Il faut essayer d'arracher à la vie toutes les parcelles de bonheur auxquelles on a droit. La résignation, c'est ce qu'il y a de pire.

L'amour ne devrait jamais comporter de « c'est mieux que rien ». L'amour ne devrait jamais être un « Et si je ne retrouvais jamais personne d'autre ? ».

– Ce que tu évoques, la tendresse, la complicité, oui, c'est important, mais si tu n'es pas heureuse, c'est parce qu'il te manque quelque chose. Écoute, je n'en sais peut-être rien. Je ne raconte peut-être que des bêtises. C'est vrai, je n'ai pas été amoureuse depuis mes dix-sept ans, mais je me souviens de ce que je ressentais pour Daniel. Je me souviens de ce qu'il ressentait pour moi et ce n'était pas ta maudite tendresse complice.

– Vous étiez jeunes, Isa. Tu ne peux pas comparer un amour d'ados à celui d'adultes.

– Alors quoi, j'ai vécu un amour à rabais ?

Elle gronde d'irritation :

– Je n'ai jamais dit ça. Seulement, à dix-sept ans, on ne fait pas face aux mêmes problèmes qu'à vingt-cinq ou qu'à quarante. Combien connais-tu de couples qui sont encore passionnément amoureux après plusieurs années ?

Encore une bonne question. Mes parents sont divorcés, ceux de Lucie et de Maxim aussi. Ceux de Cécile ? Divorcés aussi. Ceux de Marie-Anne ? Ah ! bonne pioche.

– Mais est-ce qu'ils s'aiment encore comme au premier jour ?

– Je n'en sais rien, je ne les connais pas. De toute façon, s'aimer comme au premier jour, ça n'existe pas. L'amour évolue et les couples sont censés s'aimer mieux avec le temps.

Lucie médite mes paroles. Le silence a envahi mon casque et je ferme les yeux.

– C'est rempli de sagesse, ce que tu dis.

Elle se tait à nouveau puis murmure, un peu comme pour elle-même :

– Je crois que je viens de comprendre le problème. Justin ne m'aime pas moins, il m'aime mal. Il me considère comme acquise et ne fait plus aucun effort.

Je m'apprête à réagir quand je l'entends étouffer un bâillement. C'est que ça fatigue de débattre de l'amour et d'essayer de trouver des réponses, ça colle des migraines pas possibles.

– Je vais te laisser dormir, ma belle, il commence à être tard pour toi. Et puis la nuit porte conseil, comme on dit.

– Mouais, je pense plutôt qu'on va se donner des devoirs, ça nous fera avancer plus vite.

– Ah, ah ! la maîtresse d'école qui ressort !

Lucie est institutrice dans une école primaire, elle a toujours voulu l'être. Elle se plaint souvent du manque de moyens, s'énerve avec quelques parents et s'attriste devant la situation de certains enfants, mais elle adore son métier. Et si ma mère a la fâcheuse manie de considérer tout le monde comme ses patients, ma meilleure amie, elle, conserve ses réflexes de professeur avec son entourage.

– Alors, ces devoirs ?

– Prends une décision concernant Samuel, et moi, je vais travailler sur ma relation avec Justin.

Long soupir de part et d'autre de l'Atlantique.

– O.K., ma belle, et rendez-vous en France pour les résultats.

N'attends pas que les événements arrivent comme tu le souhaites.
Décide de vouloir ce qui arrive…
et tu seras heureux.

Épictète

Chapitre neuf

Ton arrière-arrière-grand-mère, elle a eu quatorze enfants,
ton arrière-grand-mère en a eu quasiment autant,
et pis ta grand-mère en a eu trois c'était suffisant,
pis ta mère en voulait pas, toi t'étais un accident.

L'album de Mes Aïeux tourne en boucle depuis presque une heure et demie sur la chaîne du salon. Affalée sur le sofa, les yeux mi-clos, j'essaie de me sortir d'un énorme marasme émotionnel. En temps normal, la voix de Stéphane Archambault agit sur moi comme un excitant, mais ce soir j'attends encore que lui et sa bande me redonnent le sourire. J'attends également que la bouteille de vodka qui descend à vue d'œil depuis que la nuit est tombée fasse son effet.

Éclairée par la lampe halogène, postée dans un coin de la pièce, l'ambiance tamisée du salon me permet de déprimer sans pour autant m'empêcher d'attraper la bouteille d'alcool et le jus de canneberges sur la table basse.

Nous sommes mardi soir et je n'ai toujours pas de nouvelles de Samuel.

Tout est dit.

Je termine mon cocktail, m'en ressers un autre et l'avale d'un trait. Une dose de vodka et une dose de jus de canneberges. J'ai besoin de m'anesthésier. Ma vie est un désastre et si je dois devenir alcoolique, tant pis. De toute façon, je ne suis plus à ça près. O.K., j'exagère, seule ma vie amoureuse est un désastre. Un désastre, une catastrophe, une tragédie grecque qui finit en bain de sang, le sang étant ici immortalisé par le jus de canneberges. Non, réflexion faite, toute ma vie est un désastre, ma vie n'est qu'un vaste point d'interrogation. Des centaines et des centaines de questions – Où vais-je ? Qui suis-je ? Que fais-je ? En gros... – et aucune réponse.

Je remplis à nouveau mon verre et m'enfonce dans le canapé, le dos contre l'accoudoir et les jambes allongées. C'est le « où vais-je ? » surtout qui me turlupine. De *Samuel est un connard*, j'en suis arrivée à *qu'est-ce que je fais de ma vie ?* Deux chemins et un choix. Une vie d'artiste versus une vie normale. Conventionnelle.

Je pousse un long soupir et ferme les yeux. Je rêve d'une vie d'artiste depuis tellement longtemps. Depuis toujours, je crois. Pas la vie d'une artiste maudite et incomprise. Non, ce n'est romantique que dans les films, ça. Moi, je rêve d'une vie d'auteur reconnu. Celle de J. K. Rowling, par exemple, tant qu'à choisir. Le problème, c'est que pour obtenir cette vie d'écrivain, il faut avoir écrit ou être en train d'écrire un roman. Or le mien se trouve caché quelque part bien loin, mes romans ne dépassent jamais les quinze pages. Dès qu'un trou surgit, une incohérence, un problème dans mon intrigue, je laisse tout tomber. Je glisse mon document Word dans mon dossier « romans à retravailler » et je n'y touche plus. Ma mère a peut-être raison, peut-être que mon envie d'écrire n'est qu'un caprice, une lubie d'enfant gâté.

Je plonge mes lèvres dans mon verre et savoure la chaleur du liquide qui coule en moi. Puis-je vraiment me fier à ma mère ? Après tout, rien de ce que je fais ne satisfait le docteur Sirel et elle ne perd pas une occasion de critiquer mes choix. *Tous* mes choix. Quand nous sommes au restaurant, ça donne : « Tu ne vas pas prendre ça, ce n'est pas parce que tu es jeune que tu ne peux pas avoir de cholestérol ! » ou bien : « Pourquoi tu ne prends qu'une salade, fais-toi plaisir. Je ne t'emmène pas dîner dehors pour que tu picores comme un moineau. Mange ! » Comment voulez-vous que je m'en sorte ? Quand nous sommes invités chez Bertrand, l'homme qui partage sa vie depuis trois ans, et que je dois choisir une tenue, j'ai droit à : « Peux-tu mettre autre chose que tes jeans pour une fois ? Ah non ! pas ta jupe fendue, ce n'est pas un défilé de mode, ce repas. » Euh... Quelqu'un a envie de changer de place avec moi ? Je sais qu'on ne choisit pas sa famille, mais si j'avais pu, jamais je ne me serais parachutée entre une mère surprotectrice qui me traite la plupart du temps comme si j'avais encore huit ans, un père absent à qui je ne parle plus et une demi-sœur de seize ans que je ne connais pas. Ma mère n'acceptera jamais mon désir d'écrire. C'est trop abstrait pour elle, trop incertain.

Je saisis la boîte de biscuits soda posée sur le sol, près du sofa, et lance un biscuit apéritif en l'air. Il atterrit directement dans ma bouche. Mon rire résonne dans le salon en même temps que le bruit de la porte d'entrée. Maxim apparaît vingt secondes plus tard... accompagné. Je me redresse en sursaut et tente de me donner une contenance. Non, je ne suis pas en train de me soûler toute seule, je me détends après une dure journée. Mouais. Une bouteille de vin aurait apporté plus de crédibilité à ma scène.

– Je ne pensais pas te trouver là, s'étonne mon colocataire. J'ai appelé deux fois, mais ça ne répondait pas.

– J'ai débranché le téléphone.

– Ça ne va pas ?

– Si, si.

Son regard se promène de la table, où trônent mon verre vide, la bouteille d'alcool et le jus de canneberges, à mon visage que je sens s'empourprer. Je me tortille sur le canapé en essayant de ne pas prêter attention à la jolie brunette qui m'observe. Ses yeux sont tellement perçants que j'ai l'impression de passer un scanner.

– Ne vous occupez pas de moi, je ne vais pas tarder à aller me coucher.

Personne ne répond. Je me tortille encore plus. Ils n'ont jamais vu une fille déprimée noyer son chagrin dans l'alcool ? Maxim fait quelques pas vers moi, s'assoit sur le canapé et murmure :

– Qu'est-ce qu'il y a, ma belle ?

– Rien de grave. Je... je vais m'enfermer dans ma chambre, vous ne saurez même pas que je suis là.

Il grimace un peu, lance un regard à sa conquête qui semble sur le point de m'étriper, repose les yeux sur moi, puis se décide à la rejoindre. Je réprime un soupir. Les blondes, amantes, *fuck friends* de Maxim sont toujours jalouses de moi. Je ne sais pas ce qu'il leur raconte, mais c'est chaque fois la même chose. Cela dit, la brunette semble plutôt énervée de la sollicitude de Maxim envers moi que jalouse. Je pense que je viens de lui gâcher son orgasme du jour.

Mon colocataire l'entraîne à l'écart tandis qu'une vague de soulagement déferle jusque dans mes jambes. Je suis contente qu'il soit là, c'est avec lui que j'ai envie de parler. C'est toujours avec lui. Plus qu'avec Marie-Anne et Cécile. Peut-être même plus qu'avec Lucie parfois.

Dès le début de notre colocation, nous avons pris l'habitude de nous retrouver le soir, devant des émissions débiles qui passent à la télé et qui nous abrutissent. De nos discussions sur l'amour, le sexe, l'amitié, le bonheur, est née notre amitié. On se pose beaucoup de questions tous les deux et je pense qu'on nage en pleine crise existentielle du quart de siècle. Mais oui, ça existe. Si à quarante ans on fait des bilans et on se demande « c'est quoi la vie ? », à vingt-cinq, c'est plutôt la question « c'est quand la vie ? » qui nous taraude l'esprit. Parce que, sans dire que c'est morne et monotone en ce moment, ce n'est pas non plus transcendant.

J'entends la porte d'entrée s'ouvrir et se refermer et Maxim réapparaît dans l'entrée du salon. Je lui souris faiblement.

– C'était Sophie ?

– Oui.

– Encore une qui va arriver chez elle et enfoncer des aiguilles dans une poupée vaudou à mon effigie. J'espère que tu ne l'as pas laissée repartir en bus.

– Pour qui tu me prends ? s'offusque-t-il à moitié en s'essayant près de moi. On avait pris deux voitures, elle serait partie après de toute façon.

– C'est vrai, tu ne dors pas avec n'importe qui, toi.

– Non, c'est surtout que je ne me réveille pas avec n'importe qui. Le réveil, c'est sacré et je n'aime pas le partager.

Je me retiens pour ne pas hurler.

– Tu mériterais juste que je t'arrache les yeux, Maxim. Tu te conduis vraiment comme un connard avec les filles.

Tu les connais assez pour les baiser, mais pas pour dormir avec elles.

– Si ça ne leur plaît pas, elles n'ont qu'à ne pas entrer dans mon jeu, elles en connaissent les règles dès le départ... Pis, enchaîne-t-il en versant un peu de liquide transparent dans mon verre, on trinque à la santé de qui ce soir?

Il avale une gorgée de vodka, ajoute une dose de jus de canneberges et me tend le mélange.

– On ne trinque pas à sa santé, on trinque à la mort de Samuel.

– O.K., Samuel, donc. Qu'est-ce qu'il a fait ?

Je trempe mes lèvres dans mon verre.

– Il n'est pas assez corsé, ton cocktail.

J'essaie d'attraper la bouteille d'alcool, mais Maxim m'en empêche.

– Eh... doucement. Je te trouve déjà bien assez soûle.

Je m'apprête à protester quand il répète :

– Qu'est-ce qu'il a fait, Samuel ?

– Ben, rien... Rien. Il ne fait rien, comme d'habitude.

– Pas de nouvelles ?

– Non.

Maxim pousse un léger soupir.

– Peut-être que... peut-être c'est sa façon de te dire qu'il n'a pas envie de s'engager avec toi.

Je détourne mon regard et fais rouler mon verre entre mes mains. Je m'étais promis de laisser trois jours à Samuel pour me téléphoner. Trois jours. S'il ne me donnait pas de nouvelles, je tirais un trait. J'ai attendu une journée de plus, et alors que j'attendais, j'ai su que j'attendais en vain. Il y a des choses que je sens, un sixième sens, sans doute. Les choses m'apparaissent dans une clarté presque aveuglante, comme si mes œillères se décidaient à tomber. J'ai su que Daniel me trompait, j'ai su quand il est arrivé chez moi, cet après-midi-là, qu'il était venu m'annoncer qu'il me quittait pour une autre. Je l'ai su, tout simplement. Et avec Samuel, ça a été pareil, une douleur subite dans mon plexus. C'est fini. Ça n'a même jamais commencé. Et ma soirée vodka-canneberge se profilait à l'horizon.

– Pourquoi il agit comme ça ? Pourquoi il me rattrape toujours quand je veux partir ?

– Parce qu'il tient à toi mais pas comme tu le voudrais.

– Ouais... Je veux bien le croire... Il prend mais ne donne jamais rien. Il s'est caché derrière ma prétendue indifférence pour pouvoir me baiser sans problème de conscience, et ensuite, il n'a pas eu assez de cran pour... pour...

Ma voix déraille et se brise comme du cristal. Pour empêcher mes larmes de couler, je me mords l'intérieur des joues et termine ensuite mon verre. Aussitôt vidé, je le tends à Maxim :

– Un autre, tavernier !

Il s'exécute sans mot dire. J'avale une gorgée de vodka-canneberge qui ressemble de plus en plus à du jus de canneberges et continue :

– Tu sais, au Charlotte, j'ai vraiment cru qu'il tenait à moi et qu'il ne voulait pas me perdre. Qu'il avait peut-être juste peur de s'engager. Il avait une façon de me regarder, je te jure, Maxim, je n'ai pas rêvé... Mais il a bien fallu que je me rende à l'évidence : il ne sera jamais amoureux de moi, il n'agirait pas comme ça, sinon. Tout ce temps perdu ! Trois mois de ma vie perdus ! Pouf ! envolés !

Maxim me lance un regard un peu peiné, ce même regard qu'on lancerait à un chiot égaré, et je replonge les yeux dans mon verre.

– Je me sens tellement conne, Maxim, tu ne peux pas savoir. Je me sens conne et ridicule. RI-DI-CU-LE. Et tu sais ce qui l'est encore plus ?

– Quoi ?

J'éclate de rire, un rire trop enjoué pour être honnête et laisse tomber :

– C'est que je n'en ai rien à faire, de ce mec ! Je ne suis même pas amoureuse de lui !

Je dépose la paume de ma main sur mes yeux et sens mon corps se secouer à travers mes rires qui, un à un, se transforment en sanglots. Maxim s'approche de moi et m'attire à lui.

– Ne pleure pas, je n'aime pas te voir comme ça.

Je reste un moment contre lui, sa chaleur m'apaise. Son cœur se soulève au rythme de sa respiration, je sens ses doigts qui me chatouillent un peu le bras et mes larmes disparaissent. Il se lève, disparaît dans la salle de bains et revient avec la boîte de papiers-mouchoirs.

– Je ne t'ai même pas remercié d'avoir écourté ta soirée pour rester avec moi.

– C'est normal, Isa... Mais je ne te comprends pas. Si tu ne l'aimes pas, qu'est-ce que ça peut bien te faire que Samuel ne soit pas amoureux de toi ?

– Je ne sais pas.

– Je suis sûr que si.

Il me connaît trop bien et sans protester davantage, je finis par lui avouer ce qui me fait mal :

– C'est juste que... je lance souvent en blaguant que je suis un cas désespéré, je ris de mes fiascos amoureux et je me dis : « Demain, ça ira mieux. » Mais Samuel, c'est la goutte d'eau. Lucie m'a dit samedi que je cherchais toujours à m'embarquer dans des histoires avec des gars pas faits pour moi et je crois qu'elle a raison.

Mes rires-sanglots repartent de plus belle. Maxim a l'air perdu. C'est la première fois qu'il me voit pleurer autrement que devant un film de filles. D'habitude, quand je m'épanchais sur mes histoires foireuses, on finissait par en rire. Ce soir, c'est différent. J'en ai assez de tout ça. Je veux vivre une histoire normale, avec un gars normal. Je veux tomber amoureuse et qu'on tombe amoureux de moi. Pourquoi est-ce si compliqué, bordel ?

– Isa, c'est certain que tu vas rencontrer quelqu'un qui te mérite et tomber amoureuse.

– Qu'est-ce que tu en sais ? Je n'ai même pas été foutue d'intéresser assez un gars pour qu'il daigne me passer un simple coup de fil.

– Arrête. T'es une fille extraordinaire. T'es belle, intelligente, casse-pieds parfois mais tellement drôle. T'es dévouée, déterminée et généreuse avec tes amis. Courageuse aussi. T'as quitté la France toute seule pour venir ici, ce n'est pas rien. Et tu...

Il s'arrête, prenant soudain conscience de tous les compliments qu'il vient de me faire et j'appuie ma tête contre le sofa en souriant. Je me sens plus légère tout à coup. J'ai envie qu'il se penche vers moi et qu'il me reprenne encore dans ses bras. Sa chaleur me manque et je...

Non mais à quoi tu penses, là ?

Je rougis tandis que Maxim se redresse et tousse un peu.

– Bon, c'est assez pour ce soir, les compliments. Fais-moi juste confiance, tu rencontreras quelqu'un. Je le sais.

– Amen !

Je termine mon verre et le lance à Maxim qui l'attrape de justesse.

– Sers-m'en un autre et, pendant que tu y es, accompagne-moi. Ce n'est pas drôle de boire toute seule.

Son visage s'éclaire d'un sourire joueur, mais quelques traits d'hésitation persistent sur son front. Je lui murmure :

– J'ai juste besoin d'une parenthèse.

Il capitule et bondit du canapé. Il disparaît dans la cuisine et, trente secondes plus tard, s'assoit à nouveau près de moi en déposant deux bouteilles de bière sur la table basse. Par réflexe, il parcourt les informations inscrites sur le papier qui entoure sa Molson Dry avant d'en avaler une gorgée. Je ne sais pas pourquoi il fait ça. Il lit toujours les compositions des plats ou des aliments et se plonge dans le manuel des électroménagers comme dans un livre d'Hemingway. La première fois qu'on le voit faire, c'est spécial.

– Il va falloir que t'en boives beaucoup pour me rejoindre, dis-moi.

– Je ne pense pas que tu t'en souviennes, mais j'ai un examen demain à midi.

– Quoi ?

Je le dévisage avec des yeux ronds.

– Mais ne reste pas avec moi et va dormir !

Un gentil sourire moqueur étire ses lèvres.

– Il n'est même pas minuit et je te rappelle que je n'avais pas prévu de dormir avant quelques heures.

– Ouais, mais entre faire l'amour et consoler ta coloc à moitié soûle, il n'y a pas photo.

– C'est quoi cette expression encore?

– C'est juste pour dire que la première option aurait sans doute été plus agréable.

Il hausse les épaules pour clore le sujet et se dirige vers la chaîne hi-fi.

– Tu m'excuses, mais Mes Aïeux, j'en ai fait une over-dose à cause de toi.

Je le suis des yeux tandis qu'il appuie sur stop et parcourt la tour à CD. Presque tous les titres sont à lui et ses goûts sont très éclectiques. De Snow Patrol, à Lifehouse en passant par Lordi et les quelques incontournables grands noms français comme Aznavour, il écoute de tout selon son humeur. Il immobilise sa main et quinze secondes plus tard, la voix de Joseph Arthur envahit le salon. Excellent choix. J'ai souvent l'impression de faire l'amour avec une chanson quand j'entends *A smile that explodes*. La voix de Joseph Arthur est chaude, son timbre grave, et les cordes de sa guitare un effleurement.

Maxim revient s'asseoir près de moi et nous trinquons, chacun avec un sourire dans les yeux.

– Je ne sais pas ce que je ferais sans toi, tu sais. T'es un peu ma Lucie.

– Mmm, l'alcool te rend sentimentale, toi.

Je lui tire la langue pour toute réponse. Il me sourit et s'adosse contre le canapé.

– Alors, qu'est-ce que tu vas faire avec Samuel ?

– Rien. Tirer un trait, c'est tout.

– Et s'il te rappelle ?

– Ça fera du bien à mon orgueil, mais je me ferai un plaisir de ne pas donner suite. Ce sera ma façon de lui dire d'aller se faire foutre. Je lui ai bien dit de ne pas attendre trop longtemps avant de me rappeler. La date de péremption de notre relation, c'est maintenant et il ne reste plus qu'à la jeter à la poubelle.

Je fronce les sourcils.

– Eh ! l'alcool me transforme en homme ! Je viens enfin d'entrer dans votre monde dominé par la simplicité. C'est vrai que c'est le fun. Pas de prises de tête pendant des heures, pas de listes pour ou contre...

– Tu fais ça ?

– Évidemment. Toutes les filles font ça quand elles n'arrivent pas à se décider.

Maxim siffle entre ses lèvres.

– Je suis bien content de ne pas être une fille et de vivre dans mon monde.

– Ouais, mais tu sais pas ce que tu rates.

– Comme ? Les menstruations, les épilations, la dictature de la beauté ?

Je le fusille du regard, faussement vexée. Même si j'aime la vie en femme que je trouve drôle, agréable et émouvante, parfois je me dis qu'être homme, ça doit être mieux. Obtenir dès la naissance, sans rien faire et de la manière la plus injuste qui soit, le pouvoir, les avantages et la domination. Oui, oui, le Québec a beau être une société que beaucoup qualifient de matriarcale, ce sont encore les hommes qui en contrôlent les choses les plus déterminantes. Ils auront toujours un train d'avance sur nous parce qu'ils n'ont que très rarement à assumer la responsabilité de leurs actes. On leur pardonne beaucoup plus de choses qu'aux femmes. Une femme qui abandonne son enfant, c'est affreux, indigne, lapidez donc cette créature maléfique. Si un homme le fait, c'est

117

presque normal, vous savez, ce n'était qu'un homme, c'est dur de se réveiller toutes les nuits et de changer les couches de son enfant.

Je repose mon verre vide sur la table. Le monde commence à tourner et d'agaçantes nausées se mettent à danser dans mon ventre.

– Je crois que je vais être malade.

Maxim observe la boîte de biscuits apéritifs vide, déposée sur le sol.

– T'as mangé autre chose que ça ?

– Non.

– Bon, je vais te faire des pâtes, dit-il en sautant sur ses pieds.

– Ce n'est pas la peine. Il est tard et je ne veux pas que tu rates ton examen à cause de moi.

– Laisse-moi faire, O.K. ?

Il est déjà dans la cuisine quand je lui lance :

– Est-ce qu'il reste de la sauce à spaghettis dans le congèle ?

Tout à coup, j'ai très faim.

Le véritable trésor,
c'est de pouvoir compter sur les autres.

Massa Makan Diabaté

118

Chapitre dix

Minuit vient de sonner. Maxim et moi sommes en train de manger des spaghettis bolognaise, assis l'un en face de l'autre, et aucun de nous ne relève l'étrangeté de la scène. Tous les colocataires se réunissent au milieu de la nuit un soir de semaine pour déguster des pâtes, c'est certain. Mes nausées ont disparu, mais une migraine atroce a pris le relais. Qui a bien pu inventer l'alcool ? S'il y a quelques jours, je regrettais qu'on ne puisse pas boire à longueur de journée pour embellir nos vies, aujourd'hui, je me demande pourquoi nous persistons à boire ce poison. Qu'on ne vienne pas me dire après ça que l'homme n'est pas la plus étrange créature de ce monde.

— J'ai pensé à un truc tantôt pendant que je faisais chauffer l'eau, commence Maxim, je crois que c'est normal si tu n'arrives pas à sortir de ce cercle vicieux avec les hommes.

Pleine d'espoir, les yeux brillants, les mains jointes comme une prière, O.K., O.K., j'exagère... Je lui demande néanmoins :

— Pourquoi ?

— Parce que la vie ressemble à un problème de mathématiques.

L'alcool ne lui réussit pas.

– Laisse-moi au moins t'expliquer avant de juger.

– Je ne sais pas si ça me tente. J'ai toujours été nulle en maths à partir du moment où il a fallu faire autre chose que deux plus deux. Alors, si la vie c'est ça, je comprends pourquoi je n'arrête pas de me planter. Je savais que j'aurais dû me battre quand j'étais dans le ventre de ma mère pour hériter de ses gènes scientifiques !

– Bon, je peux continuer, là ?

Je lui fais un signe d'assentiment et enroule quelques pâtes autour de ma fourchette.

– Merci. Quand t'essaies de comprendre une règle de maths et ses principes, genre le carré de l'hypoténuse est égal à la somme des carrés des deux autres côtés, tu fais des exercices jusqu'à ce que ça rentre, pas vrai ?

– Ouais.

– Avec la vie c'est la même chose. Tant que tu ne retiens pas une leçon, tu t'amuses avec les mêmes problèmes pour essayer de comprendre ce que tu fais mal.

In vino veritas. Ou plutôt *in bière veritas*, car je trouve que ce que vient de dire Maxim a du sens. Seul petit désaccord : je ne peux pas dire que je m'amuse. Faire des exercices jusqu'à ce que ça rentre, donc. Un professeur de maths pour me guider dans la résolution de ma vie à douze inconnues ?

J'avale mes derniers spaghettis et hoche la tête avec une soudaine intensité.

– Hum ! je viens de comprendre ce que la vie essaie de me dire : arrête de te prendre la tête avec les mecs et deviens lesbienne !

Ah ! une femme avec un pénis. La sensibilité, la douceur, la compréhension, toutes ces qualités avant tout féminines – vous en conviendrez – avec la virilité d'un pénis pour satisfaire ma sexualité hétérosexuelle. Le rêve, non ?

Maxim m'observe, à moitié vexé que je ne prenne pas sa théorie au sérieux.

– Ne me regarde pas comme ça, je l'adore, ta métaphore, je sais bien que j'ai une leçon à tirer de tous mes échecs amoureux.

Je suis arrivée à un point où je ne peux plus faire autrement. Le problème, c'est que j'ai l'impression que plus c'est compliqué, plus j'aime ça.

– La vie est étrange, quand même.

– Et tu ne le remarques que maintenant ? réplique Maxim.

– Non, mais ça aurait été sympa de nous livrer son mode d'emploi à la naissance. Au lieu de ça, on nous laisse nous démerder et partir à l'aveuglette. C'est ridicule. La vie est le seul jeu où l'on comprend ses règles trop tard, lorsqu'il ne nous reste plus assez de temps pour élaborer une stratégie appropriée pour gagner. La preuve, c'est toujours sur leur lit de mort que les hommes sont foudroyés par des révélations, sauf que la partie est finie. *Game over.* C'est n'importe quoi.

Je m'arrête un instant et avoue d'une voix encore plus basse qu'un murmure :

– J'ai tellement peur de me tromper de vie.

Et je ne parle pas uniquement de ma pseudo vie amoureuse. Maxim reste silencieux un si long moment que je me mets à douter qu'il m'ait entendue. Mi-soulagée, mi-déçue, je m'apprête à conclure, quand il finit par dire :

– Moi aussi, ma belle.

Il se lève aussitôt, ramasse nos deux assiettes et, face à l'évier, il ajoute :

– Ce n'est pas facile pour nous parce qu'on est tiraillés entre ce qu'on doit faire et ce qu'on désire faire.

Mon regard ne le lâche pas. Il ouvre le robinet et commence à nettoyer la casserole qui a servi à notre repas nocturne. Maxim est comme moi. Il sait qu'il lui faudra choisir entre la voie que son père a tracée pour lui et celle qui l'attire. Depuis tout petit, il rêve de parcourir le monde, un appareil photo à la main, pour en saisir les douleurs et réveiller les consciences occidentales qui se complaisent dans l'opulence. Il rêve de faire passer tout ce qui l'habite à travers du papier glacé et il y arrive plutôt bien. J'aime quand il regarde la vie à travers son objectif et je trouve triste qu'il se soit laissé influencer par son père qui ne voulait rien savoir de son envie de devenir photographe. C'est bien pour lui faire plaisir qu'il termine une maîtrise en droit de l'entreprise et qu'il vient de s'inscrire à l'évaluation pour entrer à l'école du barreau.

Les parents, des fois, on s'en passerait à l'âge adulte. À tort ou à raison, on a l'impression de les décevoir en essayant de sortir du moule. On a l'impression de décevoir tout le monde, tant sortir du moule est une trahison. Les gens l'acceptent de la part d'un jeune, le qualifient de bohème ou d'excentrique tout en espérant que la maturité lui redonnera sa raison.

Mais lorsqu'une personne censée être adulte rêve d'une vie différente, c'est presque de l'indécence. Les moins aigris taxent cet original de fou, de rêveur, d'idéaliste, les plus amers y vont avec des adjectifs moins glorieux. Immature revient souvent. On me l'a souvent dit et j'ai fini par le croire. Je me suis investie dans mes études pour leur prouver que non, je suis adulte, regardez, mon but est comme le vôtre, trouver un bon travail et attendre la mort. Pff ! Je me suis tortillée comme une folle pour essayer d'entrer dans ce moule. J'essaie encore de temps en temps – parfois, on ne rêve que d'être comme les autres – mais il ne doit pas être fait à ma taille.

Si je me sens si bien au Québec, c'est entre autres parce que je trouve les choses différentes ici. Quand une personne est tentée par un projet un peu hors du commun, ses proches ne s'empressent pas de répertorier tous les obstacles qu'elle va trouver sur son chemin. Ils ne s'empressent pas d'éteindre son étincelle pour que son rêve aille rejoindre le cimetière des rêves oubliés avec les leurs. Au contraire. Maxim n'est pas de mon avis, mais je n'en démords pas. S'il n'a pas trouvé de soutien de la part de son père lorsqu'il lui parlait de son rêve, pour moi, c'est avant tout circonstanciel. Sa mère aussi voulait vivre une vie différente, moins conventionnelle, et elle a détruit sa famille pour aller jusqu'au bout d'elle-même.

Je quitte ma chaise et rejoins mon colocataire pour essuyer la vaisselle. On ressemble à un vieux couple organisé. Il lave, il rince, j'essuie, je range. Une fois la cuisine en ordre, nous décidons d'aller nous coucher. Je suis épuisée et je meurs d'envie de me pelotonner sous la couette. Dans un état presque second, j'enfile mon pyjama, avale deux Advil, me brosse les dents et cogne à la porte de Maxim.

Quand j'entre, je le retrouve torse nu et sur le point de déboutonner son jean. Les joies de la colocation m'ayant souvent amenée à le voir flambant nu – Maxim n'a de toute évidence pas encore compris le principe des serrures d'une salle de bains –, je ne suis plus impressionnée. La première fois néanmoins, je suis devenue écarlate. Je suis ressortie aussi sec de la pièce en criant des excuses incompréhensibles et avec l'image du corps de Maxim en tête. Image qui, je dois bien l'avouer, a alimenté mes fantasmes pendant des semaines.

– Ça va ? me demande-t-il en se tournant vers moi.

– Oui, je voulais juste te dire merci pour cette soirée. Sans toi, je serais encore en train de maudire Samuel, de pleurer sur mon sort et de vomir une bouteille entière de vodka.

– Ce n'est rien.

– Je peux t'écrire un mot d'excuse pour ton examen de demain si tu veux. « Veuillez noter avec indulgence la copie de Maxim Saint-Arnaud, car il a dû passer une partie de la nuit à consoler sa colocataire qui était en train de virer alcoolique. »

– Je ne suis pas sûr que ça marche, me répond-il avec un petit rire.

J'hésite quelques secondes puis lui avoue :

– Tu es mon alter ego, Maxim.

Il me sourit, secoue la tête et s'exclame :

– Je n'en reviens pas comme t'es sentimentale après un verre de trop !

– O.K., j'arrête.

Je baisse un peu les yeux et enchaîne en évitant de croiser son regard :

124

– Mais quand même, je suis contente d'avoir découvert qu'on peut être amie avec un homme.

– Oh ! ça, l'amitié entre les hommes et les femmes, c'est un débat qui nous occupera une autre soirée, ma belle.

Je relève les yeux et dévisage Maxim avec incompréhension. Il dépose sur la chaise de son bureau la chemise et le tee-shirt qu'il avait laissés tomber sur son lit, comme si ses derniers mots n'avaient aucune importance.

– Comment ça, un débat ? Tu n'es pas sûr que ce genre d'amitié existe ?

Il me fait face.

– On en parlera un autre soir si tu veux bien, je suis brûlé.

Mais je ne bouge pas. Comment peut-il dire qu'il nous faudrait débattre de ça ?

– Maxim, je veux savoir ce que tu penses.

Il grimace un peu.

– Isa, je n'ai pas envie de te parler de ça maintenant.

– Parler de quoi ?

Abasourdie, je le scrute en tentant de percer la barrière qu'il forge entre lui et les autres. Sans succès. Que peut-il bien avoir dans la tête ? C'est tellement dur de forcer ses pensées.

– De rien, je t'assure. Allez...

Il me tend sa main avec l'intention de m'accompagner vers la porte de sa chambre, mais je me recule contre le mur.

– Je te jure que je ne bougerai pas d'ici tant que tu ne m'auras pas dit ce que tu penses !

Il lève les yeux au ciel en secouant la tête puis plante son regard dans le mien :

– Bon, tu veux savoir ? C'est certain qu'un gars ne peut pas être ami avec une fille, surtout s'il n'a pas couché avec elle, c'est un truc de filles, de croire à ça.

Sa réponse nette, abrupte et sans détour me coupe le souffle. Est-il vraiment en train de me dire que pour lui, nous ne sommes pas amis ? Que depuis un an, je ne vis que sur une illusion ?

– Mais on est quoi, nous, alors ?

– Je ne sais pas... mais amis... non, je ne crois pas.

Une boule se forme dans ma gorge et mes mains se mettent à trembler. Un truc de filles. Un truc de filles ! Voilà à quoi il réduit notre relation !

– Je n'en reviens pas que tu me dises ça ! Je n'en reviens pas. Je suis quoi, moi, pour toi ? Et tout ce que tu m'as dit tout à l'heure ? C'était des conneries ? C'était juste pour me remonter le moral ?

Il s'approche de moi, mais je m'éloigne instinctivement. Je crois que je pourrais le frapper. Le frapper pour m'éviter de pleurer. Il plisse les yeux, hésite, puis finit par murmurer, les mâchoires crispées :

– Ce n'est pas ce que tu penses, arrête de voir tout en noir.

– Comment tu veux que je le voie ? Tu me lâches, comme une bombe, ta façon de voir notre relation. Tu m'avoues que tu ne me considères que comme une coloc un peu trop névrosée qui te force à jouer les psys et tu voudrais que je le prenne bien ?

– Tu dis des bêtises.

– Je ne crois pas, non ! Si pour toi on n'est pas amis, et vu qu'on n'est pas amoureux, il ne nous reste pas grand-chose !

Il soupire en posant une main sur ses yeux et se masse les tempes avec deux doigts.

– Tu ne comprends rien.

– Non, effectivement, je ne te comprends pas !

Sans que je puisse esquisser un geste, il réduit à néant l'espace qui nous séparait et glisse ses mains derrière moi pour m'attirer à lui. L'effluve de son parfum – un reste d'Aqua di Gio selon mes narines – m'enivre et ses yeux bleus, encore plus bleus que d'habitude, m'enveloppent tout entière. Comme si je m'y noyais.

– Mais qu'est-ce tu fais ? je m'écrie tout en restant néanmoins dans ses bras.

Il me serre davantage. Une de ses mains se faufile sous mon pyjama et caresse mon dos. Sa paume est chaude. Je frissonne.

– T'es tellement... ingénue, me chuchote-t-il avant de m'embrasser.

*Ce que l'homme redoute le plus,
c'est ce qui lui convient.*

Henri-Frédéric Amiel

DEUXIÈME PARTIE

MAXIM

Chapitre onze

La tête posée près du hublot, je contemple le rose du lever de soleil parsemé de quelques nuages à la chantilly. *Les étoiles filantes* des Cowboys Fringants joue sur mon iPod et je fredonne les paroles en silence, toujours incrédule face aux derniers événements.

Le lendemain de ma soirée vodka-canneberge avec Maxim, je me suis réveillée avec un mal de tête lancinant, et surtout un trou béant dans ma mémoire, chose qui ne m'était jamais arrivée. Les souvenirs de la soirée me sont revenus par flashs, mais je reste encore incapable de retracer dans les moindres détails tout ce que j'ai dit ou fait. Je me revois sur le canapé en train de gémir sur mon sort, un verre d'alcool à la main, je me rappelle l'arrivée de Maxim avec Sophie. Je nous revois discuter en buvant un peu trop, surtout moi, et j'ai comme l'impression que nous avons fait des exercices de maths dans la cuisine tout en mangeant des pâtes. De la dernière partie, je suis moins sûre, et mon colocataire refuse de m'éclairer. Quand il s'est aperçu que ma mémoire avait décidé de jouer à Bob l'éponge, son visage s'est fermé.

— Comment ça ? Tu ne te souviens pas de tout ?

– Je ne sais pas, j'ai comme des trous noirs.

– Attends, c'est une blague que tu me fais ?

– Mais non, franchement. Je ne comprends pas, je sais que j'ai bu une demi-bouteille de vodka mais...

Je me suis arrêtée d'un coup en voyant son expression. Mon cœur a loupé un battement.

– Ne me regarde pas comme ça, tu me fais peur ! Qu'est-ce qui s'est passé ?

Maxim est resté muet. Je sentais la tension monter tandis qu'il me dévisageait avec insistance. Malgré l'angoisse qui me tordait le ventre, je me suis forcée à sourire et j'ai plaisanté :

– J'ai dansé nue sur la table, c'est ça ?

Il est resté impassible et mon sourire de façade a disparu.

– Maxim...

Il a prononcé des mots incompréhensibles, des mots que j'essaie encore de déchiffrer, puis s'est arrêté. Son regard s'est adouci, lentement, un sourire est apparu sur son visage, et il a fini par me dire :

– Rien, ne t'inquiète pas, on a juste beaucoup discuté.

Je ne l'ai pas cru, bien sûr. Il avait eu l'air tellement choqué quelques minutes plus tôt, il était presque livide. J'ai insisté, mais sa réponse est restée la même. Il s'est ensuite mis à me taquiner, me lançant des « je t'ai droguée et j'ai abusé de toi » qui m'agaçaient. J'étais certaine qu'il me cachait quelque chose. Deux jours plus tard, quand je l'ai vu rassembler ses affaires et me souhaiter ensuite un rapide joyeux Noël, mes doutes se sont transformés en certitudes. Je suis restée sans réaction. Dans mes souvenirs, il devait partir pour La Malbaie en même temps que moi pour l'aéroport le samedi matin. Quand je le lui ai fait remarquer, il s'en est tiré par une pirouette :

– Eh bien, la vodka a fait plus de dégâts que je pensais !

J'ai secoué la tête, mi-énervée mi-amusée.

– Mouais, c'est ça, allez, va-t'en !

Je l'ai accompagné jusqu'à la porte. Je l'ai suivi des yeux alors qu'il enfilait son manteau et ses chaussures. Son regard évitait soigneusement le mien. Il a saisi son sac qu'il a posé sur son épaule et ne s'est pas retourné en refermant la porte. J'ai entendu le moteur de sa voiture démarrer et ce n'est que lorsque le silence a envahi l'appartement que je me suis rendu compte que mon cœur explosait dans mes oreilles. Je me suis assise dans le salon et j'ai fermé les yeux. Qu'est-ce que ma mémoire refusait de me livrer ? Et pourquoi Maxim ne voulait-il rien me dire ? S'était-il passé quelque chose de grave ? J'ai rouvert les yeux et j'ai remarqué un paquet sous notre sapin artificiel. J'ai attrapé le petit sac doré, je l'ai ouvert et les battements de mon cœur ont repris leur cadence habituelle. Un foulard en laine rouge, ma couleur préférée, et des mitaines assorties se trouvaient à l'intérieur, avec un petit message : « Pour t'aider à supporter nos hivers, ma luciole des neiges. Maxim xxx » J'ai caressé le papier du pouce, j'ai admiré l'écharpe et je l'ai passée autour de mon cou. En me frottant doucement la joue avec, j'ai senti l'odeur de Maxim. Je me suis levée. J'avais envie de chanter. J'ai récupéré le cadeau que je lui avais acheté dans ma chambre et je l'ai déposé à la place du mien. Il était parti si vite que je n'avais même pas pensé à le lui donner. C'était une de ses photos, agrandie et encadrée. Une photo de l'hiver, sa saison préférée.

Les lumières de la cabine de l'avion se rallument. Les passagers se réveillent. Les hôtesses nous alimentent de biscuits datant de l'an passé, nous abreuvent de café, de thé et de jus d'orange concentré. Le pilote, un homme – existe-t-il des femmes pilotes ? –, annonce notre arrivée prochaine à Paris, puis enchaîne dans la langue de Shakespeare. Je réprime un éclat de rire en entendant ses balbutiements, son accent incompréhensible et ces mots français qu'il transforme en mots anglais. « We will be desembarqued. » Ils ne sont pas censés être bilingues, les pilotes ?

Après le passage des hôtesses avec leur chariot, je remonte ma tablette et commence à tapoter mes cuisses avec mes mains. D'un côté, j'ai hâte de revoir ma mère, et de l'autre, j'appréhende. C'est étrange comme sensation. Quand je pense à elle et que je suis loin, elle me manque, mais dès que nous sommes ensemble, je brûle de me retrouver seule à nouveau. Peut-être existe-t-il des personnes que l'on aime mieux quand on ne les voit pas. Ou quand on ne les voit que deux fois par an.

L'été dernier, ma mère a réussi à quitter sa précieuse salle d'opération pendant dix jours. Dix jours. Curieusement, l'hôpital ne s'est pas effondré parce que le docteur Lise Sirel est allée retrouver sa fille pour les vacances. Telle que je la connais, elle a dû en être légèrement déçue. Je voulais rouler jusqu'en Gaspésie pour lui faire découvrir la splendeur du fleuve qui devient mer, mais elle n'avait pas envie de passer des heures assise en voiture. Son avion ayant atterri à l'aéroport de Dorval, nous sommes restées à Montréal. La ville urbaine et branchée, c'est ce qui plaît à ma mère. Faire les boutiques de la rue Saint-Denis et de l'avenue du Mont-Royal et marcher à la recherche d'un bon resto sur la rue Saint-Laurent l'ont ravie.

Après cinq jours intensifs d'achats dans les magasins, de visites au musée et de repas dans les derniers endroits à la mode, j'ai réussi à la convaincre de quitter Montréal, puis Québec, et nous avons pris la route du fleuve jusqu'à La Malbaie. Maxim y passait quelques jours et c'est tout naturellement que son père, Antoine, également de passage, et lui, nous ont accueillies. Toujours charmante « en société » comme elle aime à le répéter, ma mère s'est montrée drôle, intelligente, humble face à son métier – « je sauve des vies, mais chacun le fait un peu à sa manière tous les jours, vous savez » –, impressionnée par la beauté de la région. Parfaite, en somme, et tout le monde buvait ses paroles.

Vers minuit, Maxim et moi nous sommes retrouvés sur la galerie dans une maison silencieuse. On sirotait un reste de limonade, éclairés par une demi-lune. Le sel du fleuve embaumait les environs et il s'en est fallu de peu pour que j'entende les cigales chanter. J'observais les papillons qui dansaient autour de la lumière, quand Maxim m'a fait remarquer que j'étais différente en présence de ma mère, plus effacée. J'ai émis un petit rire ironique. Je suis d'un naturel plutôt réservé en public, mais lorsque je me retrouve avec elle, je deviens carrément invisible tant son aura rayonne. Elle a l'habitude d'être le centre de l'attention et de sentir tous les regards braqués sur elle ; moi pas, et d'ailleurs, hormis quelques rares périodes de narcissisme, je déteste ça. J'ai toujours peur de faire un faux pas, de dire une bêtise et de passer pour une idiote.

– Et ça ne te gêne pas de lui laisser toute la place?

– Non, je m'en fiche un peu, à vrai dire. J'aime bien laisser ma mère éblouir les gens pendant que je reste silencieuse. Comme ça, quand ils me regardent, ils se disent que sa fille doit être aussi fabuleuse qu'elle.

J'ai ri et Maxim m'a imitée. J'ai baissé les yeux sur mon verre avant d'ajouter d'une voix un peu plus grave :

– Le plus énervant, c'est plutôt cette façon qu'elle a d'essayer de diriger ma vie. C'est peut-être une déformation professionnelle. En salle d'opération, tout le monde exécute ses ordres à la lettre, elle me confond peut-être avec une de ses internes... Je te jure, parfois j'aimerais tellement redevenir cette ado difficile avec un trop-plein d'énergie qui passait son temps à affronter sa mère.

J'ai avalé ma dernière gorgée de limonade et j'ai conclu :

– Ce n'est pas bien grave, tout ça, je peux supporter son intrusion mal placée quelques semaines par an.

Maxim a murmuré un « hum-hum » puis a enchaîné :

– Alors, tu es venue et tu restes au Québec pour échapper à l'emprise de ta mère ?

Sa question m'avait clouée sur place. Et s'il avait raison ? Et si j'étais partie pour fuir, pour m'éloigner d'elle ? Non. Impossible. Pourtant, cela m'a tracassée durant des semaines. Avant cette soirée de juillet, j'aimais penser que j'étais partie pour la découverte. Pour l'aventure. Pour mettre une dose d'imprévu dans ma vie que je voyais déjà tracée jusqu'à mes soixante-dix-huit ans. Et puis, je me suis rendue à l'évidence. Maxim était bien plus près de la vérité que je n'avais voulu l'admettre au début.

L'océan disparaît et je range temporairement – n'exagérons rien – mes questions dans un tiroir jusqu'à l'année prochaine. Dans quelques heures, je vais revoir ma mère, Lucie et tous mes amis, dans quatre jours, c'est Noël. Le sapin, les guirlandes, les chansons, les feux de cheminée, les bûches glacées, le foie gras, le saumon fumé, tout ça c'est que du bonheur en perspective !

Une heure plus tard. Aéroport Charles-de-Gaulle.

Qu'est-ce que j'avais dit déjà ? Du bonheur en perspective ? Apparemment j'avais oublié ce que cela peut être de se retrouver dans un aéroport immense, quand la population des cinq continents s'y agglutine en même temps. Apparemment, j'avais également oublié la bonne humeur légendaire des Français. C'est à se demander si certains ne s'entraînent pas à afficher des expressions aussi inhospitalières. Bienvenue à la maison !

Après avoir enduré un douanier à la mine on ne peut plus renfrognée, je me poste devant les tapis à bagages et m'aperçois que la logistique n'est pas non plus un de nos points forts. Les valises des passagers en provenance de trois destinations différentes débarquent sur le même tapis. Non, mais trois avions. De deux cents personnes au minimum chacun ! Je vous le dis, heureusement qu'on a Montmartre, le Quartier latin, la Provence et Patrick Bruel, sinon...

Un brouhaha persistant commence à m'étourdir et je sens qu'on me pousse pour pouvoir atteindre sa valise.

« Roger, nos bagages sont là, vite, vite, ils vont repartir ! »

« Maman, il y a mon sac là, attrape-le! »

« Allez, dépêche-toi, mes parents nous attendent, faut qu'on évite les bouchons sur le périph ! »

« Mais regardez-moi l'état de mon sac, je vais les tuer, les bagagistes ! »

Ah ! ça c'était moi. Je répète : bienvenue à la maison. J'utilise mon billet de retour pour Montréal tout de suite ?

Gare de la Part-Dieu, Lyon, enfin à bon port, après un voyage interminable. Un petit aperçu ?

Attente à l'aéroport de Québec :	1,0 h
Vol Québec-Montréal :	1,0 h
Attente à l'aéroport de Montréal :	2,5 h
Vol Montréal-Paris :	7,0 h
Récupération des bagages et attente à la gare :	1,5 h
TGV Paris-Lyon :	2,0 h
Total :	15,0 h

Elle n'est pas belle, la vie d'expatriée ?

Tous mes griefs contre la France et les Français s'envolent dès que je franchis les portes de la gare. L'odeur du beurre mêlé au sucre s'échappe de la boulangerie d'à côté et vient me frôler les narines. Du pain frais, des croissants chauds, des pains aux raisins, des chaussons aux pommes. Mes papilles s'en délectent à l'avance. J'aurais pu tuer pour toutes ces viennoiseries lorsque j'étais de l'autre côté de l'Atlantique. Je souris et ferme les yeux pour savourer cette période de découvertes et de redécouvertes qui m'étourdit chaque fois que je reviens. Elle me rappelle un peu celle que j'ai vécue lors de mon arrivée au Québec.

« Tiens, les prix sont affichés sans les taxes, ici. On peut acheter des chips, des cahiers et même des appareils photo dans les pharmacies ??? On dit bonjour pour dire au revoir ???

Mais les fromages coûtent la peau des fesses ! Non mais c'est quoi, toutes ces pubs à la télé ??? Quatre coupures dans une émission de quarante-cinq minutes ??? Au secours ! »

Au bout de quelques minutes, une odeur âcre vient gâcher mon plaisir. Un groupe de jeunes avec leurs treillis, chaînes et bottes d'armée, traînent à la sortie de la gare, clopes au bec, et chiens à leurs pieds. Même si j'ai passé ma jeunesse à griller des cigarettes les week-ends, depuis la fin de cette période, je ne supporte plus qu'on fume à côté de moi.

Ma mère arrive en trombe. Elle gare en double file sa Peugeot Cabriolet dont le gris métallisé scintille et me fait un signe de la main. Si nous avions vécu aux États-Unis, elle aurait été l'incarnation du rêve américain. Oui, d'accord, elle n'était pas dans le ruisseau avant de devenir chirurgien, mais son ascension sociale et sa réussite, elle ne les doit qu'à elle-même. Bien sûr, tout cela ne s'est pas fait sans sacrifices. La vie exige toujours un tribut en échange de ce qu'elle donne, et ce tribut, ce fut son mariage qu'elle a perdu sans même s'en rendre compte.

Je ne ressemble pas vraiment à ma mère. Quand j'étais petite, les gens disaient que j'étais le portrait craché de mon père. Ma mère est d'une blondeur angélique qui contraste avec son opiniâtreté. Ses cheveux encadrent son visage avec élégance et ses yeux bruns semblent constamment à la recherche de quelque chose ou de quelqu'un à disséquer. Bien que n'ayant jamais eu recours à la chirurgie esthétique, aux traitements de botox et autres choses du genre, elle ne fait pas du tout son âge. À cinquante et un ans, elle s'enorgueillit d'en paraître à peine quarante. « Le jogging, c'est le secret, répète-t-elle à qui veut l'entendre. Associé à de longues séances d'étirements, ça aide à garder les chairs fermes. » C'est sans doute vrai parce que ses courbes sont idylliques, elle ne se prive d'ailleurs pas de les mettre en valeur avec des vêtements à la coupe parfaite. Elle n'a pas la folie des grandes marques, mais de temps en temps, elle se paie un sac Prada, des lunettes Gucci ou un portefeuille Dolce & Gabana.

– Ton voyage s'est bien passé ? me demande-t-elle en m'embrassant.

– Pas si pire.

Elle esquisse un sourire en entendant cette expression québécoise pourtant si banale. Elle ne se lasse pas de découvrir le français qu'on parle au Québec. D'ailleurs, je sais que le dictionnaire québécois-français que je lui rapporte va la ravir. Je l'imagine déjà allongée sur le canapé du salon, devant la cheminée, s'écrier en riant : « Eh ! tu savais qu'ils disent la cerise sur le sundae et je ne suis pas sortie du bois* ? Oui, maman, je sais. Qu'est-ce que c'est une agace-pissette ? Je te laisse découvrir... »

Nous déposons mes affaires dans le coffre et filons vers la maison, dans la banlieue ouest de Lyon. Évidemment, ça circule très mal – tous les Lyonnais sont en vacances et sont dans la dernière ligne droite de la course aux cadeaux – et ma mère râle. Elle tapote sur son volant, pousse quelques soupirs, et entre deux coups de klaxon, marmonne avec irritation :

– Pourquoi tu t'obstines toujours à vouloir prendre le train à Paris ? Je ne comprends pas. Si tu prenais l'avion, je viendrais te chercher à l'aéroport et on éviterait le centre-ville.

---

* Oui, alors, en France, on dit la cerise sur le gâteau et je ne suis pas sortie de l'auberge.

– Parce que je déteste attendre ma correspondance deux heures dans un aéroport sale, bruyant et noir de monde, parce qu'une fois sur trois mes bagages n'arrivent jamais jusqu'à Lyon en même temps que moi, et surtout parce que j'adore le train.

Regarder défiler la campagne française, me laisser bercer par les mouvements réguliers du TGV et pouvoir étendre mes jambes sont des plaisirs dont je refuse de me passer après sept heures d'avion.

– Enfin, au moins tu repars de Saint-Exupéry.

Combien de temps ça lui a pris avant qu'elle ne se plaigne de mon comportement ? Huit minutes ? Elle ne pourrait pas se montrer un tant soit peu heureuse que je sois là au lieu de me critiquer ?

– Ne fais pas cette tête, Isabelle, je suis contente de te voir.

Je serre les dents. Non seulement ma mère est la seule à m'appeler Isabelle – « c'est le prénom que je t'ai donné à la naissance, alors laisse-moi l'utiliser » –, mais elle possède également une capacité effrayante à s'introduire dans les pensées des gens. À l'adolescence, un bouclier protecteur alimenté par ma hargne me protégeait, aujourd'hui, je l'ai perdu.

– Alors, raconte-moi un peu ce que tu as fait de beau avant de partir.

Que lui dire ? Que je me suis soûlée au point d'avoir des trous de mémoire à cause d'un mec qui ne s'intéressait qu'à mes fesses ? Elle ferait une syncope et mes cours de premiers secours sont loin. J'opte donc pour une réponse plus prudente :

– Oh ! tu sais, je n'ai pas vu le temps passer, j'étais plongée dans mes examens et ensuite dans les préparatifs de mon départ. Et toi ? À part sauver des vies ?

– Bertrand m'a emmenée dîner dans un restaurant indien dans le Vieux-Lyon, c'était divin.

Son chum adore les endroits exotiques et ma mère prend plaisir à découvrir tous ces délices thaïlandais, afghans et autres. En incorrigible pipelette qu'elle est, elle continue de parler alors que nous nous engageons sur la bretelle d'auto-route. Elle me décrit en détail ce qu'elle a prévu comme repas pour le réveillon de Noël que nous passons chez Bertrand avec sa famille – elle est invitée, mais c'est elle qui cuisine : foie gras, millefeuilles de saumon aux herbes, pavé de biche aux marrons et bûche glacée aux fruits de la passion. Elle s'attaque ensuite avec enthousiasme à la description de la robe qu'elle s'est achetée pour le 31 décembre et conclut par les derniers potins du quartier. Elle bifurque à gauche tout en me racontant les dernières bêtises du chien de nos voisins et j'aperçois la maison au loin. Trois minutes plus tard, je suis à nouveau chez moi.

Mon autre chez-moi.

Je laisse ma mère ouvrir la porte, et sans m'en rendre compte, je retiens un peu mon souffle en entrant derrière elle. J'aime étirer ce moment. Entrer. Inspecter. Inspirer la vanille qui s'échappe de la lampe Berger posée sur la table – ma mère parfume la maison à la vanille depuis toujours. Laisser traîner mes doigts sur le cuir couleur crème des canapés du salon. Sourire devant le petit vase en argile, couleur cuivre, que j'ai fabriqué lors d'un cours au collège et qui trône encore sur le buffet. M'attarder sur ce qui a changé depuis ma dernière visite. Tiens, ce bibelot sur la commode n'était pas là l'été dernier, le tableau des jeunes filles au piano de Renoir non plus. Et cette photo de ma mère et Bertrand sur la cheminée à l'Alpes d'Huez l'hiver dernier. Ma mère a la même passion du rouge que moi, sa combinaison est flamboyante.

– Est-ce que tu veux que je fasse un feu ?

Je me retourne.

– Non, pas tout de suite, je pense que je vais aller dormir.

– Oui, tu dois être fatiguée. Je te réveille pour le dîner, j'ai préparé un poulet aux girolles.

Un de mes plats préférés.

– Merci, maman.

J'ai subitement envie de me blottir dans ses bras. Je ne le fais pas. Nous avons perdu l'habitude des démonstrations d'affection depuis longtemps. De toute façon, il n'y a que dans les *soaps* où l'on se serre dans les bras à tout bout de champ.

Je monte au premier, pénètre dans ma chambre et dépose mon sac au pied de mon lit. Une tapisserie rouge foncé, presque pourpre, m'accueille. J'esquisse un sourire en repensant aux posters de Patrick Bruel, de Roch Voisine et des NKTB qui recouvraient chaque centimètre carré des murs du temps de mon adolescence. Posters que j'embrassais à pleine bouche quand personne ne me voyait. Aujourd'hui, seuls mes magazines de filles, cachés au fond de mon armoire, témoignent de cette époque passée. Je les feuillette encore de temps en temps, pour me détendre. Je refais quelques tests pour voir si j'ai évolué.

« Quel genre d'amie es-tu ? »

« Es-tu amoureuse ? »

« A-t-il craqué pour toi ? »

Mon Dieu qu'on en passe des heures à répondre à toutes ces questions qui ne servent à rien !

Je m'assois sur mon lit, en face de ma bibliothèque, et contemple mes livres classés par ordre alphabétique. Peut-être qu'un jour, moi aussi, mes mots seront imprimés sur de belles pages blanches que je glisserai parmi des géants des lettres tels que Racine, Balzac et Hugo.

Ma future vie d'écrivain célèbre commence à prendre forme sous mes yeux. Je me vois courant les plateaux de télévision de Fogiel à Ardisson, je me vois assaillie de journalistes comme une star américaine, et soudain plus rien. Mon corps me rappelle que je n'ai dormi que quelques heures depuis hier et je sombre dans les bras de Morphée. La sonnerie du téléphone me réveille quelques heures plus tard. Le soleil a capitulé depuis longtemps et la nuit a envahi ma chambre. Je jette un œil à ma montre : dix-neuf heures cinquante.

Ma mère apparaît, le téléphone sans fil à la main.

– C'est Lucie.

Je m'étire un long moment, entends mes os craquer et me redresse sur mon lit. Je saisis le combiné et à peine ai-je fini mon allô que ma meilleure amie hurle :

– Justin est reparti vivre chez ses parents !

– Hein ? Mais quand ?

– Ce matin. On a décidé de faire un break cette nuit.

Elle enchaîne sans me laisser le temps de revenir de ma surprise :

– On a eu une grosse dispute hier soir, pour une bêtise en plus. Je voulais qu'il me conseille pour le cadeau de Noël de sa mère et tout ce qu'il a trouvé à me dire, c'est : « Je ne sais pas, prends ce que tu veux. » Et tout ça, sans même lever le nez de la télé. J'ai insisté. C'était la seule chose qu'il me restait à acheter, et je n'avais pas envie de courir encore les magasins pendant des heures à la recherche d'une idée. Tu me comprends, non ?

– Bien sûr. En plus, c'est délicat les cadeaux aux belles-mères, leurs fils se doivent de nous éclairer.

Je dis ça comme si j'avais déjà vécu la situation alors que je n'ai jamais rencontré les mères de mes ex. Mais... j'ai beaucoup lu et dans les livres, les belles-mères sont toujours impossibles à contenter.

– Voilà, surtout que Michelle et moi nous ne sommes pas spécialement complices. Mais Justin m'a gueulé dessus comme si j'étais une gamine qui l'énervait pour une connerie. Il m'a même dit que sa mère n'en avait franchement rien à faire de mon cadeau. Je n'ai pas pu me retenir. J'ai explosé. Je lui ai craché tout ce que j'avais sur le cœur. Je lui ai dit que je pouvais plus vivre comme ça. Que j'avais l'impression d'être la seule à porter notre relation. Que si c'était pour avoir un colocataire, je préférais encore être seule. Que si, pour lui, c'était ça la vie de couple, alors on avait un gros problème. Enfin, tu vois ? Je lui ai vidé mon sac, le ton est monté, et les voisins nous ont même crié de la fermer. Justin est sorti prendre l'air, et à son retour, je lui ai proposé de faire une pause, pour voir, et il a accepté. Il a dormi sur le canapé et il est parti ce matin.

Mon cerveau encore embrumé essaie d'enregistrer toutes ces informations et de trouver quelque chose d'approprié à dire.

– Et comment tu te sens ?

– Je ne sais pas. Bizarre. Triste et soulagée à la fois, je crois. Ça m'a fait quelque chose quand il est parti, mais après j'ai senti comme un grand poids s'envoler.

– Je comprends.

Elle reste silencieuse pendant que je me triture les méninges à la recherche de quelques mots pour l'apaiser. Seulement, c'est elle la plus empathique, c'est elle qui trouve toujours *la* chose à dire.

– Ça va vous faire du bien de vous retrouver seuls, vous allez pouvoir réfléchir chacun de votre côté.

Je n'aurais pas pu trouver plus banal, même si j'avais voulu ! Je me fais honte en tant que meilleure amie. Il faut vraiment que je change de cerveau. Je ne sais pas comment envoyer balader Samuel, je ne sais pas comment consoler Lucie, c'est désespérant.

Celle-ci, bienveillante, murmure néanmoins :

– Je sais.

Elle pousse un long soupir avant d'ajouter :

– Je n'arrête pas de cogiter depuis ce matin et je crois qu'on vit peut-être une époque où l'amour n'est plus viable à long terme... Je ne sais pas. Je ne sais plus.... Je me sens tellement perdue. D'un côté, je me dis que j'en demandais peut-être trop, que j'aurais dû faire plus d'efforts pour être heureuse avec ce que j'avais. Je voulais sincèrement. Mais si c'est pour être malheureuse, ce n'est pas la peine de rester en couple, non ?

– Non, c'est sûr.

– Mais est-ce qu'on peut être heureuse seule ? Tu te rappelles cet email où je te disais qu'un mec ne servait pas à grand-chose ? Tu crois que c'est vrai ?

Ah oui ! je me souviens. À quoi sert un homme ? Pourquoi cette envie d'être en couple ne nous quitte jamais ? J'ai une théorie pour ça aussi. J'ai des théories pour beaucoup de choses. Par contre, elle est moins légère et moins drôle que celle que j'ai écrite à Lucie dans mon courriel, et en plus, elle n'est même pas de moi.

– Non. L'être humain n'est pas fait pour être seul.

– Alors quoi ? On se mettrait en couple uniquement pour combattre notre solitude ?

Je ris d'un rire triste.

– Peut-être bien. Si les gens rompent puis remettent ça avec quelqu'un d'autre encore et encore, c'est pour ne pas être seuls.

– Isa, tu ne peux pas me dire ça ! L'amour ne serait qu'une manière de tromper l'ennui ?

– Je ne sais pas. Peut-être qu'on est faits comme ça. Que c'est notre instinct de survie qui nous pousse à vouloir fonder un foyer avec quelqu'un pour perpétuer l'espèce. Qui nous transforme aussi en vieilles filles déprimées, lunatiques et chiantes si on ne se décide pas à devenir deux.

– Eh ! c'est le décalage horaire qui te rend comme ça ? Elle est où, la Isa fleur bleue qui croit au grand amour ?

– Elle est toujours là, ce n'est pas pareil. Là je t'explique pourquoi, selon moi, on ne peut pas vivre sans homme.

– Oui, eh bien, tu aurais pu me l'expliquer avant et ne pas attendre que je me retrouve seule pour la première fois de ma vie.

Son ton mi-figue mi-raisin me fait baisser les yeux comme une élève face à sa maîtresse d'école. J'observe le plancher, mon sac de voyage, puis les étiquettes avec les initiales des aéroports : « YUL – CDG ». J'essaie de me souvenir de la dernière fois où Lucie a été célibataire et je ne trouve pas. Depuis que je la connais, il y a toujours eu Lucie et... Lucie et Arnaud, Lucie et Vincent, Lucie et Nicolas. Elle a quitté ses parents pour vivre avec Justin et aujourd'hui la voilà seule. Elle va devoir apprendre à gérer la solitude alors qu'elle souffre. On a déjà connu mieux comme moment pour apprivoiser ce truc nécessaire, mais qui à haute dose nous détruit.

J'essaie de la rassurer :

– Oui, mais toi, tu as besoin de te retrouver seule. Il faut que tu fasses le point.

– Tu as raison. J'ai beaucoup de questions et peu de réponses.

– Bienvenue au club, tu verras, c'est l'enfer.

Elle éclate de rire. Nos voix deviennent plus enjouées et je suis soulagée de l'entendre plaisanter. Elle n'est pas faite pour être triste, Lucie.

— Et il y a des règles dans ton club ? enchaîne-t-elle.

— Juste une : se prendre la tête jusqu'à l'épuisement.

— Dans ce cas, je crois que je vais demander une camisole de force pour Noël !

— Excellente idée ! Et tant que tu y es, demandes-en une pour moi.

Nous discutons encore. Je lui parle de Samuel, de mon trou de mémoire et de la réaction bizarre de Maxim le lendemain. Nous planifions ces deux semaines qui nous attendent, heureuses de pouvoir passer autant de temps ensemble. Je suis bien, et elle aussi, je crois, malgré ce qui lui arrive. L'amitié, c'est la seule chose qui nous reste quand tout s'écroule. L'amitié, c'est peut-être la seule chose qui compte.

Il faut avoir confiance dans les surprises de la vie.

Jean-Philippe Blondel

Chapitre douze

Une odeur d'échalotes s'échappe de la cuisine de l'appartement de Bertrand alors que je pousse la porte. Ma mère, debout devant le comptoir, un tablier autour de la taille, étale quelques tranches de saumon fumé dans un plat en porcelaine. Elle ressemble à une parfaite femme au foyer décidée à satisfaire les papilles gustatives de ses invités. Je ne le lui dirai pas, elle risquerait de faire une syncope.

Je toussote pour lui signaler ma présence et lui demande si elle a besoin d'aide. Elle arrose le saumon fumé de citron, décoré de bouquets d'aneth, et me tend le plat.

— Tiens, dépose ça sur la table de la salle à manger et dis à tout le monde que le repas sera prêt dans quinze minutes.

Elle s'approche de moi et tente de replacer le col de mon corsage.

— Mais arrête !

Je recule avec tellement de hâte que je manque de faire tomber le saumon sur le sol. Sans y prêter attention, ma mère ajoute :

– Va faire un tour dans la salle de bains aussi, ton rouge à lèvres est mal étalé.

Les mâchoires crispées, je retiens un soupir d'exaspération. Je ressors de la cuisine et dépose le saumon sur la table de la salle à manger. En passant devant le miroir en bois laqué de style Louis XVI, accroché sur le mur, je me frotte les lèvres du pouce et siffle entre mes dents. Mon maquillage était parfait. Je replace ma jupe, me force à sourire et retourne m'asseoir avec les autres.

Depuis que Bertrand est entré dans la vie de ma mère, nous passons toujours le 24 décembre chez lui, en compagnie de ses deux fils, ses deux belles-filles et ses quatre petits-enfants. Si je m'entends assez bien avec Bertrand et ses fils, ses deux belles-filles, en revanche, me donnent envie de hurler. Leur morale, leur façon de voir les choses, leur esprit étriqué très *petite-bourgeoise* me sort par les yeux. Mariées à des cadres supérieurs d'une grande banque pour l'un et d'une multinationale pour l'autre, elles s'occupent en organisant quelques galas de charité et en exhibant leur dernière robe haute couture à la mode lors de rallyes dansants. Non, je ne parle pas de courses de voitures destinées à reproduire une quelconque chorégraphie, mais plutôt de soirées rassemblant des jeunes adultes de la bourgeoisie et noblesse française ; ces soirées ayant pour but ultime qu'ils se marient entre eux afin de préserver leur statut social.

Je sais que les belles-filles de Bertrand me voient comme une originale, voire comme une ovni. Moi, la célibataire incapable de gérer une relation. Moi, l'éternelle étudiante qui s'est exilée loin, bien loin, pour pouvoir continuer à rêver. Moi qui, surtout, refuse de suivre leurs traces.

« Tu ne veux pas te marier avant tes trente ans ? Tu ne veux pas avoir deux enfants et les regarder grandir tout en

152

méprisant ceux qui n'appartiennent pas à ton milieu ? Tu préfères rester célibataire ? Attention, plus on approche de la trentaine, plus notre cote descend auprès des hommes. »

Elles me lancent pique sur pique en me regardant avec un petit sourire qui se veut compatissant mais qui en réalité est sardonique ! On se croirait dans *Cendrillon*. Ma mère ne dit rien. Je suis certaine qu'elle les approuve et qu'elle se croise les doigts pour que les remarques de ces deux mégères me fassent évoluer vers la femme qu'elle aimerait que je sois. Elle peut toujours attendre.

Au bout de quelques minutes, elle apparaît, un sourire aux lèvres. Son tablier a disparu et elle n'a plus rien de la petite femme au foyer avec son chandail en cachemire beige et son pantalon noir. En véritable maîtresse de maison, même si elle ne vit pas avec Bertrand, elle invite chacun à passer à table.

Les conversations vont bon train autour de la table, même si je n'en capte que des bribes. La prochaine élection présidentielle passe sur toutes les lèvres, excepté les miennes. Je suis bien trop occupée à penser à Maxim. Que peut-il faire en ce moment ? Se préparer pour la veillée de Noël, peut-être ? Le temps doit être glacial là-bas, le vent du fleuve...

– As-tu le droit de voter, toi, depuis le Québec ?

Je relève la tête et dévisage tout le monde. Mégère numéro un avale une gorgée de vin et se tourne vers moi. Je rapatrie mon cerveau à Lyon.

– Oh... Euh... Oui. On peut voter au consulat de France si on y est inscrit.

– Ah oui ? Ils sont bien organisés.

– Je ne vis pas au Tiers-Monde tu sais.

Elle esquisse un geste d'indifférence.

– C'est si loin et tellement froid. Je ne sais pas comment tu fais. Est-ce que tu as déjà croisé des ours ?

Je manque de m'étouffer avec ma salive.

– Quoi ?

– Oui, des ours, est-ce qu'il y a en beaucoup ?

– Oh oui ! des tas ! J'en croise tous les jours lorsque je chausse mes raquettes pour aller à l'université. Et puis, le Québec est peuplé de bûcherons. De grands et forts bûcherons en chemises à carreaux rouges !

Mégère numéro un me fixe avec ses gros yeux globuleux, se demandant si je dis vrai ou si j'essaie de la tourner en dérision.

Ma mère préfère changer de sujet. Bertrand et elle se lancent dans le détail de leur dernière opération cardiaque – Bertrand est chirurgien lui aussi – et je décide de retourner près de Maxim. L'ambiance doit être différente là-bas, chaleureuse et conviviale. Ici, c'est plutôt le blizzard.

À la fin du repas, je me désigne comme esclave et ramasse les assiettes de tout le monde. Je disparais dans la cuisine et ouvre le lave-vaisselle en inox au moment où ma mère entre dans la cuisine. Sans un mot, elle se poste à mes côtés, me tend quelques ustensiles, puis siffle entre ses dents :

– Tu aurais pu te retenir et ne pas provoquer Chantale.

Je reste un moment sans réaction.

– Excuse-moi ? C'est moi qui l'ai provoquée ?

– Conduis-toi donc en adulte !

Une soudaine envie de jouer au frisbee avec les assiettes en porcelaine de Bertrand me démange les doigts. Au lieu de ça, je regarde ma mère les installer dans le lave-vaisselle, ajouter une dose de savon, et appuyer sur « marche ».

Je secoue la tête.

– Je ne dirai plus rien jusqu'à la fin de la soirée.

– Ce n'est pas ce que je t'ai demandé.

– Et joyeux Noël, maman !

– Isabelle, je ne voulais pas...

Mais je suis déjà loin. Elle est incroyable ! Prendre la défense de cette mégère face à moi. « Tu aurais pu te retenir et ne pas provoquer Chantale. » Je crois que je vais m'en tenir à une visite mère-fille tous les deux ans. Ma mère se consolera en adoptant les belles-filles de Bertrand.

Nous rentrons après le passage du père Noël qui a finalement réussi à détendre l'atmosphère. Les cadeaux ont un pouvoir incroyable. Nous arrivons à la maison assez tôt, l'indispensable docteur Sirel est de garde le lendemain. Elle se dévoue depuis plusieurs années et je sais qu'elle aime ça. Cela ne me dérange pas. Généralement, je passe la journée de Noël affalée sur le divan en compagnie de *Sissi* et de *Sissi impératrice*. Je réserve *Sissi face à son destin* pour le 1er janvier.

155

Cette année ne déroge pas à la tradition et en fin d'après-midi, je glisse le DVD du premier épisode de la trilogie dans le lecteur. Je me pelotonne sous une couverture avec une tasse de thé et des biscuits à la cannelle, prête à me laisser émerveiller.

Alors que Sissi s'enfuit par la fenêtre pour aller rejoindre son futur prince, je dépose ma tasse de thé vide sur la table basse et remarque une carte de vœux qui traîne. En l'ouvrant, je reconnais tout de suite l'écriture de mon père. Elle n'a pas changé avec le temps. Mes mains se crispent et je prends une longue inspiration. Ma mère et lui se parlent de temps en temps, moi jamais. Je ne lui pardonne pas ce jour où je suis rentrée de l'école et où j'ai retrouvé ma mère effondrée dans sa chambre. J'avais dix ans, je finissais mon CM2*.

Mon père nous a quittées du jour au lendemain en emportant toutes ses affaires et en laissant une lettre sur la table. On ne peut trouver plus courageux. Il expliquait à ma mère qu'il n'était plus heureux et qu'il partait pour faire le point. Il lui disait aussi qu'il était désolé et lui demandait de prendre soin de moi. Rien d'autre. Aucune adresse, aucun numéro de téléphone. Rien. Ma mère est restée sous le choc pendant des semaines, elle d'habitude si forte, si impassible, presque insensible à la souffrance des autres et à la mort – une nécessité dans son métier, qu'elle répète –, elle se noyait. Moi, j'étais en colère. Et j'étais contente de l'être, car elle m'empêchait de ressentir la vivacité de ma douleur. Elle m'empêchait aussi de trop réfléchir à ce qui venait de se passer dans ma vie de petite fille de dix ans.

Je n'avais jamais imaginé qu'une telle chose puisse arriver. Mes parents se disputaient bien de temps à autre, en partie parce que ma mère passait les trois quarts de son

---

* Équivalent de la sixième année.

temps à l'hôpital, mais je savais que les autres parents aussi. Aucun signe précurseur n'aurait pu m'aider à prévoir cet événement, et surtout à m'y préparer.

Nous sommes restées sans nouvelles durant des semaines, pas un coup de fil, pas une lettre. Il était parti où, mon père ? Dans un endroit sans téléphone, sans crayon, sans papier, sans enveloppe et sans poste ? Ma colère flambait, arrosée de bidons d'essence remplis d'absence. Chaque jour, je la sentais plus vive, je la cultivais, je l'entretenais, elle était devenue mon amie. Pendant ce temps, ma mère digérait le choc. Deux mois plus tard, sa tête était hors de l'eau. Elle a engagé une procédure de divorce ainsi qu'un détective privé qui a retrouvé mon père. C'est là que nous avons pu connaître toute la vérité. Il entretenait une liaison avec une femme depuis plusieurs années déjà et elle avait eu un enfant de lui. Une fille. Après sa naissance, ils avaient décidé de prendre un nouveau départ et de déménager dans le sud de la France, sans un regard en arrière, sans s'inquiéter des vies qu'ils allaient briser. Je me souviens encore du jour où elle m'a annoncé qu'elle avait eu des nouvelles de cet homme que j'appelais papa et qui m'avait abandonnée. J'étais dans ma chambre, je jouais à un jeu vidéo et elle s'est assise sur mon lit. Elle m'a caressé les cheveux et m'a murmuré :

– J'ai parlé à ton père ce matin.

J'ai continué à me concentrer sur Tetris, un rectangle à gauche, un T à l'envers à droite, une barre à gauche, mais je me faisais violence pour ne pas crier. Il est où, papa ? Il est où ? Qu'il vienne donc ici, j'ai deux mots à lui dire ! Ma mère m'a résumé ce qu'elle savait puis elle s'est raclé la gorge.

– Isabelle, il y a une bonne nouvelle dans tout ça... Ton père a eu une fille, tu as une petite sœur de quelques mois. Elle s'appelle Ophélie... Toi qui te plaignais toujours d'être fille unique, tu vas pouvoir jouer à la grande sœur.

Mon cœur s'est arrêté, je l'ai senti. Les battements ont peu à peu ralenti jusqu'à disparaître complètement quelques secondes. Mes mains tremblaient, mais je me suis forcée à tenir ma Game Boy bien serrée et à me concentrer sur le jeu. Une sœur, une demi-sœur. Mon père a eu une autre fille. Et il est parti pour être avec elle. Une autre moi, mais différente. La préférée.

– Ma chérie, tu m'écoutes ?

Ma mère avait-elle vraiment dit que c'était une bonne nouvelle ? Certes, je m'imaginais souvent avec une petite sœur ou un petit frère, certes je rêvais d'une famille nombreuse, mais dans mes rêves, jamais mon père ne m'abandonnait parce qu'il avait fait un enfant à une autre femme !

– Je t'écoute, maman, mais je suis en train de battre mon record et je ne veux pas me déconcentrer.

Elle a hésité puis m'a laissée seule, et moi, alors que « game over » clignotait sur mon écran, j'ai décidé que je n'avais plus de père et la colère ne m'a plus jamais quittée. Je pouvais encore la ressentir en lisant ses mots : « ... J'espère qu'Isabelle va bien, je pense souvent à elle, dis-lui que je l'embrasse... » et mes mains tremblaient de rage. « J'espère qu'Isabelle va bien, je pense souvent à elle. » C'était avant qu'il aurait dû penser à moi, lorsque j'avais besoin d'un père ! Jamais je ne lui pardonnerai ce qu'il a fait. Jamais.

Le jugement du divorce a été prononcé un an après son départ. Mes parents avaient convenu que je devais passer la moitié des vacances scolaires chez mon père, il habitait trop loin pour que je puisse m'y rendre les week-ends, mais je n'ai jamais voulu y aller. Quand il m'appelait, je restais stoïque et froide, quand il venait à Lyon me rendre visite aussi. Je fixais le vide et j'attendais. Mes parents pensaient que ça passerait.

Ils avaient tort. Mon père a insisté pour que je vienne le voir au début, mais je campais sur mes positions et restais de marbre. Une fois, ma mère a voulu me forcer à passer une semaine chez lui, elle n'a jamais réessayé tant la crise que j'ai faite a été mémorable. J'aurais préféré passer ces sept jours enfermée dans ma chambre plutôt que de les passer chez lui, avec sa nouvelle femme et sa nouvelle fille. Puisqu'il avait décidé de remplacer sa famille par une autre, qu'il assume jusqu'au bout son choix et qu'il ne tente pas de rapatrier des morceaux de l'ancienne ! On ne peut pas tout avoir dans la vie, les adultes devraient être les premiers à le savoir. Il a fini par capituler, expliquant à ma mère que quand je voudrais venir le voir, il serait heureux de m'accueillir. Ça n'est jamais arrivé et je peux compter sur les doigts de mes deux mains le nombre de fois où je lui ai parlé jusqu'à mes seize ans, le jour où je l'ai revu, six ans après sa fuite.

Un jour, un jour normal, j'ai pris le téléphone et je l'ai appelé. J'en avais assez de vivre en permanence avec cette colère mêlée de rancœur. Je voulais m'en débarrasser pour être libre. Je lui ai dit que j'aimerais le voir. Rien d'autre. Je l'ai senti surpris, peut-être content, et j'ai raccroché. Il est venu quelque temps après. Nous sommes allés dîner dans un restaurant et ce fut une catastrophe. J'avais du mal à faire le lien entre l'homme assis en face de moi et l'image que j'avais gardée de celui qui me lisait des histoires le soir. Où était celui qui me pressait deux oranges tous les matins en prenant soin d'enlever toute la pulpe parce que je n'aimais pas ça ? Et lui n'a rien arrangé. Le nom d'Ophélie, cette petite sœur que je tenais loin de moi, revenait dans chacune de ses phrases. Et Ophélie par-ci, Ophélie par-là. « Elle te ressemble, tu sais, elle adore les livres. Elle commence déjà à lire un peu. »

Entre deux bouchées, il devait se souvenir qu'il avait une autre fille, une fille qu'il n'avait pas vue depuis presque six ans et qu'il ne connaissait plus. Il me posait alors des questions sur moi. Que des banalités. Que des choses qu'il savait. Mes résultats scolaires, mes mauvaises fréquentations, mes disputes avec ma mère. Lorsque la tension a monté d'un cran, il a tenté de m'attendrir avec quelques compliments. « Tu es devenue encore plus jolie en grandissant, comme ta mère.» Existe-t-il un manuel dédié aux pères ayant abandonné leur fille qui répertorie des phrases magiques à prononcer ? Toujours est-il que ses tentatives de rapprochement n'ont fait qu'alimenter ma colère contre lui, contre ma mère qui n'avait pas su voir que son mariage coulait, contre la vie qui m'avait privée d'un père trop tôt. Quand nous nous sommes quittés, je lui ai annoncé que ce n'était pas la peine qu'il revienne me voir, qu'il pouvait continuer à faire comme s'il n'avait qu'une fille, comme il l'avait fait en partant du jour au lendemain. J'ai vu un éclat de douleur assombrir son regard et, avec honte, je m'en suis réjouie. Œil pour œil.

Le lendemain, j'ai commencé à utiliser le nom de famille de ma mère. Isabelle Sirel. Depuis ce dîner, nous n'avons eu que des contacts éphémères au téléphone, et la dernière fois que nous nous sommes parlé, c'était quelques jours avant mon départ pour le Québec.

Je repose la carte sur la table et je sais que même la féerie du film n'arrivera pas à me calmer. Je suis certaine que ma mère a fait exprès de mettre cette maudite carte bien en vue, elle qui aimerait tant que je tourne la page comme elle l'a fait. Si je n'avais perdu qu'un mari, j'aurais sans doute pu, oui, un mari, ça se remplace. Ce que j'ai perdu, moi, je l'ai perdu pour toujours.

Quand j'avais treize ou quatorze ans, elle a essayé de m'amener voir un psy, mais il était trop tard, j'étais entrée dans ma période un peu plus rebelle. Cela n'a pas dû être facile pour elle, j'en conviens. Jouer le rôle des deux parents avec une adolescente écorchée vive, on a déjà connu mieux pour terminer l'éducation de son enfant. Mais elle me manque, cette Isa, parfois, celle qui ne se faisait dicter aucune règle, celle qui tenait tête à sa mère. Ma rupture avec Daniel, à la sortie de l'adolescence, m'a fragilisée. Il m'avait quittée pour une fille plus jolie, plus intelligente, plus passionnée, plus drôle, plus tout, j'en étais certaine à l'époque, et les regards des autres ont commencé à compter. J'ai cherché à y lire de l'approbation, à y lire une confirmation que j'étais sur la bonne voie pour devenir *plus tout* moi aussi. Ma mère en a profité pour rasseoir son autorité et faire tout ce qu'elle n'avait pas pu faire quand j'avais quatorze ans. Je n'ai pas protesté, j'avais besoin d'un guide. Le problème, c'est que je n'ai pas su mettre de limites.

Maxim a raison, je devrais arrêter de fuir. Je devrais prendre ma place, m'affirmer davantage, comme avant. Il doit bien exister autre chose que des conneries d'adolescente pour prouver au monde qu'on a une identité propre, non ?

Non ?

On souffre davantage des déceptions que l'on inflige à ceux qu'on aime que de celles qu'on subit.

Geneviève Bersihand

Chapitre treize

Quand ma mère rentre de l'hôpital en début de soirée, je l'attaque tout de suite avec cette carte de vœux. Apparemment, je n'ai pas trouvé d'autre moyen pour m'affirmer que celui de provoquer une dispute.

Elle riposte, cinglante :

– Tu ne crois pas qu'il serait temps que tu lui pardonnes ? Toute cette colère que tu gardes en toi depuis des années, ce n'est pas sain.

– Bon, tu veux encore m'envoyer chez un psy, c'est ça ?

– Ça ne te ferait pas de mal ! Ça fait presque seize ans, Isabelle, seize longues années, tu pourrais...

– Pourquoi ne veux-tu pas comprendre que j'ai encore mal ? Que je ne veux pas lui redonner ma confiance ? Que je ne *peux* pas ! On dirait que c'est moi, la méchante, dans l'affaire. Celle qui refuse de voir son gentil papa. Mais il ne faudrait pas oublier que c'est lui qui est parti.

Ma mère soupire et me regarde avec compassion. Nous avons vécu la même douleur, elle et moi, mais différemment. Elle, elle a tiré un trait net sur son mariage et sur la façon dont il s'est terminé, comme si elle s'était coupé un membre gangrené. Moi, j'ai laissé l'infection se propager.

– Écoute, ton père a agi en parfait salaud en nous abandonnant comme ça, c'est ignoble ce qu'il a fait et je n'ai pas une profonde estime pour lui, mais c'est du passé.

Voilà. L'excuse bidon des *soaps* de seconde zone. « C'est le passé, il faut savoir tourner la page. » N'importe quoi. Est-ce qu'elle va me sortir un extrait de la Bible aussi ? En ce jour de Noël, ce serait on ne peut plus approprié. Il faut tendre l'autre joue, pardonner à ceux qui nous ont offensés ?

Je lui rétorque :

– C'est encore très présent pour moi.

– Oui et c'est bien le problème !

– C'est tellement facile pour vous deux. Toi, tu as Bertrand et ta salle d'op, lui, il a Ophélie et sa femme, et moi, qu'est-ce que j'ai ? Hein ? Qu'est-ce que j'ai ? Rien. C'est moi qui ai tout perdu dans cette histoire. Lui, il a une nouvelle fille, toi, tu vas avoir un nouveau mari si un jour tu te décides et moi je n'ai plus de père.

Les larmes me montent aux yeux sans crier gare et je me réfugie sur le canapé. Le feu qui consume le bois dans la cheminée se reflète partout dans la pièce. Ma mère me rejoint et me dit d'une voix douce qui se veut pleine de promesses :

– Isabelle, tu peux encore avoir un père.

– Non, c'est trop tard. Ce n'est plus mon père, je ne le connais plus.

– Tu peux réapprendre à le connaître.

– Non.

– Pourquoi ?

– Parce qu'il n'en a pas envie. Il ne s'est pas battu pour notre relation.

– Il a respecté ton choix et, crois-moi, ça lui a coûté. Il a préféré attendre que tu sois prête à lui pardonner pour revenir dans ta vie. Il attend encore aujourd'hui. Pourquoi crois-tu qu'il envoie toutes ces cartes à Noël et pour tes anniversaires ? Ce n'est pas par obligation, c'est sa façon à lui de te dire qu'il t'attend.

Je reste silencieuse et le visage de mon père se met à danser devant mes yeux. Je revois son regard, à la fin de notre dîner au restaurant, je revois sa douleur. Espérait-il vraiment un geste de ma part ?

– Les gens ne sont pas parfaits, tu sais, ils commettent des erreurs, c'est comme ça. On n'a pas le choix de l'accepter pour continuer à vivre et à avancer. Rester dans la peine ou la colère, ça ne fait mal qu'à soi.

Pas besoin d'être fin psychologue pour faire le lien entre ma relation avec mon père, l'image catastrophique que j'ai des hommes et mes déboires sentimentaux. Il faut quand même être doté d'une certaine dose de folie pour aimer. Remettre sa vie entre les mains d'un autre et espérer que tout se passe bien, je m'en sens incapable. Surtout pas après l'avoir fait avec Daniel et avoir pleuré comme j'ai pleuré.

– Je ne te dis pas de l'appeler aujourd'hui, poursuit ma mère, mais tu devrais commencer à y penser. Ou... écris-lui, toi qui adores écrire. Est-ce tu veux son adresse email ?

J'hésite un court instant, ce qu'elle transforme en acquiescement. Elle se lève, saisit son sac près de la porte d'entrée et sort son agenda. Elle revient près de moi et me tend un bout de papier avec une adresse écrite au stylo. Je fixe ces quelques lettres qui me rapprochent de mon père et finis par céder.

– Une nouvelle année commence, Isabelle, c'est le temps des nouveaux départs, tu ne crois pas ? Le temps des résolutions.

– Tu sais bien que je trouve complètement débile de prendre des résolutions qu'on ne tient pas plus loin que le 17 janvier. Quant aux nouveaux départs, pourquoi attendre une nouvelle année pour ça ?

– Très bien, alors prends-en un maintenant. Tu en as besoin et pas seulement concernant ton père.

Je tourne la tête vers elle, soupçonneuse.

– Qu'est-ce que tu veux dire ?

– Qu'il serait temps que tu décides de ton avenir. Chaque fois que je t'ai demandé ce que tu comptais faire après ta maîtrise, je n'ai eu droit qu'à un « je ne sais pas ». Est-ce que tu veux rester au Québec ? Je ne sais pas. Dans quoi veux-tu travailler ? Je ne sais pas. Le marketing, la comptabilité, la gestion des ressources humaines ? Je ne sais pas. Mais il faut que tu décides.

– Ouais, mais ce n'est pas si simple !

– Si, c'est simple, c'est toi qui compliques tout.

Sur ce coup-là, elle marque un point. Je tente de lui expliquer mes incertitudes concernant mon avenir, de lui faire comprendre que mon désir de rester au Québec et celui de rentrer en France sont tout aussi forts l'un que l'autre. Je lui parle de l'écriture.

– Écrire, oui, tu m'en as déjà parlé, mais il faut que tu travailles.

– Je le sais, je ne suis pas stupide ! Je te dis juste que je voudrais trouver un boulot qui me laissera assez de temps pour ça et je crois avoir plus de chances d'y arriver au Québec. Là-bas, à dix-sept heures, tout le monde a quitté son bureau.

– Dis-moi que je rêve. Après deux ans à l'université, trois en école de commerce, qui m'ont coûté les yeux de la tête, et presque deux autres au Québec pour ton MBA, que je finance également, ton unique critère de recherche d'emploi serait qu'il te permette de rentrer chez toi au milieu de l'après-midi ?

Je la regarde, le souffle coupé. Dix-sept heures, c'est le milieu de l'après-midi pour elle ! Évidemment, à force de faire des gardes de vingt-quatre heures et des semaines de quatre-vingts ! Pas étonnant que mon père ait foutu le camp avec une autre femme ! Mon sang bouillonne si fort que j'ai du mal à organiser mes pensées.

Ma mère en profite pour enfoncer le clou :

– Tu es diplômée d'une des meilleures écoles de commerce françaises. À la fin de l'année, tu seras titulaire d'un

MBA, et tu voudrais te contenter d'un petit travail tranquille au lieu d'en décrocher un qui te passionnera ? Un qui te donnera envie de te lever tous les matins ? Si tu crains de rester au chômage ici, tu t'inquiètes pour rien, je connais beaucoup de monde. À peine rentrée que tu aurais un excellent poste.

Je soupire. Le Grand Canyon est lilliputien comparé au fossé qui nous sépare. Aucun de ces boulots, que ce soit en marketing ou en gestion, ne fera pétiller mes yeux comme l'écriture. Tout ça, ce n'est qu'une alternative, une façon de gagner ma vie parce que j'y suis obligée. Je ne vais pas m'investir plus qu'il ne le faut dans un travail qui non seulement ne me plaira jamais autant qu'écrire, mais qui, en plus, m'empêchera de m'y consacrer comme je le voudrais.

– Maman, ta passion, c'est la médecine ? Eh bien, moi, c'est l'écriture. Pourquoi c'est si difficile à comprendre ?

– Parce que ce n'est pas un vrai métier ! C'est un passe-temps et tu confonds les deux.

– Non, c'est toi qui confonds !

– Mais quand vas-tu finir par grandir ?

Nous bondissons toutes les deux du canapé, prêtes à nous affronter. Mes yeux flambent. *Prendre ma place, affirmer mon identité. Prendre ma place, affirmer mon identité.*

– Je suis une adulte, maman, même si je ne suis pas devenue celle que tu pensais. Je vais trouver un travail, ne t'en fais pas, mais tu ne me feras pas renoncer à mon rêve de devenir écrivain.

– Et tu vas t'y prendre comment ? Tu n'as même pas encore réussi à écrire un livre !

Son coup bas me fait vaciller. Si nous avions été sur un ring, elle m'aurait envoyé valser au tapis. Me renvoyer à la figure mes propres faiblesses pour me décourager, c'est vraiment... bas. Je me relève.

– Justement, je n'ai pas encore réussi parce que je n'ai pas assez de temps !

– Excuse-moi, mais il me semble que lorsqu'on est étudiante, du temps libre, on en a à revendre.

– Pour ton information, j'ai des montagnes de lectures à faire toutes les semaines, des travaux de groupe, des...

– Soit, tu n'as pas assez de temps, me coupe-t-elle, agacée, mais qui te dit qu'une fois que tu en auras, tu vas y arriver ? Qui te dit que tu as du talent ?

Un autre coup bas. Mais que fait l'arbitre ? Je lui lance un crochet du droit :

– Je te rappelle que j'ai gagné un concours de nouvelles !

– Ah oui ! c'est vrai, et tu t'accroches à ça ! Tu bases tout ton avenir sur ce vulgaire concours que tu as remporté il y a plus de deux ans !

Son uppercut me coupe le souffle. Et si elle disait vrai ? Et si je n'étais pas capable d'écrire quelque chose susceptible de conquérir un éditeur et des milliers de lecteurs ? Et si j'étais en train de me fourvoyer depuis le début ? Je préfère déclarer forfait et laisser la victoire à ma mère, je ne suis pas de taille. Isa : 0, Maman d'Isa : 1.

Je jette mes gants sur le ring en signe de défaite et murmure :

– Tu devrais m'encourager au lieu de m'enfoncer, c'est le rôle d'une mère.

– Pas lorsqu'elle voit son enfant courir à sa perte.

Je regagne ma chambre avant de m'écrouler définitivement. Je m'assois sur mon lit, me relève, fais les cent pas, me rassois. J'hésite entre hurler dans un oreiller, pleurer, aller me jeter dans le Rhône et faire une crise de nerfs. J'ai besoin de parler. J'ai besoin de parler à Maxim. Il est le seul à me comprendre. Même Lucie n'y arrive pas quand j'évoque mes incertitudes par rapport à mon avenir.

Quelle heure est-il au Québec ? Je pourrais peut-être l'appeler. Non, il doit être avec sa famille et je ne veux pas le déranger avec mes problèmes. Et puis, il ne m'a pas donné de nouvelles depuis mon arrivée en France, ce que je trouve plutôt étrange. Nous ne sommes jamais restés plus de trois jours sans nous parler ou nous écrire.

Non, je ne l'appellerai pas.

Je tente de coucher sur le papier ce que je ressens, je navigue sur le Net, je surfe sur les blogues, mais la blogosphère est bien terne en cette journée de fête. Sans trop savoir comment, je me retrouve sur les pages jaunes du Canada. J'hésite un peu puis finis par céder. Deux minutes plus tard, je sors de ma chambre sans faire de bruit et m'empare du téléphone qui se trouve dans celle de ma mère. Je retourne dans ma chambre, m'assois à même le sol, adossée contre la porte, et compose cette série de chiffres qui me relient à Maxim.

– Isa ?

En attendant sa voix, mon cœur bondit. Je le remets en place et réussis à formuler quelques mots.

– Salut, est-ce que je te dérange ?

– Non, l'ambiance est tranquille ici. Ça va ?

– Oui, je voulais te souhaiter un joyeux Noël.

– Merci... T'es sûre que ça va ? Je te sens bizarre.

– Mmm... pas vraiment... Oh non ! oublie, je ne veux pas t'ennuyer avec mes problèmes alors que je suis à des milliers de kilomètres, et le jour de Noël en plus. Je te jure : plus égoïste que moi, tu meurs !

– Bon, ta séance d'autoflagellation est finie ? Maintenant que tu m'as appelé, autant me dire ce qu'il y a. Attends, je vais dans la cuisine.

Maxim quitte le salon et je peux entendre un passage d'*Astérix* qui joue à la télé. Je donnerais tout pour me télé-transporter jusqu'à La Malbaie quelques heures.

– Allez, raconte-moi ce qui se passe maintenant.

– Il se passe que j'ai envie de tuer ma mère.

– Ce n'est pas nouveau. Et tu t'y attendais, non ?

– Oui, mais... on vient de se disputer et elle m'a balancé des choses horribles à la figure, des choses sur mon père, sur mon avenir... Elle n'y a vraiment pas été de main morte...

171

Maxim, est-ce que tu crois que je me plante en voulant écrire ? Ma mère dit que je devrais plutôt chercher un travail à la hauteur de mes diplômes. Qu'elle a des contacts ici qui me trouveraient quelque chose de très bien. Elle dit que l'écriture n'est pas un vrai métier. Je sais bien qu'elle a raison, je ne vivrai sans doute jamais de ma plume, mais je veux me laisser du temps pour écrire. Ce n'est pas un crime, non ? Je sais que j'ai peu de chance de me faire publier mais... Je ne sais plus quoi faire.

– Écoute, ma belle, l'important, ce n'est pas ce que ta mère et moi pensons, l'important, c'est ce que tu veux, toi.

– Je ne sais pas si j'ai du talent et si je vais réussir à écrire quelque chose de valable, mais tout ce que je demande, c'est qu'on me laisse essayer. Si je ne le fais pas, je vais le regretter toute ma vie.

– Alors fais-le. Ce n'est pas comme si tu allais vivre aux crochets de ta mère pendant ce temps-là. Et je te le répète, Isa, ton rêve de devenir écrivain n'a rien de fou. Ta mère devrait regarder ce que tu fais au lieu de s'attarder sur ce que tu ne fais pas.

Je savais que discuter avec Maxim me ferait du bien. J'ai envie de lui dire qu'il me manque, que j'ai hâte de le revoir, mais un excès de pudeur m'en empêche. Je lui murmure plutôt :

– Tout ça, c'est aussi valable pour toi...

Il reste silencieux à son tour. Pourquoi faut-il que tout soit toujours si compliqué ? Que nos parents aient tant de mal à nous laisser vivre notre vie ? Je m'apprête à enchaîner quand j'entends Sylvain appeler Maxim. Apparemment l'heure du souper approche.

– Allez, je ne te dérange pas plus longtemps. Encore une fois, joyeux Noël, Maxim, et... merci.

– Joyeux Noël, ma luciole.

Ma luciole. Et mon cœur s'accélère.

Être, c'est se rappeler que l'on ne peut être parfait et que les autres... non plus.

Francis Pelletier

Chapitre quatorze

– Lucie, t'as vu l'heure ? On ne sera jamais chez Nathalie pour dix-neuf heures trente !

Ma meilleure amie jette un coup d'œil à sa montre.

– Je vais l'appeler pour la prévenir de notre retard, me dit-elle avant de sortir de sa chambre.

Il est dix-huit heures cinquante et la nouvelle année se prépare à faire une entrée fracassante au milieu des cotillons, des coupes de champagne et d'une musique endiablée. Debout en peignoir, au milieu de la chambre de Lucie, j'essaie de me décider sur une tenue, sachant que les trois quarts de ma valise – camisoles, jupes, robes et pantalons – sont éparpillés sur le lit. J'enfile une robe noire à bretelles, pare mes épaules d'un pashmina rouge et tourne sur moi-même face au miroir.

– Qu'est-ce que t'en penses ? je demande à Lucie dès qu'elle réapparaît.

Elle me sourit.

– Tu es superbe.

– Je ne suis pas certaine, j'avais envie de mettre ça.

Je lui désigne une camisole parsemée de paillettes dorées :

– Pour me donner un air de fête.

– On n'a plus le temps, Nathalie va nous tuer si on n'est pas là dans quarante-cinq minutes. Tu sais comment elle est, quand elle reçoit, il faut que tout soit parfait.

Oh oui ! je sais, elle est encore plus maniaque que moi. Tout doit être réglé comme du papier à musique et si les choses ne se passent pas comme elle l'avait prévu, elle pique une crise. Au lycée, ça me rendait folle, moi qui recherchais l'inattendu. Aujourd'hui j'aime bien la taquiner avec ça.

Nathalie adore recevoir, elle adore être la maîtresse de maison et le centre de l'attention. Toutes les fêtes, tous les anniversaires se passent chez elle. Le jour de l'An ne pouvait déroger à cette règle. La liste des invités est courte mais conviviale :

~ Marjorie, une autre amie de lycée, et son copain tout neuf. Elle, c'est l'intello de notre groupe. Elle termine un doctorat en biologie et songe à faire un post doc. La bio-lo-gie. Je ne sais pas comment elle fait. Je reste encore traumatisée par la dissection d'une blatte au lycée. Elle aurait fait une fille parfaite pour ma mère. Elles discutent d'ailleurs souvent de sang, d'organes et de muscles quand elles se croisent.

~ Christelle, la petite sœur de Nathalie, accompagnée comme il se doit de son copain de longue date.

176

~ Et enfin, invité-surprise de dernière minute : le copain moyennement neuf de Nathalie. À ce que j'ai compris, il devait partir faire du ski avec sa famille, mais après avoir prononcé son tout premier je t'aime à sa dulcinée, il a préféré différer son départ. Il fêtera donc le 31 décembre dans ses bras et l'emmènera ensuite dans les Alpes avec lui.

Cette soirée promet d'être intéressante, je n'ai encore jamais rencontré le copain de Marjorie, ni même celui de Nathalie. Celle-ci a quitté le banc des célibataires à la mi-septembre et Marjorie au début du mois de décembre. Elles ont l'air tellement heureuses. Quand est-ce que ce sera mon tour ?

Je glisse dans une paire de collants, ajuste ma robe et me rue dans la salle de bains. Lucie me rejoint deux minutes plus tard alors que je peine à me maquiller. Je ne suis pas une vraie fille, je n'y connais rien en matière de maquillage. J'envie ces filles qui savent se mettre en valeur et sans que ça paraisse, comme Lucie. Pouvez-vous me dire pourquoi je suis entourée d'amies qui me filent des complexes pas possibles ?

Lucie est rousse, comme les sorcières, et ses yeux sont d'un vert clair unique. Ses cheveux retombent sur ses épaules en dégradé et elle a pris l'habitude de les enrouler et de les attacher avec une barrette quand elle travaille. Je peux vous dire que cette façon qu'elle a de les détacher le soir est la chose la plus érotique que j'ai vue. Si un jour je devenais lesbienne, je n'hésiterais pas une seconde, c'est elle que je tenterais de débaucher.

Une fois dans l'ascenseur, j'enroule mon écharpe autour de mon cou – c'est fou comme j'ai l'impression de sentir l'odeur de Maxim dès que je la porte. Dès que nous passons la porte de l'immeuble de Lucie, je me recroqueville dans mon manteau et serre mes doigts les uns contre les autres. Nous croisons quelques passants pressés, aux joues rosies par le froid. Le temps s'est passablement refroidi depuis mon arrivée, la température doit bien avoisiner les moins cinq degrés ce soir. Ne vous moquez pas, c'est vraiment froid avec l'humidité qui nous transperce. Lucie et moi nous engouffrons dans le métro et les stations défilent.

Je n'arrive pas à croire que la nouvelle année soit déjà à nos portes. Mon séjour en France est passé si vite. Je repars au Québec dans cinq jours et je sais déjà qu'il va falloir que je me traîne jusqu'à l'aéroport. Même si je me suis souvent sentie étrangère dans mon propre pays – mais c'est quoi, toutes ces nouvelles émissions ? C'est qui ce chanteur ? Comment ça, on ne donne plus aucun sac en plastique aux caisses des supermarchés maintenant ? –, je me sens bien ici. Aussi.

Alors c'est ça, la vie d'expatriée, être toujours tiraillée entre plusieurs existences ?

Quand je suis au Québec, il se passe quelque chose en moi. Peut-être que je fuis, mais là-bas je me sens libre, emplie d'un courage et d'une conviction qui me permettent de croire plus souvent à l'extraordinaire. Mais en France, je retrouve la douceur de l'habitude et des liens tissés avec le temps. En France, je suis entourée de ma famille. Mes disputes avec ma mère ont beau être quasi quotidiennes, quoique depuis Noël nous n'en ayons plus eu, elle va me manquer. Sans parler de mes amis. Non mais quelle idée ai-je eue de vouloir partir ?

Je n'avais jamais imaginé qu'un jour je vivrais ailleurs. Je n'en avais même jamais vraiment eu envie. Comme pour les trois quarts des Français, le Québec n'était pour moi que la patrie de Céliiiine et de Garou. Le froid et l'accent étaient les seules choses que m'évoquait ce lointain pays. Et puis, un soir de novembre, alors que je traînais sur des forums de discussion sur Internet, je suis tombée sur le témoignage d'une étudiante qui racontait son expérience québécoise. Elle semblait conquise, autant par la Belle Province que par son expatriation. J'ai parcouru d'un trait son récit tandis qu'une idée folle me fourmillait dans les jambes. Et si je le faisais, moi aussi ? Si j'arrêtais de crier sur tous les toits que je veux vivre des choses hors du commun pour les vivre vraiment ?

J'ai surfé sur Internet une bonne partie de la nuit à la recherche d'informations sur les possibilités d'échanges universitaires. Le lendemain, je commençais mes démarches avec l'envie secrète d'une vie ailleurs, où tout serait à refaire. Je trouvais ça grisant. Tout recommencer et emprunter un autre chemin que celui qui m'était à l'origine destiné. Pourtant, au fond de moi, je n'y croyais pas. Je ne pensais même pas être acceptée au programme du CREPUQ, ni à l'Université Laval. Mes notes étaient bonnes, mais loin d'être excellentes. Je m'étais lancée dans ce projet un peu comme on se lance dans un marathon, en sachant très bien qu'on ne franchira pas la ligne d'arrivée.

Pendant les semaines qui ont séparé l'envoi de ma demande et la réception de ma réponse finale, je me disais : « De toute façon, même si je suis admise, je n'irai pas. Je ne pourrai pas. Je ne suis pas assez forte pour partir si loin pendant quatre mois. C'est juste un rêve que je caresse du doigt sans vraiment vouloir qu'il se réalise. » Je ne me doutais pas que je ressentirais ce que j'ai ressenti quand j'ai déchiré l'enveloppe et que j'ai lu « Nous avons le plaisir... ». La peur s'est volatilisée, remplacée par une excitation grandissante. J'allais enfin vivre quelque chose d'extraordinaire. Quelque chose de hors du commun. Et je m'en sentais capable. En quelques secondes, j'ai imaginé la neige – je ne savais pas encore que les températures pouvaient grimper jusqu'à quarante degrés l'été et que le Québec se transformait en île tropicale –, j'ai imaginé les maisons en bois rond et les écureuils – les mythes ont la peau dure –, et j'ai su que j'allais franchir la ligne d'arrivée.

Durant les six mois qui ont suivi mon arrivée au Québec, je me suis sentie comme une jeune mariée. Tout ce que je découvrais était super, génial, fantastique, incroyable et je me répétais : « Mais pourquoi ne suis-je pas venue avant ? C'est le paradis sur terre ici. » L'herbe est toujours plus verte chez le voisin. Aujourd'hui, la lune de miel est finie et je suis encore amoureuse. Je vois ce pays tel qu'il est, avec ses qualités et tous ses défauts et je n'ai toujours pas envie de le quitter. Peut-on jouer sa vie à pile ou face ? Sérieusement. C'est la seule chose que je n'ai pas testée. J'ai attendu un peu, espérant y voir un peu plus clair, et je suis restée dans l'obscurité. J'ai pesé le pour et le contre avant de me rendre compte que la balance affichait le même poids. Au gramme près. J'ai imploré ma bonne étoile pour qu'elle me montre le chemin et je suis tombée sur son répondeur. Même ma petite voix ne parvient pas à se mettre d'accord et préfère se terrer dans une cavité quelconque de mon cerveau.

Laisser décider le hasard est peut-être la solution.

*   *

*

– Ah ! franchement, des Français qui mangent des escargots, c'est tellement cliché ! je m'exclame en grimaçant, heureuse du morceau de saumon qui remplit mon assiette. Est-ce qu'il y a des cuisses de grenouilles aussi, histoire de compléter le tableau des trucs beurk qu'on mange en France ?

Installés autour de la table de la salle à manger, tous les convives tournent la tête vers moi : Nathalie et copain numéro un, Marjorie et copain numéro deux, Christelle et copain numéro trois, et Lucie.

L'appartement de Nathalie, qui surplombe la Saône, n'est pas très grand, mais il est accueillant. Nathalie clame que c'est grâce au Feng Shui. Tout ce qui touche de près ou de loin à la culture chinoise la fait rêver. Son trois et demie pourrait figurer dans un catalogue d'artisanat asiatique avec les lampions, les éventails, les coussins brodés sur le canapé et les tableaux de peinture sur soie accrochés sur les murs. J'ai l'impression de voyager chaque fois que je vais chez elle.

Lucie et moi sommes arrivées les dernières. Nathalie nous a ouvert en nous faisant les gros yeux. Elle a tenu deux secondes et demie. Elle m'a ensuite entraînée dans le salon pour me présenter son copain : copain numéro un. Oui, alors je suis désolée, mais je n'ai pas du tout la mémoire des noms et je n'ose jamais les redemander. Copain numéro un donc m'a paru sympathique durant les quelques minutes où nous avons discuté.

Marjorie a ensuite accaparé mon attention et m'a plantée devant son tout récent copain : copain numéro deux. J'avais l'impression qu'elle me disait : « Regarde, je m'en suis trouvé un, je ne suis plus une exclue de la société. Regarde ! Regarde ! » O.K., c'est bon, j'ai compris !

Je me suis finalement tournée vers le copain de Christelle : copain numéro trois. Lui, je connais son prénom, seulement pour ne pas faire de jaloux, nous continuerons de l'appeler ainsi. Christelle sort avec lui depuis plus de quatre ans et je sais qu'ils envisagent d'avoir un enfant.

J'ai tenté de ne pas paraître envieuse de ces trois bonheurs conjugaux qui dansaient sous mes yeux. Et puis j'ai regardé Lucie. Elle souffre bien plus que moi et pourtant, elle souriait. Alors, j'ai souri moi aussi.

– Alors, Isa, toujours pas décidée à revenir en France ? me demande Marjorie préférant ne pas relever ma remarque sur les escargots et les cuisses de grenouilles.

Je repose ma fourchette et affiche un large sourire.

– Euh... je passe.

– C'est si bien que ça, le Québec ? C'est mieux que la France ?

Mon sourire s'étire davantage.

– Euh... je passe encore.

– Non mais, sérieusement, qu'est-ce que tu aimes tant là-bas ?

J'avale une gorgée d'eau avant de répondre. Tout le monde ou presque est suspendu à mes lèvres. Seule Lucie semble plus distraite.

– Je ne sais pas très bien. Les choses sont moins compliquées, les possibilités plus grandes et les gens plus sympas. Les universités n'ont rien à voir avec les nôtres aussi. Est-ce que vous savez que je peux envoyer un courriel à mes profs ? Leur téléphoner et même passer à leur bureau sans prendre rendez-vous ?

Je m'arrête un instant, hésite quelques secondes puis continue sur ma lancée.

– O.K., ça n'engage que moi, mais je trouve que beaucoup de Français se prennent pour la réincarnation de Louis XIV. Et si ce n'est pas ça, on dirait qu'ils viennent d'enterrer leur mère. Ils font toujours la gueule. Les vendeurs dans les magasins t'agressent quand tu leur demandes un renseignement. Quant à ceux qui travaillent à la sécurité sociale ou à la mairie, n'en parlons même pas. Je sais que je généralise, mais quand je suis arrivée à l'aéroport, j'ai eu envie de me réfugier dans le prochain avion pour Montréal en apercevant la tête du douanier. Est-ce que ça lui aurait arraché la bouche de me sourire ? Oui, c'était noir de monde et il devait en avoir marre, mais je n'y étais pour rien, moi. Sérieusement, j'adore la France. Je me trouve chanceuse d'y être née et d'y avoir vécu toutes ces années, mais depuis que je la vois de loin, je m'aperçois que ce qui faisait d'elle un pays admirable est en train de partir en fumée.

Le silence est absolu autour de la table. Mon Dieu, j'ai osé critiquer la France ? Le pays des droits de l'homme, de la liberté, de l'égalité, de la fraternité, de la résistance et de Charles de Gaulle ?

— Je suis désolée, je ne voulais pas créer un froid, mais c'est ce que je pense. Nous sommes tous des privilégiés autour de cette table parce que nous sommes tous nés dans les bonnes familles.

— Personne n'est froissé, dit Marjorie avec un sourire rassurant. On discute, c'est tout, tu as le droit à tes opinions.

Les autres convives opinent du chef et je me détends.

— Ça, tu vois, c'est quelque chose qui me manque de la France.

— Les discussions ?

— Oui. Celles où on argumente, où on s'affronte et où on se serre la main après, en débouchant une bonne bouteille de vin. La majorité des Québécois n'aime pas les controverses.

Ils veulent faire plaisir aux autres, un peu trop parfois. Les affrontements à la bonne franquette sont donc quasiment impossibles.

– Qu'est-ce qui te manque d'autre ? me demande Nathalie.

– Vous. Ma mère. La gastronomie, les vins et les fromages pas chers, l'histoire de nos rues, de nos bâtiments, notre architecture, notre culture, et la liste est incomplète. Tout ça me manque, mais l'immobilisme français de ces dernières années m'horripile.

– Et qu'est-ce qui t'horripile au Québec ?

– Des tas de choses aussi, crois-moi.

– Comme ?

– Comme cette façon qu'ils ont de toujours vouloir entrer en compétition avec nous. En tout cas que beaucoup ont. Certains aiment bien jouer au jeu de qui a le plus beau pays, qui est le plus intelligent, le plus drôle ou le plus courageux. Et parfois, nous ne sommes que des maudits Français qui les ont abandonnés aux mains des Anglais au XVIIIe siècle après la bataille des Plaines d'Abraham. Est-ce que quelqu'un autour de cette table a déjà entendu parler de cette bataille ? Apparemment, ça s'est passé sous Louis XV et c'est encore bien présent dans leur esprit. Je ne compte plus les fois où l'on m'a reproché la conduite de la France après cette défaite. C'est peut-être bien vrai que leur destin aurait été différent si Louis XV n'avait pas renoncé au Québec, mais qu'est-ce que j'y peux, moi ? Est-ce que ça sert à quelque chose de me le reprocher, à moi ? C'est comme cette histoire de l'anglais et des anglicismes.

« Ça me fait toujours sourire – O.K., souvent ça m'énerve – quand j'entends des Québécois affirmer avec conviction que ce sont les Français qui emploient le plus d'expressions anglaises parce que nous utilisons allégrement parking, week-end et shopping. Oui, on adore titrer des émissions en anglais. Oui, au McDo on commande des *nuggets* et des *happy meal*. Et oui, on trouve ça *cool* de parler la langue de Shakespeare et de truffer notre vocabulaire de tous ces mots que l'on entend de l'autre côté de la Manche. Mais avant de m'installer au Québec, je n'avais jamais entendu « c'est le fun, c'est hot, c'est cute ou c'est une joke, je me suis acheté un gun et j'ai adoré la game ».

« Je comprends cette volonté de protéger le français qu'ont les Québécois, entourés qu'ils sont par des centaines de milliers d'anglophones, je comprends leurs craintes, même si elles me dépassent un peu. En France, nous savons très bien que nos enfants parleront encore français dans cinquante ans et leurs enfants aussi. »

Tout le monde m'écoute avec attention et puis j'enchaîne sur autre chose. Sur l'hiver, la neige, *La Guerre des tuques*, *Le Village de Nathalie*. Je parle et je parle encore. La France, le Québec, le Québec, la France. Il n'y a pas de pays parfait, la compétition ne sert à rien. Je vote pour un match nul et qu'on enterre la hache de guerre, d'accord ?

*   *

*

– La fin s'en vient !

Debout devant Arthur qui anime comme tous les 31 décembre *Les Enfants de la télé**, nous scandons en chœur le décompte qui commence « en direct » :

---

* Vous vous finissez l'année devant le *Bye Bye*, nous devant Arthur !

– Sept, six, cinq, quatre, trois, deux, un... Bonne année !

De longs baisers d'amoureux en longs baisers d'amoureux, Lucie et moi nous regardons avec un air malicieux et je lui lance :

– Allez, viens, ma belle, ne soyons pas en reste !

Je l'attire et nous mimons un baiser sans fin en riant. Est-ce que ça fait de moi une mauvaise meilleure amie si je vous avoue que je suis contente que Justin ne soit pas là parce que sinon, j'aurais été la seule célibataire de la soirée ? Tous les invités sont en binôme, une vraie épidémie, ces couples, et ils me narguent sans le vouloir.

* *

*

– Alors, comment tu le trouves ? me demande Marjorie en pointant son menton vers son copain.

– Jusque-là, très bien. Comment ça se passe entre vous ?

– C'est super ! s'exclame-t-elle avant de se pencher vers moi. Je crois que c'est lui le bon.

Je réprime un soupir incrédule. Marjorie a beau être une scientifique, et ce, jusqu'au bout des ongles, dès qu'un homme entre dans son périmètre, elle perd toutes ses notions cartésiennes et rationnelles pour plonger dans un délire amoureux assez impressionnant. Elle pense aux enfants quand celui qui partage sa vie en est seulement à envisager les vacances d'été.

– Ne t'emballe pas trop vite, ça fait un mois que vous vous voyez.

186

– Je te le dis, c'est lui, je le sens. Le coup de foudre existe, Isa.

– Dans les films, Marjorie. Dans les films.

– Oh ! arrête, je t'ai vue t'emballer pour un mec que tu connaissais depuis même pas une semaine !

Je recule et me cale dans mon siège. Elle dit vrai. Je suis la première à me projeter des heures et des heures de films dans ma salle de cinéma personnelle, sous mes yeux. Des films sortis tout droit de mon imagination après un seul rendez-vous réussi. Je n'en reviens pas. Je juge les autres, je pose un doigt sur leurs travers et je peine à m'analyser avec justesse. Je condamne Marjorie parce qu'elle croit au coup de foudre. Je la toise en lui disant que cela n'existe que dans les films et pourtant, si c'était moi qui le vivais, je serais la première à y croire. La première à envoyer balader quelqu'un qui me dirait exactement ce que je viens de lui dire.

– Excuse-moi. Si tu sens que c'est lui, alors fonce. Mais fais attention, d'accord ?

Elle me fait un clin d'œil.

– T'inquiète, c'est lui. Je le sens ici, ajoute-t-elle en déposant une main sur son cœur.

Oh ! pitié ! Est-ce que j'étais aussi mièvre quand je parlais de Samuel ? Marjorie se lève pour aller se blottir dans les bras de son coup de foudre et celui-ci l'accueille comme si elle était la huitième merveille du monde. Hum ! C'était arrangé ?

Vraiment l'amour, des fois, ce n'est pas joli à regarder.

*   *

*

187

– Eh ! fermez la porte, on gèle ici !

L'appartement de Nathalie étant exclusivement non-fumeur, les accrocs de la nicotine s'entassent sur le balcon en essayant de grappiller quelques onces de chaleur. Copain numéro un ou copain numéro deux, je n'ai pas bien vu et on s'en fout, s'exécute et je continue mon anecdote. Depuis quelques minutes, j'amuse tout le monde avec mes péripéties québécoises. Après les discussions un peu trop sérieuses de tantôt, il était temps que je leur conte les quelques quiproquos que j'ai vécus à cause des différences linguistiques, notamment celui inoubliable chez *Bureau en Gros*.

C'était quelque temps après le début de session. J'avais besoin de quelques affaires pour mes cours et notamment de scotch. *Bureau en Gros* n'étant pas ce qu'on peut appeler une petite papeterie de quartier, je me suis tout de suite dirigée vers une caissière pour lui demander où je pouvais trouver mon bonheur. Je me souviens encore de l'expression de la fille. Comme si elle avait vu E.T. Elle a secoué la tête et a murmuré d'un ton affligé : « Tu pourras trouver des cartables et des effaces dans la rangée du milieu, mais on ne vend pas d'alcool ici. » Euh ???? « Non mais je ne veux pas me soûler, je veux recoller les pages d'un livre ! » « Ah ! tu veux du papier collant ! »

Ahhhhhhhh !

Les heures s'égrainent, et plus je raconte mon vécu, plus je prends conscience de ma chance de vivre ailleurs. Le quotidien devient une véritable aventure tant tout ou presque est à réapprendre. Acheter un timbre et poster une lettre par exemple, vous vous dites : rien de plus simple ? Bon, O.K., pour vous, chers lecteurs québécois, c'est simple, mais pour ceux qui viennent de débarquer, ça l'est moins. Jamais il ne me serait venu à l'idée d'aller chercher les bureaux de poste dans les pharmacies. Non mais c'est vrai, pourquoi ils sont là ? Faire ses courses pour la rentrée scolaire aussi, ça peut être drôle, surtout quand notre classeur devient un cartable au Québec et un classeur une boîte de rangement !

Pourquoi les gens ne sont-ils pas tous curieux, fascinés, excités par ce qui se passe au-delà des frontières ? Pourquoi se contentent-ils de construire leur existence autour de l'habitude, sans être tentés d'aller voir ce qui se passe ailleurs ? C'est vrai, je n'avais jamais pensé à m'expatrier, mais j'ai toujours eu envie de longs voyages, j'ai toujours eu envie de découvertes. L'immensité du monde me fascine, et avec l'Europe qui s'agrandit, si je le pouvais, je rendrais obligatoire l'échange universitaire à l'étranger pour tous les étudiants.

Enfin, je dis ça en oubliant que ce n'est pas tous les jours facile de vivre loin. Surtout là, maintenant, alors que Christelle et Nathalie remémorent au reste du groupe un souvenir apparemment hilarant, car tout le monde s'étouffe avec ses restes de bûche. Tout le monde sauf moi. Un pique-nique au Parc de la Tête d'Or, une balade sur le lac en pédalo à la poursuite de quelques cygnes et un cornet de crème glacée qui finit sur le pantalon blanc de Lucie ? Non, ça ne me dit rien. Forcément, c'était en septembre et j'étais de retour en terre québécoise.

Je réprime une grimace, baisse les yeux sur mon assiette et m'exile dans la cuisine. Appuyée contre l'évier, je soupire face aux éclats de rire qui me parviennent encore. Je n'ai pas envie de repartir. Je n'ai pas envie de quitter mes amis. Ni même ma mère. Je n'ai pas envie de quitter cette routine française dans laquelle je me suis réinstallée depuis mon arrivée.

Prendre le métro et traîner dans le rayon des livres de la Fnac*. Monter la colline de Fourvière à pied pour admirer Lyon jusqu'à perte de vue et redescendre en prenant mon

---

* Archambault et Future Shop réunis dans un même magasin.

temps. Esquinter mes chaussures en tentant de marcher sur les pavés de la rue Saint-Jean. Eh oui, nous aussi nous avons la rue Saint-Jean. Avouez que vous nous avez copiés, avouez ! Parler jusqu'au lever du jour avec Lucie, Lucie que je vais devoir laisser traverser seule cette période de transition, d'interrogations et d'adaptation.

Même si je culpabilise de l'abandonner, je jalouse aussi un peu Nathalie, Christelle et Marjorie qui vont passer du temps avec elle. Je les vois d'ici s'organiser des soirées de filles autour des vieux épisodes d'*Ally McBeal*. Elles en profiteront pour s'épiler, se faire des masques, et le tout sera arrosé de fous rires sans fin.

— Isa, qu'est-ce que tu fais ? Viens, on porte un toast à la nouvelle année ! s'écrie Lucie depuis le salon.

Je quitte la cuisine et rejoins tout le monde. Un David Guetta déchaîné joue sur la chaîne. La maîtresse de maison remplit les flûtes de champagne, les coupes se lèvent, s'entrechoquent, les sourires illuminent les visages, et Nathalie lance à la ronde :

— À la nouvelle année !

— À la nouvelle ! s'exclame-t-on en écho.

Je trempe mes lèvres dans le liquide pétillant. Ouais... À la nouvelle année.

Je réponds ordinairement à ceux qui me demandent la raison de mes voyages : que je sais bien ce que je fuis, et non pas ce que je cherche.

Montaigne

Chapitre quinze

J'ouvre un œil puis l'autre. La lumière du jour s'infiltre à travers les volets et le soleil tente d'inonder le salon. J'aperçois la collection de jeux vidéo de Lucie dans un coin ainsi que sa PS 2. Des dizaines et des dizaines de jeux s'entassent sous la télé. Depuis que Justin est parti, Lucie a branché sa console sur la télé du salon pour pouvoir y jouer à son aise.

Je reste un moment couchée, savourant la douceur de la pénombre. Voilà. Les fêtes sont finies. Une nouvelle année vient de chasser la précédente à grands coups de balai. Un nouveau cycle. Un nouveau départ. Le temps des résolutions. Des objectifs. Je ne prends jamais de résolutions. On les abandonne toujours au bord de la route parce qu'elles deviennent trop lourdes. Et puis, surtout, pourquoi attendre le 1er janvier pour changer sa vie ? C'est comme si on se cherchait une excuse pour ne rien modifier le reste de l'année et continuer notre vie monotone. Cela dit, il me semble que ce ne serait pas une si mauvaise idée de faire bouger les choses dans ma vie à partir de maintenant. De me fixer des objectifs pour qu'elle évolue vers quelque chose de meilleur. Quelque chose dont je pourrais être fière. Et tant pis si mon soudain attrait pour le changement coïncide avec la nouvelle année !

Des objectifs, donc ? Oui, mais lesquels ? Par où commencer ?

– *Si tu le permets, j'ai quelques pistes pour toi. D'ailleurs, je te félicite. Les objectifs, il n'y a rien de mieux pour se motiver.*

Évidemment. Réfléchir après une soirée arrosée fait automatiquement apparaître ma petite voix.

– *Tiens, tiens, te voilà !*

– *Tu ne pensais tout de même pas franchir le 31 décembre sans que je fasse une apparition.*

– *Euh ! si, je l'espérais, en fait. D'ailleurs, je me demandais : est-ce que tu le prendrais mal si je te disais qu'un de mes objectifs est que tu arrêtes de me torturer ?*

– *De une, je ne te torture pas, et de deux, oui je le prendrais mal. Bon, trêve de plaisanterie. Toutes ces histoires de sexe avec les hommes, ce laisser-aller concernant l'écriture et cette colère acerbe contre ton père, tu ne crois pas qu'il est temps d'y mettre un terme ?*

Je hoche la tête. Je ne sais pas à quoi c'est dû – un excès de bulles de champagne peut-être ? – mais je suis d'accord avec elle. Je sors un calepin et un stylo de mon sac. Mes pensées s'ordonnent beaucoup mieux quand je les couche sur le papier. Après quelques gribouillages, j'en arrive à ça :

1. Ne plus jamais me languir devant mon téléphone/ cellulaire/fax/ordinateur. Le cellulaire et le fax, c'est pour le jour où j'en ferai l'acquisition.

2. Ne plus jamais m'inventer des excuses abracadabrantes pour justifier le silence de mon téléphone/

cellulaire/fax/ordinateur. Non, l'homme qui ne murmure pas à l'oreille de ces instruments de torture n'a pas été kidnappé par des Martiens.

3. Ne plus jamais donner l'occasion à un homme de contrôler ma vie.

4. Ne plus jamais laisser un homme dévaster ma vie.

5. À la place, devenir une de ces filles qui attirent les hommes comme de la glu et qui les mènent par le bout du nez. Très, très important, ce point.

6. Réfléchir à une intrigue pour mon roman et écrire au minimum une heure chaque jour sauf le dimanche. Quoi ? Même Dieu s'est reposé ce jour-là...

7. Essayer de pardonner à mon père et peut-être reprendre contact avec lui. Ça, je ne sais pas du tout comment. Des idées ?

– Des idées ? Eh ! oh ! des idées ? Oui, c'est à toi que je parle. Toi qui t'amuses à me torturer, à me dire d'appeler Samuel puis finalement de ne pas l'appeler. Toi qui m'empêches de satisfaire mes désirs sexuels dans les toilettes d'un bar ?... Il y a quelqu'un ?... Non ? Personne ? Tu n'apparais que quand tu le désires ? Tu devrais être fière de moi pourtant, regarde les objectifs que je viens de me fixer. Ce n'est pas ce que tu voulais... *Hello* ? Je te signale que j'ai encore besoin de toi parce que ces objectifs ne se mettront pas en place tout seuls. Les écrire, c'est une chose, les suivre, c'en est une autre... Bon... Tant pis. Je ne t'écouterai plus jamais, espèce de lâcheuse !... Allôôôô ???

Je secoue la tête avec un petit rire, m'étire longuement, et me lève. Je frappe à la porte de la chambre de Lucie :

– Tu dors ?

Je l'entends renifler et c'est d'une voix enrouée qu'elle me dit d'entrer. Elle a pleuré. J'ai devant moi toute la panoplie de la femme qui vient de passer plusieurs heures à vider ses réserves lacrymales. Yeux rouges, cils collés, nez gonflé, cheveux en bataille, mouchoirs éparpillés, photos de Justin à moitié déchirées, lecteur MP3 dans les oreilles avec les chansons d'Isabelle Boulay qui tournent en boucle. Je n'ai jamais compris pourquoi on agit toujours ainsi : on dirait que lorsqu'on souffre, on aime se faire encore plus mal. On s'entoure de choses douloureuses, on passe des heures dans le noir à écouter des chansons sombres en contemplant les traces de notre bonheur perdu. Peut-être qu'on se dit qu'une fois qu'on aura eu bien mal et qu'on aura touché le fond, on ne pourra que remonter.

Je m'assois près d'elle.

– Isabelle Boulay ? Vraiment ? Ses chansons sont tellement déprimantes !

Lucie essuie ses larmes et se redresse sur son lit.

– Oui, je sais. Je n'arrête pas d'écouter *Parle-moi* en maudissant Justin.

– Je vois, oui. « Oh ! parle-moi, parle-moi, je ne sais plus pourquoi t'aimer, ni comment continuer, tu es là, mais tu es si loin de moi. »

– Tu la connais par cœur, dis donc.

– C'est moi la spécialiste de la déprime, tu te souviens ? Mais Isabelle Boulay, j'ai rayé ça de mon répertoire, ça me donnait envie de me jeter par la fenêtre.

194

Lucie m'adresse un autre sourire mouillé et je lui murmure :

– Tu aurais dû me réveiller si tu voulais discuter.

– Je ne voulais pas discuter, je voulais pleurer.

Je hoche la tête en signe de compréhension et elle continue :

– Justin me manque. J'essaie de me dire que c'est mieux comme ça, que pour le moment, on doit rester loin de l'autre, mais quand il a été minuit, j'ai eu le réflexe de le chercher pour l'embrasser avant de me rappeler. J'ai passé les trois derniers réveillons avec lui... Isa, je ne sais pas si je vais arriver à vivre sans lui. Je ne sais pas si je vais arriver à me déshabituer de notre quotidien. J'ai été soulagée de me retrouver seule pendant... quatre jours, et maintenant ce quotidien qui ne me rendait même plus heureuse me manque ! Je ne comprends pas !

– Vous n'avez pas choisi la meilleure période pour vous séparer, tu sais. Les fêtes, tout ça, ce sont des moments difficiles pour vivre une rupture, même temporaire. En plus, tu restes dans votre appartement toute seule.

– Ne m'en parle pas, j'ai l'impression de vivre avec le fantôme de Justin ! Je crois que je vais faire comme lui et aller m'installer quelque temps chez ma mère. Seulement, ça m'énerve de payer un loyer pour rien.

– C'est une considération matérielle, ça. L'important, pour le moment, c'est ton moral.

Une moue d'hésitation passe sur son visage puis elle se range à mon avis :

– Oh ! tu as raison, on peut bien payer le loyer pour un mois, ensuite on verra.

Elle lève les yeux au ciel et pousse un long soupir :

– L'être humain est pathétique – tu remarqueras comment je préfère généraliser au lieu de dire que *je* suis pathétique. On est toujours insatisfaits. On court après ce que on n'a pas, ou ce qu'on n'a plus. Parfois, on ne sait même pas après quoi on court, mais on court quand même. Franchement, souvent je me demande à quoi joue Dieu.

– Il s'amuse, Lucie. On est des marionnettes dans son grand jeu planétaire de téléréalité. C'est juste ça, la vie...

– Arrête ! Pas de discussion philosophique un 1er janvier, Isa ! Ma grand-mère a coutume de dire que toutes les choses qu'on fait ce jour-là vont se répéter le reste de l'année. Je ne sais pas d'où lui vient cette croyance, mais je préfère qu'on évite de commencer à se prendre la tête sur la vie, Dieu et l'être humain aujourd'hui !

Lucie éclate de rire. La tristesse qui voilait son visage disparaît, ses yeux verts retrouvent leur éclat et je m'exclame soudain :

– Je viens d'avoir une idée géniale ! Puisque tout ce qu'on fait aujourd'hui doit se répéter le reste de l'année selon ta grand-mère, organisons-nous un après-midi de folie !

Emballée, Lucie saute de son lit :

. – Je te suis !

Et c'est ainsi que nous passons plus d'une heure à nous gommer, exfolier, hydrater, manucurer, *pédicurer* dans la salle de bains en écoutant des chansons françaises. Une fois notre beauté totalement révélée – avec deux pouponnages en moins de vingt-quatre heures, notre beauté ne peut être qu'à son maximum – nous nous installons dans la cuisine. Je fais découvrir à Lucie les toasts dorés que j'arrose de sirop d'érable tandis que nous scandons « J'irai au bout de mes rêves, tout au bout des mes rêves » la bouche à moitié pleine et en y croyant fermement. Le 1er janvier a quelque chose de magique, on a l'impression que tout est possible, que rien – ni personne – ne nous résistera.

Tout en faisant dorer deux tranches de pain supplémentaires, j'entraîne Lucie dans la rédaction d'un manuel de reconnaissance de l'homme bien. Moi qui ai à mon actif un tableau de chasse rempli de *loosers*, de cas sociaux et de mecs pas faits pour moi, j'aurais dû y penser plus tôt. Après des centaines d'éclats de rire, voici ce que nous avons ressorti :

Les signes qui ne trompent pas : c'est un homme bien et il s'intéresse à nous.

1. *Il nous appelle dans les quarante-huit heures qui suivent notre dernière rencontre et nous propose un autre rendez-vous.*

2. *Il paie l'addition du premier resto (non, les femmes ne sont pas vénales, c'est une question de respect, aucun homme digne de ce nom ne devrait nous laisser payer notre part de l'addition lors d'un premier rendez-vous, pour les suivants on s'arrange).*

3. *Il ne passe pas son temps à regarder nos seins, nos yeux sont une trentaine de centimètres plus haut et sont tout aussi beaux.*

4. *Il essaie d'aller plus loin avec nous (une question de respect, on est désirables oui ou merde ?) mais respecte notre envie de ne pas faire l'amour tout de suite.*

5. *Une fois l'acte consommé, il ne s'enfuit pas et nous propose immédiatement de nous revoir ou nous rappelle dans les vingt-quatre heures.*

6. *Il nous dit que nous sommes belles au réveil (même si c'est faux).*

7. *Il nous écoute et s'intéresse à nous même quand nous parlons de notre berger allemand mort quand nous avions quatorze ans.*

8. *Il nous présente ses amis et plus tard (beaucoup, beaucoup plus tard) sa mère.*

9. *Il nous offre de temps en temps des petits cadeaux (non, je le redis, les femmes ne sont pas vénales, quand je dis « petit cadeau », c'est justement parce qu'il n'a pas besoin d'y mettre le prix. Une rose fait tout autant plaisir qu'une bague de 18 carats. Bon, d'accord, ce n'est peut-être pas le meilleur exemple).*

10. *Il vient à notre secours si nous sommes dans une situation fâcheuse. Oui, l'image du fameux preux chevalier qui vient à notre rescousse est toujours présente dans notre esprit, chez les Françaises en tout cas... Si nous avons un pneu crevé que bien sûr nous ne savons pas changer, il doit se précipiter pour nous aider, même s'il fait moins trente, qu'il fait nuit et que nous sommes en pleine tempête. Euh ! surtout, en fait. Non, nous envoyer la dépanneuse pendant que l'on attend gelée et anxieuse dans notre voiture n'est pas équivalent.*

11. *Il ne s'enfuit pas quand nous lui parlons de projets pour le week-end du mois prochain.*

12. *Il ne couche avec personne d'autre en même temps.*

Tout cela relève du bon sens, me direz-vous, et pourtant...

Lucie et moi nous quittons vers dix-sept heures. Elle est invitée chez sa mère pour un souper de bonne année, quant à moi, *Sissi face à son destin* m'attend, Je descends les escaliers qui mènent au métro et m'installe sur un siège près de la fenêtre. Quand la rame démarre, je ferme les yeux et formule en vœu en silence : que cette nouvelle année soit incontestablement l'année d'Isabelle Sirel.

Ce qu'on obtient en atteignant nos objectifs n'est pas aussi important que ce que l'on devient en les atteignant.

Zig Ziglar

Chapitre seize

De Cécile à moi, en direct de Paris, le 1er janvier.

« *Objet : Inadaptée !*

Je suis comme toi, je n'arrive pas à me réhabituer à la vie française. L'autre jour, j'étais à Auchan* et j'ai attendu comme une imbécile pendant cinq minutes que la caissière emballe mes courses. Ensuite, je lui ai demandé quarante euros de plus en payant avec ma carte. Tout le monde me regardait avec de grands yeux.

Cela dit, je ne me rendais pas compte à quel point Paris me manquait. Je suis amoureuse de cette ville, du quartier latin, du jardin du Luxembourg, de Notre-Dame de Paris et des ponts. Ah ! les ponts. C'est tellement romantique. Contempler la Seine poursuivre son éternel voyage, relever la tête et apercevoir la tour Eiffel. Les rues pullulent de monde en ce moment, les Champs-Élysées ne sont plus que marée humaine. Tu devrais voir toutes ces bourgeoises guindées qui claquent les trottoirs avec leurs talons, les

---

* IGA, Provigo, Metro, ce que vous voulez.

bras chargés de paquets. Il ne manquait plus que le caniche en laisse pour parfaire le fameux cliché de la Parisienne du XVIᵉ ! Mon Dieu, faites qu'on ne devienne jamais comme elles !

Changeons de sujet. Je me suis décidée à appeler P.-O. avant de partir, tu sais le gars que j'ai rencontré au Charlotte. On doit se voir à mon retour. Il était surpris au téléphone, je l'ai senti, il m'a même avoué qu'il ne pensait pas que je le rappellerais mais que ça lui faisait vraiment plaisir. On aurait dit un chiot. Il faudrait que je lui dise de ne pas prendre tout ça au sérieux. J'espère qu'il s'en doute.

Toi, pas de nouvelles de Samuel ? Toujours pas de retour de mémoire ? C'est dingue, cette histoire, mais si j'étais toi, je ne m'inquièterais pas trop. Au pire, t'as fait l'amour avec Maxim. It's not a big deal ! ;-)

Bonne année, Isa, et j'ai hâte de te voir !

Cécile xxx »

De moi à Cécile, en direct de Lyon :

« Objet : Are you crazy ?

Not a big deal ??? Faire l'amour avec Maxim ? O.K., je vais présumer que c'est un reste d'alcool du 31 décembre qui te fait parler ainsi, sinon je vais commencer à me faire du souci pour toi. As-tu réfléchi à ce que ça impliquerait si Maxim et moi avons fait l'amour ensemble ? Et en plus, tu me dis de ne pas m'inquiéter ? Là, c'est décidé, dès que je rentre, je le force à me parler et à me dire ce qui s'est passé. Est-ce que tu sais qu'il m'a envoyé un message groupé pour me souhaiter une bonne année ? Un message qu'il a envoyé à tout son carnet d'adresses, et laconique avec ça. Je n'ai plus droit aux mails personnalisés qu'on réserve aux vrais amis ? C'est à n'y rien comprendre. Quand je l'ai appelé à Noël, il m'a écoutée et conseillée, il n'y avait aucun froid entre nous. Et maintenant... Je te jure, souvent les hommes me font l'effet d'être plongée en pleine tour de Babel.

Sinon, pour répondre à ta question, je n'ai pas de nouvelles de Samuel et je n'en attends plus. Qu'ils aillent se faire foutre lui et son indécision, je me suis fixé des objectifs à suivre pour cette nouvelle année ! Elle sera celle de tous les changements !

Je suis contente de savoir que, hormis quelques désagréments avec les caissières d'Auchan, tes vacances se passent bien. Si j'ai le temps, je viendrais goûter à la vie parisienne pour une journée avec Lucie, je te la présenterais. Donne-moi le numéro de téléphone de ta mère, si jamais je me décide à sauter dans un TGV, je t'appelle, sinon rendez-vous au pays des caribous.

À bientôt. Isa xxx »

De Marie-Anne à moi, en direct de Chicoutimi :

« *Objet : Internet, c'est fini !*

Tu avais raison, Isa, Internet n'est pas la solution au manque d'amour. Vraiment pas. Ou alors il faut être très chanceuse et je ne le suis pas. Bon, mais si ni les bars, ni les rencontres à la job, au gym, ou par l'intermédiaire de nos amis ne marchent, qu'est-ce qui reste ? Je commence à me demander s'il n'existe pas deux catégories de filles dans la vie. Celles qui sont faites pour aimer et les autres. Est-ce qu'on a le droit de creuser un tunnel pour passer de l'autre côté incognito ? J'aimais bien la première catégorie, moi. Qu'est-ce que j'ai fait pour me retrouver parachutée dans la catégorie « Autres » ? Ma dernière relation sérieuse date de mon baccalauréat ! Autant dire des siècles.

Je raconte n'importe quoi. Je ne crois pas au destin, je crois au libre arbitre. La vie est ce qu'on fait, l'amour aussi. Et puis, quand on y pense, le principe des rencontres sur Internet n'est pas si mal au fond, toutes ces personnes derrière un ordinateur qui veulent en rencontrer d'autres. Il faudrait juste obliger ceux qui veulent s'inscrire à passer un test d'admission, histoire de procéder à une sélection naturelle. J'ai rencontré deux gars avant de partir pour Chicoutimi. Une véritable catastrophe. L'un n'a pas arrêté de se vanter, de me parler de son entreprise, de sa maison sur la rive sud de Québec et de son spa. Quant à l'autre, il m'a fait passer un véritable questionnaire. Il voulait absolument savoir si j'étais contrôlante et m'a demandé des exemples à l'appui ! Et il m'a presque harcelée pour savoir si je croyais au mariage et si je voulais des enfants tout de suite. J'ai dit oui pour qu'il me laisse tranquille.

Je te jure, Isa, dès que je rentre à Québec, j'efface ma fiche du site. Pour l'instant, je ne peux pas. L'ordinateur est dans le salon, il y a toujours plein de monde et je n'ai pas envie de me faire poser des milliers de questions. J'adore ma famille, mais maudit qu'ils ne sont pas reposants.

Chaque année, les deux frères de ma mère s'engueulent à cause du référendum de 1995, et s'ils ont bu, ils terminent le débat dehors à coups de poing, comme cette année. Mon oncle Francis pissait le sang et le lendemain, son nez avait viré au violet. En tout cas...

204

J'espère que vous ne vous êtes pas entretuées, ta mère et toi. Bonne année, Isa.

P.-S. : Si tu veux, je connais quelqu'un qui pratique l'hypnose, ça pourrait peut-être t'aider à retrouver la mémoire ???

À bientôt. Marie-Anne »

De moi à Marie-Anne, en direct de Lyon, trois jours plus tard :

« Objet : Arrêtez de me bassiner avec Maxim !

Qu'est-ce que vous avez toutes à être obnubilées par Maxim et mon trou de mémoire ? J'ai vu Cécile aujourd'hui, je reviens d'une virée parisienne avec Lucie, elles se sont entendues comme larrons en foire. Nous sommes allées nous promener dans Montmartre et elles s'y sont mises à deux pour me taquiner avec Maxim.

"Il pourrait t'arriver bien pire que de faire l'amour avec lui, hein ?"

"D'après ce que j'ai pu voir sur tes photos, il est plutôt craquant."

Craquant. Elles n'ont pas arrêté d'utiliser ce mot ! Bien sûr qu'il est craquant, Maxim, comme si je ne le savais pas. Le problème, c'est que maintenant, je n'arrête pas de penser à son corps, à sa peau sur la mienne, et j'ai des abeilles qui bourdonnent dans le ventre. Je deviens folle. Je ne veux pas retomber dans mes fantasmes du début sur mon coloc et, oui, je vais considérer l'idée de

205

l'hypnose ! Je veux savoir ce qui s'est passé entre nous et leur prouver, à Cécile et Lucie, que je n'ai pas fait l'amour avec lui !

Je suis désolée que ça ne se passe pas comme tu voudrais avec Internet, par contre j'adore ton idée de sélection naturelle. On devrait monter notre propre site de rencontres et on se garderait les meilleurs choix. Plus sérieusement, je vais t'avouer que, moi aussi, il m'arrive de penser qu'il existe bel et bien deux genres de filles. Je ne sais pas pourquoi certaines semblent avoir plus de mal que d'autres à gérer les relations amoureuses. Dysfonctionnement émotionnel ? Traumatisme œdipien ? Goûts vestimentaires douteux ? Quoi qu'il en soit, on en bave, mais ce n'est pas grave parce qu'on est toutes les trois et qu'on s'amuse. C'est l'essentiel !

À bientôt à Québec. Isa xxx »

De moi à Maxim :

« ~~Objet : Bonne année~~

~~Bonne année, Maxim, je te souhaite le meilleur pour cette nouvelle année. J'espère que tu as passé de belles fêtes avec ta famille. J'ai pensé à toi, tu sais. »~~

De moi à Maxim :

« ~~Objet : Bonne année~~

~~Bonne année, Maxim, et merci pour ton mail. J'espère que tu as passé de belles vacances à La Malbaie. Je voulais te remercier pour m'avoir écoutée après ma dispute avec ma mère. »~~

De moi à Maxim :

~~« Objet : Besoin de savoir~~

~~« Maxim, je sais que les courriels ne sont pas le meilleur moyen pour communiquer, mais j'ai besoin de savoir ce qui se passe. Je te sens distant et ton courriel de bonne année était... c'était pire qu'un silence. Comme si j'étais une corvée. Qu'est-ce qui s'est passé lors de cette soirée où j'ai trop bu ? »~~

De moi à Maxim :

« Ajieoiw$&?jkjhjkhrlh&!khehuer&%?jhjhfedjjk?%&.»

Voilà ! De moi à Maxim : rien du tout ! Lucie m'attend. Il ne me reste plus qu'un seul jour à passer de ce côté-ci de l'Atlantique et je veux en profiter. Le dossier Maxim attendra donc mon retour.

Ce n'est pas parce que les choses
sont difficiles que nous n'osons pas.
C'est parce que nous n'osons pas qu'elles sont difficiles.

Sénèque

Dans la tête de Maxim
(suite)

Mais quelle idée j'ai eue de tomber amoureux ? Ça ne se contrôle pas, qu'Antoine dit. Conneries. Si j'avais voulu, j'aurais pu refuser de me laisser entraîner dans le cyclone Isa. J'aurais pu voir Sophie plus souvent, m'intéresser *vraiment* à elle et la faire s'intéresser à moi. J'aurais pu en rencontrer une autre, en rencontrer plein d'autres, comme avant. J'aurais pu faire des tas de choses pour empêcher ce truc de se propager jusqu'au point de non-retour. Aujourd'hui c'est trop tard, mon état est irréversible. Diagnostic : K.-O. Je n'aurais jamais dû me lancer et embrasser Isa.

Elle revient demain et je ne sais toujours pas quoi faire. Un trou de mémoire. Non mais, franchement, un trou de mémoire. Un scénario de série pour ados. Quelle idée aussi de l'embrasser alors qu'elle était soûle et vulnérable ! Les choses m'ont échappé. J'aurais dû faire plus attention. Tourner sept fois ma langue dans ma bouche et pas dans la sienne. Je ne sais pas comment je vais faire pour continuer à vivre avec elle. Elle voudra savoir ce qui s'est passé et moi, je n'ai pas envie de le lui dire. Elle n'a qu'à s'en souvenir. Je lui en veux. J'en veux à sa mémoire. J'en veux à cette bouteille de vodka.

Oublier *ça*. Cette soirée. Non. Elle ne veut pas s'en souvenir, c'est tout. Elle a trop peur. C'est une peureuse, Isa. Elle a peur de tout, des autres, de la vie, d'elle-même. Elle a peur de décevoir et de ne pas être à la hauteur. Elle ne se fait pas confiance alors qu'elle pourrait accomplir tant de choses. Elle semblait si vulnérable à Noël. Quand elle m'a appelé, j'ai cru que c'était parce qu'elle se souvenait, mais non, elle avait seulement besoin de son meilleur ami.

Son meilleur ami. Je déteste ces trois mots mis bout à bout. Et pourtant, j'ai continué à endosser ce rôle. Pour lui faire plaisir. Parce que c'est plus facile. Pourrai-je le faire encore longtemps ?

Non. Les choses vont changer. D'une manière ou d'une autre.

Chapitre dix-sept

« *Vous avez deux nouveaux messages.* »

« *Bonjour, le message est pour Isabelle Sirel. Ici Mélanie de la bibliothèque Gabrielle-Roy, les deux livres que vous aviez réservés sont arrivés et on vous les garde jusqu'au 7 janvier. Merci.* »

Bip...

« *Allô, Isa, c'est Samuel. Je sais, je sais, tu m'avais dit de ne pas trop attendre avant de te rappeler, mais tu es partie en Europe si vite que je n'ai pas eu le temps de te faire un signe. J'ai envie de te voir, Isa. Je me suis conduit comme un con avec toi, mais laisse-moi une dernière chance, O.K. ?... Bon, lâche-moi un coup de fil à ton retour.* »

Bip...

« *Fin des nouveaux messages.* »

Samuel ? Le Samuel que je connais ? *Mon* Samuel ? Il a conversé avec mon répondeur pendant mon absence ? Les bras m'en tombent. Je suis... Je suis... Je suis quoi, au fait ?

J'attends. J'attends que l'excitation, le plaisir, la satisfaction, me fassent bondir au plafond. Je m'observe, me triture, m'examine, me fouille à la recherche du moindre soubresaut de joie. Rien. Loin des yeux, loin du cœur, le temps cicatrise toutes les blessures et toutes les bêtises du genre. Je n'ai jamais été amoureuse de lui, je le sais aujourd'hui. Ce qui me plaisait, c'était l'idée que je me faisais de lui et de notre relation. Ce qui me plaisait, c'était d'imaginer le *happy end* qui aurait pu en découler. Ce qui me plaisait, c'était de faire l'amour avec lui. Il avait une façon de me toucher, de me regarder. J'en frissonne rien que d'y penser.

Et si je m'accordais ce qu'on appelle communément en anglais du *breaking sex* ? Une dernière connexion physique pour célébrer mon retour et notre rupture avant de tirer un trait et de passer à autre chose. C'est une idée, et ça me permettrait d'arrêter de fantasmer sur Maxim. Car oui, je fantasme sur lui depuis quelques jours ! La faute à Lucie et Cécile. À force de me rabâcher que j'avais peut-être fait l'amour avec lui, il se trouve que j'en ai envie maintenant. Bravo !

J'appréhende nos retrouvailles. Je sais qu'il est revenu de La Malbaie, la neige dans l'entrée a été déblayée, mais sa voiture n'est pas là et l'appartement est vide. Peut-être est-il chez Sophie ? Peut-être fait-il l'amour avec elle en ce moment. Mon cœur s'accélère et je ferme les yeux pour chasser l'image de leurs corps en sueur. Ça suffit maintenant ! Il a parfaitement le droit d'être chez Sophie et de lui faire l'amour. D'ailleurs, moi, je m'en vais de ce pas plonger ma relation avec Samuel dans du *breaking sex*.

D'une main, je saisis le téléphone, de l'autre, je traîne ma valise jusque dans ma chambre et me laisse tomber sur mon lit. Je ne suis pas fâchée d'être à la maison même si j'ai eu bien du mal à quitter tout le monde. Je n'ai presque pas dormi la nuit précédant mon départ. Les yeux rivés au plafond, je pestais contre cette décision prise un an et demi plus tôt. J'avais envie de pleurer et en même temps, j'avais hâte de retrouver ma vie au Québec. Je me suis réveillée avec des cernes jusqu'aux genoux. À l'aéroport, ma mère avait un air triste qu'elle tentait – bien mal – de cacher. Je me souviens de son sourire forcé quand je me suis retournée une dernière fois pour lui faire un signe, avant d'entrer dans la salle d'embarquement réservée aux passagers. Je me souviens du mien. Je l'aime, ma mère, et je crois que toutes les relations mère-fille sont complexes. C'est peut-être ce qui fait leur force. Même si ça nous rend folles !

Je baisse les yeux vers le téléphone que je tiens toujours dans ma main, compose son numéro et la rassure rapidement : « Non, je n'ai pas explosé en plein vol, oui, mes bagages sont arrivés avec moi, non, il ne fait pas froid. Oui, je te rappelle dans la semaine. Bonne nuit, maman. »

J'appuie sur *off*, fixe les touches éclairées d'une lumière verte fluo et hésite quelques secondes à composer cet autre numéro que je connais encore par cœur. Faire l'amour avec Samuel une dernière fois, est-ce vraiment une bonne idée ? Finir ce que nous avons commencé dans les toilettes du Charlotte ? Cela semble attrayant dans l'absolu, mais dans la réalité ? Sans compter qu'il ne manque pas de culot, il a attendu presque trois semaines avant de me rappeler. Trois semaines. Son message date du 2 janvier. Et son excuse, c'est quoi ? Je serais partie en France si vite qu'il n'aurait pas eu le temps de me joindre ? Mon avion a décollé huit jours après notre corps à corps au Charlotte !

Notre corps à corps. Sa langue qui caresse la mienne, ses mains qui me serrent contre lui, son souffle qui... Arrête ! Comment un gars peut-il me donner autant envie de l'étriper que de passer des heures à batifoler comme une ado qui vient de découvrir les joies du sexe ?

213

Je secoue la tête et appuie sur les touches du téléphone. Au bout de trois sonneries, Samuel décroche.

– C'est Isa.

– Salut ! T'es rentrée quand ? T'as eu mon message ?

Lui avouer que lui téléphoner est la première chose que je fais depuis mon retour n'est sans doute pas une excellente idée. J'élude donc sa première question.

– J'ai eu ton message, oui, par contre, je pense qu'il vaut mieux que notre relation s'arrête ici.

– Pourquoi ?

Mais sur quelle planète vit-il ? A-t-il au moins conscience de son comportement ? Tout ce qu'il sait faire, c'est m'aveugler avec de belles paroles, seulement il n'a jamais été capable de les faire suivre d'actes concrets. Et aujourd'hui, c'est trop tard. Mes yeux sont ouverts et je n'ai plus envie de les refermer. Je lui réponds sans détour :

– Parce que tu ne fais que jouer avec moi et que j'en ai vraiment marre !

– Ce n'est pas vrai.

Je retiens un cri d'énervement. Le déni maintenant, ça ne m'étonne pas de lui. Très bien. Combattons le feu par le feu.

– Samuel, est-ce que tu m'aimes ?

– Quoi ?

Sa voix est soudainement plus chevrotante.

214

– Est-ce que tu m'aimes ? Est-ce que tu penses que tu pourras tomber amoureux de moi un jour ?

– Mais... je n'en sais rien, moi.

– Ça fait trois mois qu'on se voit, il me semble que tu devrais le savoir.

Je l'entends soupirer et nos souffles s'emmêlent comme deux rubans qui flottent. Un ange passe, puis un autre, et il finit par s'exclamer :

– Mais pourquoi as-tu besoin de mettre des mots sur tout ? Sur notre relation, sur mes sentiments, c'est épuisant. Pourquoi est-ce que tu n'es jamais satisfaite ? Je suis là, j'ai envie d'être avec toi, je t'appelle, ce n'est pas ce que tu voulais ?

– Oui, c'était ce que je voulais. J'attendais que le gars avec qui je faisais l'amour depuis trois mois s'intéressât enfin à moi et tu sais quoi, Samuel, j'ai attendu en vain, et maintenant c'est trop tard !

– Oh ! peux-tu arrêter avec ton subjonctif imparfait ? C'est tellement pédant !

J'éloigne le téléphone de mon oreille et l'observe comme pour être certaine que j'ai bien entendu. Un chapelet d'insultes se bouscule sur mes lèvres. Il a de la chance de ne pas être en face de moi ! Pauvre chéri, je l'ai énervé. Évidemment, il vient de perdre son jouet à orgasme. Console-toi, va, tu en retrouveras une autre bientôt, je ne me fais pas de souci pour toi.

Je replace le combiné correctement.

– Va te faire foutre, connard !

Je raccroche sans lui laisser le temps de répliquer. Un sourire de contentement danse sur mes lèvres. Je suis certaine que Samuel doit être en train de pester contre moi. Je l'ai fait, j'ai vraiment rompu avec lui et je sais que je ne reviendrai pas en arrière. Je me lève. J'ai envie de chanter, de tournoyer sur moi-même. Je l'ai fait, j'ai rompu avec lui ! J'aperçois mon reflet dans mon miroir à bascule, mes yeux brillent. Je ne me laisserai plus jamais marcher sur les pieds. J'effectue quelques pas de danse victorieux. Le téléphone émet soudain un « bip », interrompant mon feu d'artifice de joie. La batterie est presque vide. J'ouvre la porte de ma chambre pour aller redéposer le combiné dans le salon et tombe sur Maxim, debout dans le couloir. Je recule. Mes jambes flageolent. Une décharge électrique. Il me regarde, l'air impassible, un peu surpris tout de même de me voir surgir ainsi.

J'ouvre la bouche, cherchant quelque chose à dire et bafouille :

– J'ai... Je ne t'ai pas entendu rentrer. Ça fait longtemps que tu es là ?

– Je viens d'arriver.

Aussi glacé qu'un iceberg. Mes cordes vocales se mettent en grève tandis que Maxim reste planté devant moi. Les graines du sablier s'écoulent au ralenti et l'atmosphère devient aussi lourde qu'une fin d'après-midi humide, juste avant l'orage. Histoire d'éviter le tonnerre et les éclairs, je lui lance sur le ton de la plaisanterie :

– Dis donc, étais-tu en train d'écouter ma conversation, toi ?

– Arrête de penser que ta petite vie intéresse d'autres personnes que toi.

Je recule sous l'effet de l'attaque et mes joues s'enflamment. Une gifle en plein visage ne m'aurait pas fait plus mal. Je ne l'avais pas vue venir, celle-là. Je n'arrive même pas à formuler une réponse appropriée, tant j'en ai le souffle coupé. Maxim, en revanche, semble d'attaque pour une joute verbale :

– Je retirais mes bottes, ce n'est pas de ma faute si ta chambre se trouve à côté de la porte d'entrée.

– Je... plaisantais.

– Ben, ce n'était pas drôle.

Mais pour qui il se prend ? Plus de deux semaines sans se voir et c'est ainsi qu'il me souhaite la bienvenue ?

– Eh ! tu me parles sur un autre ton, O.K. ? Dans mes souvenirs, tu avais le sens de l'humour !

Il ne me répond pas et j'ai envie de le frapper. Cette façon qu'il a de toujours tout garder pour lui et de se renfrogner dès que le ton monte m'horripile. Parfois, je me dis que je devrais me faire rembourser pour erreur sur la marchandise. Je l'adore, Maxim, et je ne peux pas imaginer le jour où on ne vivra plus ensemble, mais il n'est pas facile à endurer à longueur d'année. Quand on s'est rencontrés la première fois, je n'aurais jamais pensé qu'il pouvait être si taciturne. Je me souviens, je l'ai trouvé drôle, chaleureux et très curieux cet après-midi-là.

Il souriait en ouvrant la porte. Il m'a fait visiter l'appartement comme un agent immobilier, vantant la lumière du soir et l'insonorisation des murs. Il m'a ensuite demandé si

217

je voulais boire quelque chose. Il s'est préparé un café, m'a servi un thé et nous avons continué à discuter. Il m'a posé des questions sur la France et sur Lyon. Il rêvait de l'Europe et d'un prochain voyage à photographier Big Ben, le Colisée et l'Arc de triomphe. Je lui ai parlé de mon adaptation au Québec, de l'hiver qui commençait et qui m'excitait. « Je vais pouvoir dire à mes petits-enfants que j'ai vécu des moins quarante, t'imagines ! » Le premier hiver est toujours le plus sublime, vous vous rappelez Cécile en novembre ?

Après plusieurs thés, après plusieurs cafés, le soleil s'est incliné, nous laissant tous les deux surpris par les heures écoulées. Maxim m'a alors lancé : « Je crois que j'ai trouvé ma colocataire et que tu viens de te trouver un appartement. » Sa colocataire. Nous sommes devenus tellement plus que ça. Pourtant, en le regardant maintenant, j'ai l'impression que notre complicité n'est plus qu'un lointain souvenir.

Debout en face de moi, il continue de me fixer sans mot dire. Je croise les bras et me frotte un peu les épaules, comme pour me réchauffer. Ce silence devient vraiment inconfortable. Quelques mots se forment dans ma tête, des mots que j'hésite à prononcer. Je ne suis pas stupide, je me doute que son comportement étrange est dû à cette soirée vodka-canneberge dont une partie m'échappe. Je sais que je devrais lui demander ce qui s'est passé. Le problème, c'est que je ne suis pas certaine d'être prête à entendre ses révélations. Prête à en assumer les conséquences. Et l'expression inhospitalière qu'il affiche me conforte dans ma décision de rebrousser chemin.

– Bon... Bonne nuit, Maxim. On se parlera demain. Quand tu seras de meilleure humeur.

Il continue de me dévisager, indécis lui aussi. Ma colère disparaît aussi vite qu'elle était arrivée. Je ne suis pas faite pour les disputes. Maxim, quoi que j'aie pu dire, quoi que j'aie pu faire cette nuit-là, je le regrette, on ne peut pas rester fâchés ! Ce n'est pas de ma faute si je ne m'en souviens pas. Tu ne peux pas m'en vouloir pour ça.

Comme s'il avait lu dans mes pensées, il fait un pas vers moi.

– Excuse-moi, je me suis emporté, j'ai passé une sale journée.

Ouais, l'excuse de la salle journée, je connais.

Je murmure néanmoins :

– Ce n'est pas grave.

Il me sourit, d'un sourire froid, et je devine que tout ce qu'il veut, c'est s'enfermer dans sa chambre et faire comme si je n'étais pas là. Je me sens comme une lépreuse. Je me sens comme une lépreuse qui n'a plus personne.

– On se verra demain, O.K. ? Tu dois être fatiguée après ce long voyage.

Non, je ne suis pas fatiguée. Je veux que tu restes avec moi, que tu t'installes sur mon lit pendant que je déballerai ma valise, je veux qu'on se raconte en détail nos vacances, je veux te remercier pour ton cadeau que je n'oublie jamais de porter quand je sors, je veux te parler de Samuel, de dire que c'est fini et bien fini, te dire que je suis fière, que j'ai appris de cette histoire, que j'ai grandi, que je me suis fixé des objectifs que je compte bien tenir, que je réfléchis à une idée de roman, que te parler à Noël, ça a été comme une bouffée d'oxygène après un long plongeon en apnée, que j'ai peur de savoir ce qui s'est passé entre nous mais que je commence à souhaiter qu'on ait vraiment fait l'amour parce que je te regarde, là, et mon estomac fait des nœuds, mon corps appelle le tien et... Mon Dieu, je veux des choses que je n'ose même pas nommer.

Alors je me tais.

Maxim ne se doute pas des pensées diffluentes qui bouillonnent dans ma tête. De toute façon, son regard est déjà loin quand il me dit bonne nuit. Bonne nuit, *Isa*. Pas ma lionne, ma belle, ou ma luciole. Isa. Et il ne dépose pas ses lèvres sur ma joue comme d'habitude.

Une lépreuse.

Je le regarde marcher jusqu'à sa chambre et refermer la porte sans bruit alors que mes membres se liquéfient.

L'amour-propre fait peut-être autant de tyrans que l'amour.

Barthélémy Imbert

Chapitre dix-huit

— Et tu n'arrives toujours pas à te souvenir de ce qui s'est passé ?

Je remue mon potage aux poivrons rouges et au Boursin qui mijote sur le feu et repose le couvercle. Je me tourne ensuite vers Cécile et secoue la tête en grimaçant.

Voilà deux mois que je suis rentrée de France, que j'essaie de gérer un colocataire atteint d'un syndrome prémenstruel chronique et que je suis sur le point de l'assassiner. Non seulement il m'évite sans aucune ambiguïté depuis mon retour, mais pour couronner le tout, Antoine, son petit frère, a envahi notre salon depuis quelques semaines. En peine d'amour et à la rue, car parti de l'appartement qu'il partageait avec sa copine en claquant la porte, comment aurais-je pu refuser qu'il s'installe ici le temps de se remettre sur pied ? Je n'en ai même jamais eu l'intention. Le problème, c'est qu'aujourd'hui, cet arrangement semble convenir davantage à Maxim et je commence à me demander si ce n'est pas lui qui retient son frère chez nous.

Ils sortent le soir, rentrent très tard pendant que je me morfonds dans ma chambre, comme une petite fille à qui on aurait imposé un couvre-feu à vingt heures. Je me tourne et me retourne dans mon lit en pensant à ma relation avec Maxim. Chaque jour qui passe nous éloigne l'un de l'autre et je ne sais pas quoi faire contre ça. Nous ne nous sommes même pas reparlé de nos cadeaux de Noël. Je sais qu'il a accroché en face de son bureau cette photo que j'ai fait encadrer. Il me voit porter son écharpe et ses mitaines, mais personne ne dit rien. Où est le Maxim qui a su me réconforter à Noël ? Où est le Maxim que je considère comme mon meilleur ami ? Il a dû rester à La Malbaie. Je sais qu'il ne voit plus Sophie, je l'ai entendu en parler avec Antoine. Écouter aux portes, cela a du bon, finalement. Si je pouvais aussi découvrir pourquoi Maxim m'en veut autant.

– Je me sens tellement impuissante, Cécile. Je ne sais plus quoi faire.

– Et lui refuse obstinément d'aborder le sujet ?

– Obstinément, c'est bien le mot. La semaine dernière encore, je l'ai pris à part et je l'ai engueulé. Je l'ai presque supplié de me dire ce qui s'était passé pour qu'on puisse percer l'abcès, mais il a refusé. Ce sont ses yeux que j'ai failli crever. Tu sais ce qu'il m'a dit ? Que si quelque chose d'important pour moi s'était passé, je m'en souviendrais.

Cécile hausse un sourcil.

– Tu te rends compte que ça veut vraiment dire qu'il s'est passé quelque chose ce soir-là ?

– Je sais. En plus, il avait l'air de me reprocher de ne pas me souvenir.

– Il faut l'obliger à te parler, Isa, je ne vois pas d'autre solution.

Je pousse un soupir plaintif avant d'éteindre le feu sous la casserole. Cécile se rapproche.

– Je peux goûter ?

Je lui tends la cuillère en bois et, deux secondes plus tard, elle murmure avec un soupçon de délectation dans la voix :

– Mmm... C'est piquant, j'adore.

– Merci.

Paraît-il que je vais avoir vingt-six ans dans vingt-quatre heures, c'est ce qu'annonce le calendrier en tout cas. Paraît-il aussi que ça se fête, les anniversaires, alors pour respecter la tradition, j'organise un souper demain soir. Cécile, Marie-Anne, Alexandre, son nouveau chum, rencontré sur Internet et avec lequel elle sort depuis plusieurs semaines déjà – eh oui ! –, Maxim et Antoine seront de la partie. Finies les sorties à danser jusqu'au matin, finies les soirées dans les boîtes de strip-tease, finis les week-ends improvisés au bord de la mer comme du temps de mes vingt ans. Place aux soirées tranquilles entre amis.

Pendant un temps, j'ai craint que Maxim refuse de passer ce moment avec moi. Je lui en aurais voulu à mort si ça avait été le cas. Mais il a dû sentir que sa survie était en jeu, car il sera là. Cette soirée devrait donc rejoindre la case des souvenirs indélébiles, à côté des souvenirs amusants et des souvenirs neutres – vous savez ceux qui embellissent avec le temps. Comment mon cerveau arrive-t-il à transformer les Noëls barbants chez ma grand-mère avec ma cousine en quelque chose de doux et nostalgique après quelques années ? C'est dingue, ce phénomène. S'il pouvait aussi effacer une bonne fois pour toutes les souvenirs horribles que je range loin, loin, loin, au fond de ma mémoire, ce serait génial. *Delete* et dans la corbeille, ce dossier.

Vingt-six ans. Je vous fais grâce du couplet « Mon Dieu que le temps passe, je me sens vieille, est-ce que je dois commencer à me passer une crème antirides ? » mais je n'en pense pas moins.

La minuterie du four retentit. Cécile, venue m'aider à préparer l'entrée et le dessert de mon repas d'anniversaire, en ressort son gâteau aux trois chocolats qui embaume immédiatement la pièce. C'est Antoine, petit chef en herbe, qui se charge du reste du menu.

– Dis-moi ce que t'as envie de manger, m'a-t-il lancé, et c'est comme si c'était fait ! Ce sera ma façon à moi de te remercier de me laisser envahir ton espace.

– Tu ne me déranges pas.

Et je le pensais. C'est plutôt le comportement de Maxim que je ne peux plus supporter. J'en viens à me sentir de trop dans mon propre appartement.

Cécile dépose son gâteau sur le comptoir et je fais appel à toute ma volonté pour ne pas sortir un couteau du tiroir et m'en couper une part. Non, mes mains, vous ne bougez pas. Pour plus de précaution, je les enfonce dans les poches de mon jean.

– Il faut le laisser refroidir un peu avant de faire le glaçage.

Elle retire ses gants de cuisine, se tourne vers moi et me demande :

– Je sais que je te taquinais avec ça au début, mais là je suis sérieuse : es-tu certaine que vous n'avez pas fait l'amour ?

Nous nous asseyons autour de la table ronde, l'une en face de l'autre. Je reste silencieuse, frottant un peu de farine collée sur le bois laqué.

– Ce serait logique, poursuit Cécile. Vous avez couché ensemble, tu ne t'en rappelles pas, et lui t'en veut parce que son orgueil de mâle est blessé.

– Je m'en souviendrais si j'avais fait l'amour avec Maxim.

– Comment tu peux en être sûre ?

Je relève les yeux vers elle.

– Mon cerveau n'aurait jamais effacé ça de ma mémoire. De toute façon, je n'étais pas en état de faire l'amour ce soir-là, j'étais trop soûle. Non, ce que je crois, c'est que j'ai dû l'embrasser et qu'il m'en veut d'avoir franchi une limite.

– Pourquoi c'est toi qui l'aurais embrassé ?

– Parce que... Tu sais... Maxim m'a toujours un peu attirée, alors peut-être qu'à cause de l'alcool et de Samuel, j'ai laissé mes instincts physiques prendre le dessus. Je ne sais pas.

Cécile affiche une moue dubitative.

– Ça n'explique pas pourquoi il t'en veut de ne pas te souvenir et pourquoi il refuse d'en parler. Si tu lui as effectivement sauté dessus, il devrait plutôt se sentir flatté. En plus, à t'appeler ma lionne, ma libellule, mon étoile filante et tous ces trucs-là, il a couru après.

– C'était un jeu.

– Alors, pourquoi il ne le fait plus ?

Je ne sais pas. Et ça me manque.

– Tu veux que je te dise ce que je pense ?

Je lui souris et secoue la tête. Elle me lance un regard espiègle et continue :

– Je vais te le dire pareil...

Elle se rapproche de moi, comme pour me faire une confidence.

– J'ai toujours su qu'il allait se passer quelque chose entre vous.

– Pardon ?

– Je ne crois pas à l'amitié hétérosexuelle, encore moins quand les deux personnes habitent ensemble et sont aussi proches que vous l'êtes, Maxim et toi.

Je reste... scotchée. Comment peut-elle dire ça ? Pendant un an, Maxim et moi n'avons été rien d'autre que des amis. Je lui faisais les gros yeux lorsqu'il ramenait deux filles différentes dans la même semaine. Il me consolait de mes déceptions amoureuses. On se reconnaissait l'un dans l'autre, à travers nos rêves, notre relation était idéale pour moi.

– Sérieusement, Isa, tu n'as pas envie de plus avec Maxim ?

– Non. J'ai beau être attirée par lui en ce moment comme avant, je... Non. Il ne croit même pas à l'amour. Tu imagines ? Non. Je préfère de loin être sa meilleure amie.

– Là tu me parles de manière rationnelle, Isa, tu ne me dis pas ce que tu ressens.

— Parce que je veux décider de ma vie amoureuse avec ma tête maintenant.

Elle fronce les sourcils.

— C'est quoi cette idée ?

— Tu as vu ce qui s'est passé avec Samuel ? Je me suis entêtée envers et contre tout parce que je voulais y croire. Si j'avais écouté ma raison, j'aurais arrêté notre relation bien avant et je me serais évité de la peine ainsi qu'une certaine dose d'humiliation.

À force de ressasser mon échec avec Samuel et les autres avant lui, j'en suis arrivée à la conclusion que mon cœur était un piètre leader et qu'il valait mieux pour ma santé mentale que ce soit mon cerveau qui prenne le contrôle de la suite. Pas que je sois davantage satisfaite de mon cerveau, mais il faut bien faire avec ce qu'on a.

Cécile proteste face à mes explications :

— Ta relation avec Samuel n'avait rien à voir avec celle que tu vis avec Maxim. Ce n'est pas parce que tu as fait une erreur, une fois, qu'il faut fermer ton cœur.

— Je ne ferme pas mon cœur, j'essaie juste d'être plus rationnelle en ce qui concerne les hommes.

— D'accord, alors rationnellement, comment crois-tu que Maxim te considère ? Je n'ai jamais vu ça, moi, un gars qui appelle sa colocataire ma luciole des neiges sans raison.

— C'était un jeu, je te l'ai dit, il aimait provoquer ses blondes.

– Ça t'arrange bien de le croire, mais dans toute forme de plaisanterie, il y a un fond de vérité.

Agacée, je lui lance sur un ton un peu sec :

– Bon, qu'est-ce que tu veux me dire ? Que Maxim est amoureux de moi ?

– Je n'en sais rien, mais pour moi, il est clair que votre relation n'est pas qu'amicale.

Je n'en reviens toujours pas. Cela fait dix minutes que j'essaie d'assimiler ce que j'entends et je n'y arrive pas. Les mots me frôlent mais ne s'imprègnent pas.

– Pourquoi tu ne m'as jamais parlé de ça ?

Elle hausse les épaules.

– Ça aurait donné quoi ? Je te le dis aujourd'hui parce que la situation s'y prête, c'est tout.

– Eh bien, tu as tort ! Je ne suis pas amoureuse de Maxim et lui ne l'est certainement pas de moi. De toute façon, ce n'est pas le problème. Moi, ce que je veux, c'est que tout redevienne comme avant. Alors, dès que Maxim va rentrer, je vais le forcer à tout me raconter, qu'il le veuille ou non !

Ma voix chavire, ma gorge se noue et je ferme les yeux, fatiguée par toutes ces émotions qui me bousculent. Le coude posé sur la table, j'appuie mon front contre la paume de ma main. Je n'aurais jamais pensé que les choses prendraient cette tournure entre Maxim et moi. Quand je suis rentrée de France, j'attendais d'avoir le courage de lui demander des réponses, je pensais qu'il me les donnerait de lui-même. Je m'amusais encore, la nuit, à imaginer ses mains sur mon corps et puis tout ça a disparu, remplacé par un stress et une douleur qui m'enserrent le cœur.

— Les choses vont rentrer dans l'ordre, Isa, j'en suis sûre.

Je rouvre les yeux et les pose sur Cécile. Sa voix est aussi douce qu'une caresse.

— Je sais que le comportement de Maxim te blesse en ce moment, mais il ne ferait jamais rien qui compromettrait définitivement votre relation. Il tient trop à toi.

Je grimace et pousse un long soupir. J'aimerais bien en être aussi convaincue.

— Allez, souris. Tu ne peux pas déprimer la veille de ton anniversaire.

C'est bien vrai, ça. Il est hors de question que je gâche la dernière journée de mes vingt-cinq ans. Je vais parler à Maxim et les choses vont s'arranger. Point final.

Je regarde Cécile avec tendresse. Vraiment, je ne sais pas comment Cupidon fait son boulot. Pourquoi personne ne voit le joyau qui brille en elle ? Si j'étais un homme, je l'aurais sorti de son écrin depuis bien longtemps. Elle n'est pas seulement jolie, elle est... je ne sais pas... Pour l'énerver et lui faire faire quelque chose de mal, il faut se lever tôt ou la blesser profondément.

Elle sort avec P.-O. depuis son retour de France ou devrais-je plutôt dire, elle fait l'amour avec P.-O. depuis son retour de France. Ils sont allés jouer au billard et danser au Palladium pour leur premier rendez-vous. Cécile qui ne se sentait pas à sa place au milieu de ces jeunes qui ondulaient au rythme d'une musique techno, aveuglés par une lumière psychédélique. Elle songeait à rentrer chez elle quand P.-O. l'a attirée contre lui et embrassée. Deux heures plus tard, ils faisaient voler leurs vêtements à travers l'appart de Cécile et celle-ci le surnommait le « GPS à point G ».

« J'ai cru que je m'évanouissais. Je te jure. Il est peut-être jeune, mais il connaît le corps des femmes ! »

Leur complicité n'a toutefois jamais dépassé les bords du lit.

Je me frotte un peu les mains sur mon jean et me décide à sourire.

– Ça va, ne t'inquiète pas... Bon, prête pour le glaçage ?

Cécile se lève et s'approche de mon gâteau d'anniversaire. Elle l'examine avec soin et s'empare de la douille posée sur le comptoir.

– Tu préfères quoi ? Joyeux Anniversaire ou Bonne Fête ?

– Vas-y avec Bonne Fête, ça fera plus local et tu te casseras moins la tête.

Pendant qu'elle s'affaire à la tâche, je lui demande :

– As-tu revu P.-O. dernièrement ?

– Hum ! je prends mes distances, il commence à être un peu trop envahissant.

Elle s'interrompt, arrondit la deuxième boucle du B, et sourit. Elle entame le O avant d'enchaîner :

— C'est bien ma veine, le seul gars avec lequel je ne veux rien construire, pouf ! il tombe amoureux de moi.

— Il t'a dit qu'il t'aimait ?

Cécile rougit.

— Oui. Et il m'a demandé de lui donner une chance. Il voulait même venir à ton souper de fête demain.

— Ah ! fais-le venir, je veux le voir !

— Non, je ne veux pas qu'il s'imagine que c'est sérieux entre nous. Si je me mets à lui présenter mes amis... Non.

— Mais tu es sûre que ça ne pourrait pas marcher entre vous ?

— Il a vingt ans, Isa. Il y a des figurines de Spiderman qui traînent sur son bureau et un poster des Simpson dans sa chambre.

Je me redresse et marmonne :

— J'ai des peluches sur mon lit, moi.

— Tu sais bien ce que je veux dire. Il y a un moment où l'on ne voudra plus les mêmes choses. Cinq ans de différence, c'est énorme, surtout dans ce sens-là.

— Peut-être, mais c'est le sosie de Brad Pitt.

— C'est bien pour ça que mon corps a du mal à mettre un terme à cette histoire. Mais j'ai décidé d'écouter ma tête et ma tête me dit de le rappeler quand il aura trente ans !

Tandis que Cécile termine le E de fête, j'entends Maxim et Antoine ouvrir la porte d'entrée. Je retiens mon souffle. Trente secondes plus tard, ils déboulent dans la cuisine. Enfin, Antoine déboule. Maxim, lui, se contente de traîner les pieds et de croiser les bras en se postant le plus loin possible de moi.

– Il a l'air délicieux, ce gâteau !

Antoine tente de goûter au glaçage avec son index, mais Cécile réagit au quart de tour.

– N'y pense même pas !

Elle lui désigne la casserole sur la cuisinière.

– Il en reste un fond si tu veux.

Antoine se précipite vers la cuisinière avec une joie enfantine. Un rien lui fait plaisir. Pendant qu'il se délecte avec le reste de blancs d'œufs battus et de sucre, je m'appuie contre le comptoir. Je me dandine d'un pied et de l'autre, le regard baissé vers mon gâteau. Maxim me met mal à l'aise, ce qui se produit de plus en plus souvent ces temps-ci. S'est-il vraiment passé quelque chose entre nous ? Si oui, pourquoi je ne m'en souviens pas ? À force de martyriser ma mémoire, je n'arrive plus à démêler le vrai du faux.

J'ose un coup d'œil discret dans sa direction. Il sourit en observant Antoine et Cécile, et je ne l'ai jamais trouvé aussi craquant. Je voudrais qu'il fasse attention à moi, comme avant. Comme quand je passais en premier. Je voudrais que ce soit à moi qu'il adresse ses sourires.

– Qu'est-ce que vous faites ce soir, les filles? s'informe Antoine.

Je laisse Cécile répondre.

— Une soirée pyjama.

— On vient de sauver votre soirée, alors. Le père d'un de mes chums tient une cabane à sucre à Sainte-Catherine-de-la-Jacques-Cartier. Je l'ai appelé et il lui reste de la place.

— Mon cher Antoine, tu sauras qu'une soirée pyjama est loin d'être une soirée perdue pour des filles.

Il émet un petit rire.

— *Anyway,* ça vous tente ? Maxim m'a dit que tu n'as encore jamais goûté aux oreilles de crisse et aux grands-pères, Isa. Ça n'a pas bon sens de vivre ici sans être allée au moins une fois dans une cabane à sucre.

— Ouais, c'est juste que manger des grands-pères, c'est interdit en France.

Il rit à nouveau. J'interroge Cécile du regard qui semble partante et je finis par m'écrier :

— O.K., *let's go* !

Nous rangeons rapidement la cuisine puis Antoine et Cécile quittent la pièce. Je me tourne vers Maxim, aussi stoïque et austère qu'une statue, et me retiens de ne pas lui balancer mon pied dans le tibia. S'il a quelque chose à me reprocher, qu'il me le dise au lieu de rester dans son coin et de bouder comme un gamin.

— Si tu ne veux pas que j'aille avec vous...

— Pourquoi tu penses ça ?

Le déni. Encore. Mais non, tout est normal, Isa ! Est-ce que les hommes savent faire autre chose? Assumer, par exemple ?

Je secoue la tête et marmonne :

– Tu me fais chier, Maxim.

Ça, ça a le mérite de le faire réagir. Je le vois tressaillir. Hésiter. Il semble sur le point d'ouvrir la bouche quand Antoine revient :

– Hé ! les enfants, qu'est-ce que vous faites ? On est prêts, nous !

Je l'aurais tué. Cinq secondes plus tard et... Oh ! assez gambergé, profitons plutôt de cette soirée pour entrer avec entrain dans ma vingt-sixième année.

Qu'est-ce que ça peut bien être, des oreilles de crisse ?

Il vaut mieux suivre le bon chemin en boitant que le mauvais d'un pas ferme.

Saint Augustin

Chapitre dix-neuf

Non, ça se mange vraiment ? De la couenne de jambon frite ? Je vais passer mon tour, désolée. Heureusement, le reste est succulent, et l'ambiance, d'un autre temps. Entre chaque plat, des musiciens entonnent une ou deux chansons qui me donnent envie de revêtir une longue robe datant de Louis XVI et d'ouvrir le bal avec mon prétendant. Des rigodons qu'ils appellent ça, joués avec des violons, des harmonicas et même des cuillères en bois. Wow ! On peut faire de la musique avec des cuillères en bois ! J'ai l'impression d'être dans *Titanic* quand Kate et Léo lâchent leur fou après le repas guindé en première classe. J'ai hâte d'aller me ridiculiser sur la piste.

Une fois le dessert servi, je constate que les grands-pères ne sont que des petits gâteaux blancs baignant dans un sirop d'érable épaissi avec de la crème et j'en redemande. Si ce n'est Maxim, je passe une excellente soirée. Cécile est rieuse comme d'habitude et Antoine toujours d'une agréable compagnie.

À peine notre petite cuillère posée, nous envahissons la piste de danse. Maxim reste sur son banc. Le malaise entre nous est palpable, mais Cécile et Antoine feignent de l'ignorer. Il n'a pratiquement pas ouvert la bouche depuis le moment où nous sommes montés dans sa voiture. À vrai dire, il l'a ouverte deux fois : la première pour demander le chemin à son frère, la deuxième pour commencer à manger. Grand bien lui fasse, qu'il repose ses maxillaires !

Après quelques valses réinventées, Antoine retourne s'asseoir. Tout en essayant de me concentrer sur mes pas, je jette de fréquents coups d'œil aux deux frères et les aperçois en grande conversation. Me serais-je télétransportée dans le passé par hasard ? En pleine cour de récré. À dix ans. Quand certains se faisaient des messes basses à l'oreille, et que ceux qui n'étaient pas jugés dignes d'entrer dans la confidence mouraient d'envie de savoir ce qui se tramait ? Et dire que c'était lui mon meilleur ami. Comment notre relation a-t-elle pu se dégrader en si peu de temps ? Notre amitié me semblait pourtant si sincère. Indéfectible. Il m'a confié des choses sur sa mère qu'il n'a dites à personne et je lui ai parlé de mon père, moi qui accepte si rarement d'aborder le sujet. Il était... mon alter ego... Mon alter ego... Mon... alter... ego. Bordel ! Maxim et moi étions dans sa chambre ce soir-là. Je lui disais qu'il était mon alter ego et l'amitié hommes-femmes est arrivée sur le tapis. Il me disait... *Ça c'est un autre débat, ma belle... Un gars ne peut pas être ami avec une fille... On n'est pas amis, Isa... T'es tellement ingénue...* Mon cœur me brûle, je porte la main à ma bouche et je sens mon sang se retirer de mon visage. Il m'a embrassée ! C'est lui qui m'a embrassée ! Je me rappelle son parfum, le goût de sa langue, son torse nu contre mes seins sous mon pyjama. Et puis... Et puis quoi ? Merde ! Encore et toujours cette saleté de brouillard ! Cécile s'arrête de danser et me scrute avec inquiétude.

– Ça ne va pas ?

– Il faut que je prenne l'air.

Dehors, un ciel sans lune et sans étoiles m'accueille. Je traîne mes pieds dans la neige, souriant au bruit de mes pas. Crounch, crounch. Je m'appuie contre un arbre, lève les yeux vers la cime des érables, et souffle un peu d'air. Je reste ainsi quelques instants, refusant d'abaisser mon regard. Je sais que Maxim est là.

– Isa...

– Tais-toi.

Je serre les poings et mes ongles m'égratignent les paumes. Je ne comprendrai jamais les êtres humains. Nous sommes tous trop compliqués, nous sommes tous trop névrosés. Je me force à regarder Maxim dans les yeux et, sans pouvoir me contrôler, le pousse de toutes mes forces. Surpris, il recule de quelques pas et s'écrie :

– Eh ! Ça ne va pas ?

– Non, ça ne va pas ! Merde, Maxim, ça fait presque trois mois que tu m'as embrassée et que tu gardes ça pour toi ! Trois mois ! Je n'en reviens pas que t'aies pu me faire ça !

Il reste perdu un moment, le temps de comprendre, puis finit par soupirer :

– Tu te rappelles.

– Pourquoi t'as fait ça ? Pourquoi tu m'as embrassée ?

Il fronce les sourcils et son visage s'assombrit. Son silence me rend folle. Je le pousse encore et hurle :

– Je te jure que tu ne partiras pas d'ici sans m'avoir tout dit !

Aveuglée par des larmes de colère et d'impuissance, j'essaie de le frapper, mais, devinant mon intention, il me retient. Je me dégage et me mords si fort la lèvre que j'en ai mal.

– Pourquoi t'agis comme ça ? Pourquoi tu me fais ça ?

– Parce que je t'ai dit que je t'aimais et que tu ne t'en rappelles pas ! *Fuck !* Isa, c'est moi qui devrais être énervé ! Pour la première fois, j'ai dit je t'aime à une fille et à son réveil, elle ne s'en rappelle même pas !

Je recule et m'appuie contre un arbre, cherchant mon souffle. Je voudrais me pincer pour être sûre d'avoir bien entendu, mais c'est inutile. Ma mémoire vient de se décider à recoller tous les morceaux d'un coup sec.

On s'embrassait dans sa chambre. J'ai bien tenté de me dégager, mais avec un manque de volonté flagrant. En quelques secondes, il m'avait conquise. Je me laissais entraîner dans cette folie des sens. Sa bouche a glissé sur ma nuque, sa main dans mes cheveux, et je tremblais. De plaisir, d'excitation, de surprise. J'entendais ma respiration irrégulière qui se mêlait à la sienne. J'entendais les battements de mon cœur.

– Maxim...

Il a rejeté la tête en arrière et nous nous sommes regardés, nos corps toujours emmêlés. J'ai su qu'il attendait un geste de ma part, qu'il attendait que ce soit moi qui continue ce qu'il avait commencé. Je l'ai entraîné vers le lit et j'ai fermé les yeux. Rien n'aurait pu me faire quitter sa chaleur. Il s'est allongé sur moi et nos langues se sont retrouvées. Il parsemait ma peau de petits baisers tout en murmurant mon prénom, mes mains couraient sur son torse. J'étais de plus en plus excitée et je le voulais tout de suite. Je voulais le sentir en moi. J'ai essayé de déboutonner son jean, mais il a interrompu mon geste.

– Non.

Il s'est redressé, a posé les mains sur ses cuisses, et j'ai eu froid.

– Ça ne peut pas se passer comme ça entre nous. Pourquoi tu fais ça ? Pour te remonter le moral ? Parce que t'es sous l'emprise de l'alcool ?

Je me suis redressée et je l'ai regardé avec animosité.

– C'est toi qui as commencé, je te signale.

– Je sais et je m'en excuse.

– Qu'est-ce que tu veux ? Qu'est-ce que t'attends de moi ? C'est ce que tu veux depuis le début, non ? Du sexe.

Il a passé une main dans ses cheveux et a secoué la tête.

– Tu te trompes.

– Si on n'est pas amis, on est quoi alors ?

Sa voix a monté d'un cran.

– À ton avis ?

Je l'ai fixé sans comprendre tandis qu'une idée insensée me traversait l'esprit. Elle me semblait si improbable que je n'arrivais même pas à la formuler.

– Isa, je crois que je suis amoureux de toi...

Je suis restée sans réaction. Mon cerveau refusait de comprendre et un disque rayé s'est enclenché. Non, non, non, pas ça... Non, non, non, pas ça... Maxim s'est approché de moi, mais j'ai sauté hors du lit. J'avais chaud. Je frissonnais. Je voulais sortir de la pièce. Revenir en arrière. Avant ses mots.

— Je sais que c'est beaucoup, mais ce n'est pas facile pour moi de te dire ça.

— Tu n'es pas amoureux de moi, Maxim ! Tu n'es pas amoureux de moi ! Tu couches avec toutes les filles de l'université ! Et... tu ne crois même pas en l'amour. Tu ne crois même pas au couple. Alors ne viens pas me dire que tu m'aimes ! Si tu veux baiser, dis-le franchement !

Il a eu l'air blessé, un peu choqué aussi.

— Tu crois que je te dirais *ça* pour baiser ? C'est ce que tu penses de moi ?

J'ai secoué la tête. J'aurais tout donné pour que cette discussion s'arrête, notre relation s'engageait dans un chemin qui ne me plaisait pas. Il a fait un pas vers moi. J'ai reculé. Pourquoi parler d'amour ? Pourquoi tout mélanger ? Pourquoi tout compliquer ? S'il ne m'avait rien dit, nous n'aurions été que deux amis qui, lors d'une soirée de déprime un peu trop arrosée, auraient commis une erreur agréable. Ça aurait été parfait, ça. Parfait.

— Maxim, je ne comprends rien à ce que tu me dis.

— Je sais, moi aussi j'ai eu du mal à me comprendre.

Il s'est assis sur le bord du lit et a continué :

— C'est vrai, t'as raison, je ne crois pas qu'un couple puisse durer. Ou plutôt, je crois que beaucoup restent ensemble sans être heureux et je ne veux pas vivre ça.

Il a soupiré et a levé les yeux vers moi.

– Ce n'est tellement pas comme ça que j'aurais voulu te dire ces choses, pas ce soir. Mais je pouvais juste pas te laisser imaginer que je tiens pas à toi. C'est juste que... ce n'est pas amical.

– Depuis quand tu...

– Je ne sais pas, c'est arrivé, c'est tout et contre ma volonté, j'ai...

– Attends, t'es en train de me dire que tu m'aimes malgré toi ?

– Je suis en train de te dire que c'est compliqué. Je suis en train de te dire que je veux être avec toi mais que je redoute par-dessus tout qu'on finisse comme tous les couples. Je suis en train de te dire que j'ai crissement peur.

C'était la première fois que je le voyais comme ça, si vulnérable. Je pouvais lire sur son visage une incertitude douloureuse. J'aurais aimé pouvoir l'effacer. Je détestais ce tumulte d'émotions que je lui causais, mais je ne savais pas quoi lui dire. J'aurais presque souhaité qu'il finisse par me lancer en riant : je t'ai eue ! Amoureux, Maxim ? Et de moi ? Non, ça ne se pouvait pas.

Devant mon silence, il m'a demandé ce que je voulais. J'ai ri ironiquement, à l'intérieur. Comme si j'étais capable de prendre les bonnes décisions concernant mes relations amoureuses. Comme si j'étais capable de décider si oui ou non j'étais prête à prendre le risque de gâcher notre amitié. Être ensemble ? Ce serait une folie. Il a une image déplorable des femmes, j'ai la même sur les hommes, il ne croit pas à l'amour, je crois encore à l'amour des contes de fées. Qu'est-ce qui pourrait bien sortir de ça ? Je vais être obligée de déménager et de faire le deuil de la relation la plus... la plus tout que j'ai jamais eue. Je ne peux pas. C'est au-dessus de mes forces.

– Je ne sais pas ce que je veux, j'ai fini par murmurer sur un ton haché.

– Oui... Je comprends. Prends ton temps. Réfléchis et... En tout cas...

Il s'est arrêté, incapable de trouver la meilleure chose à dire. Je n'ai rien trouvé, non plus. L'ironie de la situation m'aurait fait sourire dans d'autres circonstances, une amoureuse des lettres qui ne sait pas quoi dire malgré l'étendue de son vocabulaire.

– Je vais aller me coucher.

Ce fut la chose qui put franchir mes lèvres.

– O.K.

Maxim ne me regardait pas. Je n'ai pas bougé. Je ne pouvais pas faire un pas. Il était mon meilleur ami, celui avec qui je parlais quand je me retrouvais dans des situations compliquées. C'était lui qui m'aidait, qui m'éclairait, il était mon confident. Il s'est approché, m'a caressé la joue et m'a souri.

Le vent se lève et les bourrasques me font frissonner. Je serre les bras autour de mon corps et Maxim me fixe. Il attend. Ça fait trois mois qu'il attend. Je comprends mieux son comportement des dernières semaines maintenant. Comment ai-je pu oublier ça ? Il m'aurait fait un coup pareil, je l'aurais tué !

– Excuse-moi... pour ma mémoire. Je ne sais pas pourquoi j'ai...

– Parce que tu ne voulais pas que ce soit vrai. Tu ne m'aimes pas et ton inconscient a trouvé ce moyen de t'empêcher d'avoir à me le dire.

– Maxim, tu es une des personnes à qui je tiens le plus au monde.

– Ça ne veut pas dire que tu m'aimes.

Je détourne les yeux et sens mes doigts se tortiller dans mes mitaines. Je prends une profonde inspiration :

– On ne peut pas être ensemble, ça ne marchera jamais.

– Ce n'est pas la question, Isa. Ce sont des conneries de films de filles, ces trucs-là. Des films où les deux héros passent une heure et demie à se torturer parce qu'ils pensent qu'ils ne peuvent pas être ensemble. Il n'y a rien qui empêche les gens d'être ensemble à part leurs peurs. J'ai refoulé ce que je ressens pour toi parce que j'avais peur. J'ai préféré ne pas te reparler de cette soirée parce que j'avais peur. On a tous peur de quelque chose. Mais si on ne fait rien, si on reste paralysé à cause d'elle, on regarde sa vie passer, et c'est tout. Ce qui compte, Isa, c'est ce que t'éprouves pour moi. Si tu ne m'aimes pas...

Je secoue la tête.

– Je ne sais pas ce que je ressens pour toi ! J'ai toujours pensé que t'étais mon meilleur ami, mais apparemment, ni toi, ni Cécile, ni personne, n'y croit, alors je ne sais plus !

Mes larmes réapparaissent et Maxim se rapproche. Je le laisse faire. Il pose sa main sur ma joue. Son odeur m'enivre, le contact de ses doigts m'électrise, mes reins me chatouillent.

– Ne pleure pas, ma luciole, je ne veux pas te faire de mal.

– Je sais.

Il caresse l'écharpe qui me protège le cou. Mon corps tremble et à cet instant précis, je sais ce que je veux.

– T'as froid ? Tu veux rentrer ?

– Je n'ai pas froid. Je veux...

Je tire un pan de son manteau resté ouvert et me glisse à l'intérieur. Je dépose mes mains sur son dos pour le rapprocher de moi, jusqu'à ce que même l'air ne puisse plus passer entre nos corps.

Je relève la tête.

– Embrasse-moi.

– Isa...

– Embrasse-moi.

Une femme insensible est celle qui n'a pas encore vu celui qu'elle doit aimer.

Jean de La Bruyère

Chapitre vingt

Je suis dans la merde. Non mais, sérieusement. Vous avez déjà vu ça, vous, une fille souffler le chaud et le froid comme moi ? Je dis à Maxim que je ne sais pas ce que je ressens pour lui, et la minute d'après, je le supplie de m'embrasser. C'est n'importe quoi ! Ma tentative pour devenir plus rationnelle est un succès flagrant ! Qu'est-ce qu'il doit penser maintenant ?

Je suis vraiment dans la merde. Je ne peux pas être avec Maxim. Je ne peux pas. D'abord, je ne suis pas convaincue qu'il soit amoureux de moi. Il ne croit pas à l'amour. Il ne sait même pas ce que c'est. Il n'a jamais été amoureux. Comment peut-il savoir qu'il m'aime ? Non. Il pense qu'il m'aime, c'est tout, parce que... parce que... Je ne sais pas. Argrr ! J'enfoncerais bien ma tête dans un oreiller pour hurler de toutes mes forces.

Bon, O.K., Je respire, je me calme, je suis zen. Supposons qu'il m'aime. Comment pourrais-je être avec lui après l'avoir vu pendant un an traiter les filles comme il l'a fait ? Comment pourrais-je avoir confiance en lui ? Je suis déjà persuadée que tous les hommes, à part une ou deux exceptions, ne peuvent rester fidèles. Je n'arriverais jamais à embobiner mon cerveau au point de lui faire croire que Maxim est une de ces deux exceptions. Sans parler de sa conception du couple. Il part perdant dès le début. « Les gens en amour ne sont pas plus heureux que toi et moi. » C'est lui-même qui m'a dit ça un jour et il voudrait maintenant m'entraîner dans une course vers la souffrance ? J'ai réussi à me sortir d'une relation sans queue ni tête il y a trois mois, ce n'est pas pour recommencer aujourd'hui. C'est hors de question, hors de...

– Isa ? Est-ce que je peux entrer ?

La voix de Cécile. Je tourne la tête vers la porte de la salle de bains, mais je ne réponds pas. Je me contente de fixer cette porte qui me protège du reste du monde.

– Isa ?

– Entre, Cécile.

– Qu'est-ce que tu fais ? Ça doit bien faire une heure que tu es là-dedans, me fait-elle remarquer en poussant la porte. Ma coloc pense que tu es en train de te taillader les veines dans ton bain.

J'éclate de rire.

– Rassure-toi, je n'en suis pas encore là.

Elle vient s'asseoir près de moi, sur le rebord de la baignoire.

– Est-ce que tu veux parler maintenant ?

Parler. Il faudrait déjà que je sache quoi dire.

Après avoir passé presque dix minutes à nous embrasser hier soir, Maxim et moi nous sommes laissé surprendre par des bruits de pas et de conversations. Les clients de la cabane à sucre sortaient pour déguster un peu de neige arrosée de sirop d'érable, comme l'a si bien dit Boucar Diouf dans un de ses sketchs. « En mars, les Québécois sont tellement tannés de la neige qu'ils la mangent avec du sirop d'érable ! »

Nous avons rejoint Antoine et Cécile et j'ai commencé à réaliser ce qui venait de se passer. Presque instinctivement, je me suis éloignée de Maxim pour me réfugier près de Cécile qui enroulait son bâton autour du liquide caramélisé. Je devais être particulièrement blanche, car elle s'est inquiétée dès qu'elle m'a vue. Je l'ai rassurée et lui ai ensuite avoué que j'avais enfin eu un retour de mémoire. Elle a voulu en savoir plus, mais je l'ai coupée :

– Je ne peux pas retourner à l'appartement ce soir.

Elle ouvert la bouche sans rien dire puis a fini par murmurer :

– On va aller chez moi.

Maxim n'a manifesté aucune surprise lorsque Cécile lui a annoncé que finalement, nous avions décidé de dormir chez elle. Comme s'il s'y attendait. Je m'en suis voulu de le fuir, mais c'était plus fort que moi. Je ne pouvais pas me retrouver face à face avec lui, même avec Antoine et Cécile dans l'appartement. Dès que Maxim nous a déposées, j'ai résumé la situation à Cécile. Elle m'a demandé si j'avais envie d'en parler, je lui ai dit non et nous nous sommes couchées.

J'ai très mal dormi. Quand j'ai réussi à trouver Morphée après une heure et demie de courses poursuites, des rêves étranges ont commencé à s'animer sous mes yeux. Je me suis réveillée en sueur vers neuf heures. Cécile dormait encore. Des bruits de tasses et de casseroles s'échappaient depuis la cuisine, Amélie devait préparer son déjeuner. Je me suis levée et me suis ensuite faufilée dans la salle de bains. Après ma douche, je me suis assise sur le rebord de la baignoire pour réfléchir. Paraîtrait-il qu'on réfléchit mieux dans une salle de bains... Dans les films, en tout cas, c'est toujours là que se précipitent les femmes en crise. J'ai réfléchi, donc, jusqu'à occulter les sons de la télé et les bruits de voix. J'ai réfléchi en fixant sans la voir la montagne de produits de beauté qui jonchaient le lavabo. Deux filles colocataires, ça fait des ravages.

– Allez, parle-moi, répète Cécile, arrête de tout garder pour toi.

Oui. Je devrais lui parler, ça me ferait du bien. Les choses nous paraissent toujours plus sombres qu'elles ne le sont quand on ne les partage pas. Et puis, nous sommes dans une salle de bains. Cette pièce n'existe que pour le mélodrame ! Je commence donc par énumérer à Cécile toutes les raisons qui m'empêchent d'être avec Maxim lorsqu'elle m'arrête dans mon élan :

– Est-ce que tu l'aimes ?

Je me mords la lèvre.

– L'amour peut-il passer inaperçu pendant plusieurs mois ? Peut-on aimer quelqu'un sans s'en rendre compte ? Sérieusement, Cécile, à part dans les fictions, est-ce que ça arrive ? L'amour n'est-il pas plus simple dans la vraie vie ?

– Qu'est-ce que tu entends par simple ?

– Deux personnes se rencontrent, sont attirées l'une par l'autre, apprennent à se connaître et tombent amoureuses. C'est comme ça que ça devrait se passer.

– C'est comme ça que ça s'est passé pour Maxim et toi.

– Non, il ne voulait pas tomber amoureux de moi et ensuite...

– Isa, tu changes de sujet pour éviter de répondre à ma question. Tu m'as déjà raconté tout ça. Moi, ce que je veux savoir, c'est si toi tu l'aimes.

– Je ne sais pas.

Je soupire et tourne la tête vers Cécile.

– Qu'est-ce que t'en penses, toi ? Tu penses que je l'aime ?

Elle hoche la tête en souriant.

– Pourquoi ?

– Parce que ça se voit. Tu dis que tu es attirée par lui et que tu ne t'es jamais sentie aussi bien avec quelqu'un, ça ressemble pas mal à de l'amour.

Je reste silencieuse. Cécile reprend son argumentaire :

– Est-ce que tu serais jalouse si ce soir, il invitait une autre fille à ton anniversaire ?

– Ce serait dégueulasse ! Je ne serais pas jalouse, j'aurais plutôt envie de lui crever les yeux ! M'avouer ses sentiments pour ensuite me faire ça, ce serait...

– Oh ! t'es chiante, pourquoi tu ne réponds pas à la question ?

Bon, O.K. Qu'est-ce que ça me ferait si je le voyais sourire, parler, toucher une autre fille ? Ma petite voix me souffle que je ne serais pas contente et que je pourrais même en souffrir et, pour une fois, je suis plutôt d'accord avec elle.

– D'accord, je serais peut-être bien jalouse.

– Et tu te demandes encore si tu l'aimes ?

– Ça n'a rien à voir.

– Explique-moi, alors.

Je pince les lèvres et fixe le plancher. Des petits carreaux en céramique blanc crème et un tapis de bain bleu. Je caresse du pied les fils de laine et essaie de contrôler la vague d'émotions qui me soulève. J'inspire. J'expire. J'inspire encore. Et expire. Parfois, il y a des choses qui ne s'ancrent dans la réalité qu'une fois qu'on les a prononcées.

– D'accord... Oui, je l'aime. Depuis... Je le sais depuis qu'il me l'a dit. Il est... Il me comprend. Il sait qui je suis. Dans les moindres détails. Et ça ne lui fait pas peur. Il reste quand même là. Avec moi. Mais je ne peux pas être avec lui. Il me connaît *trop* bien. Il connaît mes failles. Il saurait exactement sur quels boutons appuyer pour me faire mal. Je serais trop vulnérable avec lui.

– Pourquoi penses-tu que Maxim va obligatoirement te faire mal ?

– Connais-tu un couple qui ne s'est jamais fait souffrir ?

Son silence résonne dans la pièce. Il est impossible d'aimer sans souffrir et elle le sait très bien. Si elle reste célibataire, si on reste tous célibataires, c'est pour ne pas souffrir. Elle ne se laisse pas décourager pour autant et réplique :

– Je pourrais y aller avec des phrases bateau du genre la souffrance fait partie du quotidien, ce qui ne nous tue pas nous rend plus fort, mais tu sais déjà tout ça. Alors je te demande plutôt : et après ?

– Après quoi ?

– Si ça se termine entre vous : et après ? On se remet d'une peine d'amour, Isa.

Je la dévisage en fronçant les sourcils puis éclate de rire.

– C'est ça, ton conseil ? Si jamais ça ne marche pas avec Maxim, je m'en remettrais ?

– Oui.

Je rigole de plus belle. Cécile patiente le temps que je me calme et poursuit :

– Arrête de te considérer comme une petite chose fragile. Comme la victime des hommes. Ça n'apporte rien. Regarde-toi plutôt telle que tu es. Tu seras capable de surmonter tes disputes avec Maxim, tu seras capable de surmonter une éventuelle rupture, et au moins, t'auras vécu ton rêve. Tu voulais un mec amoureux de toi, tu l'as, tu voulais être amoureuse, tu l'es. Ton souhait s'est réalisé et maintenant tu voudrais l'annuler ? C'est vrai, beaucoup de couples se cassent la gueule, mais t'as ce que t'as toujours voulu.

En quittant l'appartement de Cécile, je me rends à la bibliothèque Gabrielle-Roy. J'ai besoin d'être seule sans l'être totalement. Je m'installe dans un fauteuil près d'une fenêtre et observe les gens plongés dans leur lecture. Je leur invente un autre destin. Attirée par quelques chuchotements, je me tourne vers deux adolescentes assises à une table et c'est Lucie et moi. Insouciantes, rieuses, avec la vie devant nous. Comment sait-on que l'avenir, celui dont on nous rebat les oreilles depuis notre naissance, c'est maintenant ? Est-ce qu'un feu clignote en rouge pour nous avertir ? Est-ce qu'il y a une sirène qui retentit ? Dépêche-toi si tu ne veux pas rater ton tour. J'ai si peur de passer ma vie à attendre de vivre.

Elle va mieux, Lucie. Elle est retournée vivre dans l'appartement qu'elle partageait avec Justin et ils se revoient. En douceur. Le veille de mon départ, alors que nous quittions le restaurant où nous venions de dîner pour une dernière balade, Justin lui a envoyé un message texte pour lui souhaiter une bonne année. Il terminait par : « Tu me manques. »

Les choses seraient plus simples si les hommes ne savaient pas que nous nous liquéfions devant ces petites attentions. Que nous dégoulinons devant les mots. Lucie a hésité avant de lui répondre. Elle a pesé le pour et le contre, nous avons fait des listes, et puis, elle a fini par écouter son cœur. Cinq ou six textos plus tard, son téléphone sonnait. Justin a reconnu ses torts et lui a promis de faire des efforts. Depuis, ils se parlent à cœur ouvert pour que leur relation ne redevienne jamais plus ce qu'elle était devenue. Ils s'aiment. Je le sais. Ce qui me dérange, c'est ce que ma meilleure amie m'a avoué : « Je ne peux pas tout recommencer avec un autre. Je n'en ai ni l'énergie, ni le courage. Et je ne peux pas non plus vivre toute seule et n'avoir personne. J'ai essayé, mais je n'y arrive pas. Tu sais ce qui me motivait ces derniers temps ? La sortie de *Final Fantasy XII*. J'ai passé des heures rivée à ma PS 2 à aider la princesse Ashe à devenir reine de Dalmasca. Ce n'est pas une vie, ça. Au moins, maintenant, quand je joue dans notre chambre, je sais que Justin est dans la pièce à côté et ça me fait du bien. »

Je n'ai rien dit, mais tout mon être se révoltait. Sa façon de voir le couple et de considérer Justin m'attriste tellement. Et puis, en y réfléchissant mieux, je me suis rendu compte que peu importe les raisons cachées qui nous poussent l'un vers l'autre, l'amour n'est jamais désintéressé. On s'aime pour ne pas être seuls. On s'aime parce qu'on en a besoin. On s'aime pour faire l'amour. On s'aime pour faire des enfants. On s'aime pour porter le poids du monde à deux.

La seule chose que j'espère, c'est que lorsque la relation de Lucie et Justin redeviendra moins idyllique, et elle le redeviendra forcément, ma meilleure amie ne renoncera pas à ce qu'elle attend vraiment de l'amour pour accepter ce qu'elle a d'abord refusé. Être adulte, ce n'est pas se résigner. C'est se battre pour que les choses se rapprochent toujours un peu plus de la façon dont on les avait imaginées enfant.

Lassée par l'effervescence de mes pensées, je me dirige vers les ordinateurs de la bibliothèque. Un mail d'anniversaire de la part de Lucie m'attend. Je m'en doutais. Je lui explique pourquoi je ne me trouvais pas à la maison quand elle a essayé de me joindre. J'évoque mon anniversaire, la cabane à sucre, l'hiver qui s'étire, je promets à Lucie de l'appeler le lendemain et clique sur *Envoyer*. Je lui parlerai de Maxim plus tard, une fois les choses réglées. Assez d'avis, assez de conseils, je peux décider par moi-même.

— *Et on peut savoir ce que tu as décidé ?*

— *Euh... eh bien... je... peut-être que...*

— *Très convaincant. Je suis impressionnée.*

À demi vexée, je lui rétorque :

— *Apporte-moi des lumières, alors. Quel est le conseil du jour que tu as à me prodiguer ?*

— *Arrête d'avoir peur. L'amour vaut la peine qu'on prenne des risques.*

— *As-tu lu ça dans le dernier bouquin de psycho pop à la mode ? Sans compter que tu me répètes quasiment ce que Cécile m'a dit ce matin. Je crains que tu ne serves plus à grand-chose.*

Sans relever ma taquinerie, elle continue :

— Elle a raison, Cécile, voilà pourquoi. Et plus que tu ne le penses. Tu as réellement fermé ton cœur, et ce, bien avant Samuel. Mais laisse-moi te dire que tu vas le regretter si tu laisses passer ta chance avec Maxim. Tu as un nuage de bonheur à portée de main et cela n'arrive pas si souvent.

— Vaut-il la peine de courir le risque de souffrir à nouveau ? Vraiment souffrir ?

— Il n'y a que toi qui peux répondre à cette question.

Je secoue la tête et marmonne :

— Tu ne sers vraiment plus à rien.

— Je suis là pour t'aider, pas pour te donner les réponses toutes cuites dans le bec. Ce serait trop facile, travaille un peu !

Je pousse un long soupir et vérifie que personne autour de moi ne s'est aperçu que je conversais avec moi-même. Je me redresse puis me rassois. Je fixe mon sac à main quelques instants puis attrape mon portefeuille à l'intérieur. J'en ressors un bout de papier que je traîne depuis Noël. Je caresse des yeux chaque lettre griffonnée en me mordillant la lèvre et commence à rédiger un autre courriel.

À mon père.

Quelques mots, quelques phrases, hésitantes, maladroites, décousues, mais bien réelles. Bien réelles.

Dehors, le soleil se cache derrière une épaisse couche nuageuse, il fait doux et il n'y a pas de vent. Un bus s'arrête à ma hauteur alors que j'atteins la rue. Je grimpe rapidement et m'assois à l'avant. Les rues de la Basse-Ville défilent tandis que les mots de Cécile et de ma petite voix tournent en boucle comme un refrain sans fin. Peut-être ont-elles raison. Toutes les deux. J'ai peut-être bien fermé mon cœur. Pourtant, chaque homme est différent, chaque histoire est différente et Maxim en vaut la peine. Soudain j'ai des ailes. Je suis une fille amoureuse qui va retrouver celui qu'elle aime. Tout est dit.

*   *
*

Lorsque j'entre dans la salle à manger, les couverts sont mis. Pas de porcelaine de Chine pour l'occasion, Maxim et moi n'en avons pas, mais la table est invitante. Une nappe rouge éclairée par quelques fleurs dorées, des coupes de vin mêlées aux flûtes à champagne et des assiettes ivoire. Les voix de Cécile et Antoine me parviennent de la cuisine, puis celle de Maxim, plus près.

— Ta mère a téléphoné.

Je me retourne. Il me sourit, d'un sourire tendre, mais résigné, et mon cœur s'accélère.

— Elle veut que tu la rappelles, continue-t-il, à n'importe quelle heure. Et t'as un message de Lucie sur le répondeur aussi.

Est-ce qu'on pourrait arrêter ces futilités ? Ça me donne envie de hurler. C'est à moi de parler, je le sais bien, mais les mots restent coincés dans ma gorge. Continuons les futilités, alors.

— Je vais rappeler ma mère.

Je passe près de Maxim, m'arrête à sa hauteur, et déglutis péniblement :

255

– Tu m'attends ?

– Oui.

Les mains un peu tremblantes, je saisis le téléphone et m'enferme dans ma chambre. Mes jambes flanchent et je m'appuie contre la fenêtre. Je ne suis qu'une trouillarde. Laisser parler mon cœur est moins facile que ce que j'espérais.

Je m'assois sur mon lit et vingt secondes plus tard, j'entends la voix de ma mère au bout du fil me souhaiter un joyeux anniversaire avant de me demander comment je vais. C'est une question à développement ça, avec thèse, antithèse et synthèse. Je ne suis pas certaine que ma mère y soit préparée. J'opte donc pour la réponse classique :

– Ça va bien. Et toi ?

– Tu sais, l'hôpital, les opérations, le ski avec Bertrand et puis... Oh non ! je te le dirai une autre fois, aujourd'hui c'est ton jour.

– Ne me fais pas languir, tu en as trop dit ou pas assez. Accouche ta nouvelle.

Elle émet un petit rire cristallin à mon jeu de mots et annonce :

– Bertrand m'a redemandée en mariage et cette fois, j'ai dit oui.

Bon. Enfin. Ça doit bien être sa troisième demande depuis deux ans. Il n'est pas homme à se laisser décourager. Ma mère était réticente. « Pourquoi se marier à mon âge ? » disait-elle. Mais Bertrand est issu de la vieille école, il croit aux vœux du mariage, jusqu'à ce que la mort vous sépare, tout ça. Il est veuf, d'ailleurs : sa femme est morte d'un cancer. Et il est parfait pour ma mère. Il sait ce que ça implique d'être médecin et comprendra tout ce que mon père n'a pas compris.

– Je suis contente pour toi, maman.

– Pas de protestations ?

– Euh ! je n'ai plus douze ans.

À l'adolescence, avoir un beau-père était l'une des choses que je craignais le plus au monde. Avoir quelqu'un qui essaierait de remplacer mon père, avoir une autre autorité à défier, non, je n'aurais pas été capable. Aujourd'hui, je suis heureuse que ma mère refasse sa vie. Je l'envie même. Avoir le courage de se lancer dans un autre mariage et risquer de passer par les mêmes épreuves que par le passé, je ne pourrais pas.

– Mais dis-moi... tu n'as pas un peu peur?

Ma question me prend moi-même par surprise et je me mets à bredouiller :

– Enfin, je veux dire... Pas que je pense que Bertrand va partir... Mais... je me demandais...

Je m'arrête et ma mère vient à mon secours :

– Je sais ce que tu veux dire et, oui, j'ai eu quelques craintes. C'est peut-être pour ça que j'étais réticente. On a beau se jurer amour et fidélité devant des centaines de personnes, on ne peut jamais savoir si l'avenir va nous donner tort.

Je reste silencieuse et ma mère poursuit :

– On ne pourra jamais obtenir des certitudes dans la vie. On fait des plans, on tente de les suivre et les choses évoluent autrement, c'est comme ça. J'ai failli perdre la tête au début, quand j'ai commencé à opérer. Je ne savais jamais si mon patient allait se réveiller ou si des complications n'allaient pas surgir de nulle part. Mais il a fallu que je m'y fasse, que je m'y prépare, que je vive avec cette incertitude constante et tu sais comment j'y suis arrivée ? En me disant que la plupart du temps, les choses se passent comme elles doivent se passer.

Il y a des moments comme ceux-là où je me sens tellement proche de ma mère que les ombres de notre relation disparaissent. Notre dispute à Noël nous a permis de déverser tout ce que nous avions sur le cœur. Depuis, nous n'abordons plus ni le sujet de mon avenir, ni celui de mon père. Elle n'a qu'une seule fille. Je n'ai qu'une seule mère. Et c'est là l'essentiel.

Je me sens flotter soudain et ma chambre s'étend en un arc-en-ciel aveuglant. Maxim m'aime, j'aime Maxim, nous sommes tous les deux prêts à mettre toute notre énergie pour faire fonctionner notre relation. Les choses se passeront comme elles doivent se passer. On va s'aimer, se disputer, se détester peut-être, se réconcilier et recommencer, c'est tout.

– Il faut que je file, Isabelle. Il est tard et je suis de garde demain matin. On se rappelle dans quelques jours pour discuter des détails de mon mariage. J'aimerais faire quelque chose en hiver. Bonne soirée, ma grande fille de vingt-six ans, et encore une fois, joyeux anniversaire.

Elle raccroche sans me laisser le temps d'en placer une. Je lui parlerai de mon père une autre fois. Je sors de ma chambre et redépose le téléphone. Les voix de Cécile et Antoine résonnent toujours dans la cuisine, Maxim patiente dans la salle à manger. Assis sur une chaise, il fait rouler une fourchette entre ses doigts. Une bouteille de champagne, plongée dans un seau rempli de glace, trône sur un coin de la table.

— C'est toi qui as acheté ça ?

Il suit mon regard et se lève :

— Antoine et moi, oui.

Sa voix m'effleure. Le regard qu'il pose sur moi me caresse. Et si je faisais simple pour une fois ? Si je prononçais juste une phrase sans « mais » ? Je m'approche de lui et dépose ma bouche sur la sienne. Pendant une seconde, il ne réagit pas. Il hésite. Et puis, je sens ses bras m'enlacer et le goût de sa langue. Au bout d'un long baiser, je lui murmure, mes lèvres encore contre les siennes :

— Je t'aime.

Hum ! Ce n'est pas du tout ce que j'avais l'intention de lui dire. Je voulais faire simple oui, mais pas aussi direct. J'aurais préféré prononcer ces trois petits mots dans un autre contexte. Pas avec Antoine et Cécile dans la cuisine. Pas avec Marie-Anne et Alexandre sur le point d'arriver. Pas avec si peu de temps pour en parler.

Maxim secoue la tête, incrédule.

— Alors, toi !

Oui. Moi. Tout compte fait, on s'en fiche, du moment. Un « je t'aime » ne prend pas plus d'ampleur ou de valeur parce que chuchoté sur les plaines d'Abraham, un soir de coucher de soleil ou sur une plage d'une île paradisiaque. L'important, c'est ce qu'il promet. Quand on rencontre la bonne personne, le cœur a toujours raison. Il prend son temps mais lorsqu'il est prêt, on doit lui faire confiance. La rationalité, ce n'est finalement pas pour moi. Ou alors, à petites doses.

Maxim m'embrasse, me serre, dépose ma main sur son cœur et entrelace nos doigts. Je ferme les yeux et savoure l'instant. On oublie trop souvent de savourer le bonheur lorsqu'il passe.

— Bonne fête, Isa !

Je sursaute en entendant la voix d'Antoine. Je rouvre les yeux et l'aperçois sur le seuil de la porte de la salle à manger... Il nous observe avec un sourire joueur.

— Bon, on dirait que ça s'est arrangé entre vous ! Eh ben, mon grand frère en amour, je ne pensais pas voir ça de mon vivant.

Maxim rit un peu et j'ai envie de sauter sur place. De virevolter au travers de la pièce, de chanter. De serrer tout le monde contre moi. Une vague d'énergie me fourmille dans les pieds. Maxim m'aime, j'aime Maxim, ils vécurent heureux et eurent beaucoup d'enfants. Fin de l'histoire. J'espère que ça vous a plu. C'est vraiment à moi que ça arrive, ce bonheur-là ?

— Ah ! Isa, tu sais que t'as failli tuer mon frère avec ton trou noir ? Mais si ça peut te rassurer, je n'ai pas arrêté de le bassiner pour qu'il te raconte tout.

Antoine poursuit et me révèle ce que je ne sais pas. Comment Maxim a pris conscience de ses sentiments pour moi l'été passé et sa décision d'attendre le bon moment pour m'en parler.

— Oui, enfin, bon moment, c'est vite dit, étant donné celui qu'il a choisi pour t'embrasser, commente-t-il un large sourire sur les lèvres.

Mi-sérieux, mi-rieur, Maxim lui rétorque :

— Je sais que tu n'es pas le mieux élevé entre Sylvain et moi, mais il me semble que tu sais qu'on ne doit pas déblatérer de la vie privée d'autrui sans son accord et encore moins se moquer de lui en sa présence. Sans compter qu'Isa et moi étions en pleine discussion.

— Vous ne m'avez pas demandé de partir et vous n'avez même pas fermé la porte. Pour moi, il était clair que vous vouliez que tout le monde entende et regarde. D'ailleurs, qu'est-ce qu'elle fait, Cécile ? Hé ! Cécile !

J'éclate de rire au moment où l'interpellée arrive.

— Tu es en train de louper le show de l'année ! dit Antoine. Ah ! la naissance d'un amour, c'est trop beau. As-tu des mouchoirs ?

Cécile se prête au jeu :

— Ah ! ça y est, Isa s'est enfin décidée à arrêter de jouer les petites vierges effarouchées pour se laisser tomber dans les bras de son *meilleur ami*. Tu sais que j'ai dû lui parler presque deux heures hier, pendant qu'on cuisinait, et deux heures aujourd'hui pour qu'elle admette qu'elle était amoureuse de lui ? Je te dis que ça n'a pas été facile.

— Ben ! voilà, c'est grâce à nous, tout ça. Cupidon est bon pour le chômage !

Nous rions et puis Maxim me demande sur un ton espiègle :

– C'est vrai, ça ? Tu ne voulais pas admettre tes sentiments pour moi ?

– Euh... un peu, mais ça m'a juste pris vingt-quatre heures avant de dire que je t'aime, alors que toi, hein ?...

– Ouais, sauf que, en théorie, ça fait trois mois que tu réfléchis !

Et il m'embrasse pour m'empêcher de répliquer.

On ne tombe amoureux que lorsqu'on a mesuré la profondeur des eaux dans lesquelles on va plonger.

Alain de Botton

Chapitre vingt et un

La soirée est explosive. Les discussions tournent au débat et chacun campe sur ses positions avec passion. Dans l'équipe un : Marie-Anne qui défend bec et ongles la femme du XXIe siècle, soutenue de temps en temps par son chum. Dans l'équipe deux : Antoine qui se plaint de la tendance dominatrice des Québécoises d'aujourd'hui et qui reçoit un appui discret, mais réel, de Maxim. Dans les gradins, Cécile et moi. Et au milieu de la lasagne aux deux saumons d'Antoine, par ailleurs délicieuse*, ça donne ça :

– Castratrices ? siffle Marie-Anne comme si elle avait avalé des lames de rasoir. Savoir ce qu'on veut, être indépendante et directe dans les relations avec nos hommes et avec la vie, tu appelles ça être castratrice ?

– Oui, parce que vous tentez de gagner votre indépendance en sabordant la nôtre. Vous voulez inverser les rôles, on dirait, devenir des hommes et nous transformer en femmes dociles. Mon ex était comme ça, c'était une lutte continuelle pour le pouvoir. Épuisant.

---

* Bon ! alors, comme je suis gentille, que je sais que vous adorez les recettes et les émissions de cuisine ici et que la lasagne d'Antoine est vraiment succulente, vous la retrouverez, sa recette, à la fin du livre !

Antoine et Pauline, son ex, sortaient ensemble depuis le cégep. Ils louaient un trois et demie proche de l'université et, apparemment, leur relation était tendue depuis le début de la session d'automne. C'est que la demoiselle essayait de modeler son chum à sa façon et de tout régenter. De la destination de leurs vacances à la couleur des murs en passant par le contenu du frigidaire, elle contrôlait leur vie dans les moindres détails. Et comme si cela ne suffisait pas, elle rechignait à ce qu'Antoine entame une maîtrise en septembre. Terminant tous deux leurs baccalauréats en informatique, elle voulait qu'il trouve un travail pour qu'ils puissent s'acheter un condo.

La situation s'est envenimée à partir du moment où Pauline a commencé à le dénigrer en public. Son ton avait beau être léger, Antoine pouvait sentir la mesquinerie qui s'y cachait. Un soir, après une énième boutade lors d'un souper chez ses anciens beaux-parents, il a ramassé ses affaires et a atterri chez nous. Depuis, il n'a eu avec son ex que des contacts sporadiques et de nature pratique – qui garde quoi ? Leur relation est finie, mais Antoine en ressort amer et avec une opinion des femmes et du couple bien tranchée.

– C'était à toi de prendre ta place et de t'affirmer, proteste Marie-Anne. Tu avais juste à mettre des limites si tu trouvais que ton ex allait trop loin.

Antoine ricane et grince :

– J'ai essayé, figure-toi, et je me faisais traiter de macho qui ne respectait ni elle, ni ses idées. Quand je tentais de prendre ma place, comme tu dis, c'était comme si je la rabaissais à je ne sais pas quoi. Je ne compte plus les fois où elle m'a sorti un truc du genre « Allô, c'est fini l'époque de *La Petite Maison dans la prairie* » ! Comme si je rêvais d'une femme soumise ! C'était plutôt elle qui essayait de me transformer en Caroline Ingalls !

Marie-Anne hésite. Elle sait que des Germaines, il en existe un nombre grandissant au Québec. Sa force de caractère a d'ailleurs amené plusieurs hommes à la cataloguer ainsi. Nous discutons souvent de ces différences culturelles qui touchent les relations hommes-femmes, et si je devais choisir mon camp, je me rangerais dans celui d'Antoine. Certaines Québécoises semblent avoir confondu libération et domination. Elles veulent un homme qui réponde à leurs désirs, et seulement les leurs, et elles détestent arborer ce côté fille fragile à protéger. Elles ne savent pas ce qu'elles perdent. C'est si agréable de laisser un homme porter les sacs des courses, conduire pendant une tempête de neige, ou se casser les reins en changeant une roue. C'est si agréable de se faire offrir des fleurs ou tenir la porte. Et ça ne remet pas du tout en cause notre droit à l'égalité.

Profitant de l'hésitation de Marie-Anne, Antoine conclut sa tirade :

– En tout cas, il y a un méchant problème avec les relations de couple aujourd'hui.

Je retiens un soupir. Qu'est-ce qu'ils ont, les Saint-Arnaud, à ne plus croire au couple ? Serait-ce un défaut génétique ? C'est le seul sujet qui fait bondir Antoine. D'un agneau docile, il se transforme en loup assoiffé de chair fraîche. Et si on n'y arrivait pas, Maxim et moi ? Tous les couples sont pleins de bonne volonté au début. « Nous deux, ce sera différent, nous deux, on ne tombera pas dans le piège, nous deux, on ne se fera pas avoir. » Et puis quoi ? Ils deviennent comme les autres. Comment s'aimer pour être heureux jusqu'à la fin ? Pas d'un bonheur à nous coller un sourire béat sur les lèvres toute la journée. Plutôt d'un bonheur calme mais solide. Je pose mes yeux sur Maxim, mon cœur se gonfle et je chasse mes angoisses. On s'en fout, de demain, on y pensera plus tard. L'important, c'est maintenant.

Marie-Anne repart à l'attaque :

– Il y en a un, problème, oui ! Et il vient de vous et de votre peur de ce que les femmes québécoises sont aujourd'hui.

– Parce que ce que vous êtes devenues n'est pas très attirant ! Vous ne voulez pas un homme, vous voulez un animal de compagnie !

Les lèvres de Marie-Anne s'étirent en un sourire narquois.

– Tu te laisses trop influencer par ces bien-pensants de Québec qui animent certaines émissions de radio.

Antoine éclate de rire pour lui signifier qu'elle se trompe.

– Mes opinions, je me les forge tout seul, par mes propres expériences. Vous vous cachez derrière le mot indépendance pour tout contrôler.

– C'est faux. C'est juste que dès qu'on décide d'un truc, vous nous prenez pour des hystériques du contrôle. Vous restez attachés à cette vieille image catho de la femme qui reste à la maison. Qui fait plein de bébés. Et qui s'occupe de toute sa petite famille avec le sourire.

Antoine lève les yeux au ciel.

– Bon, encore une autre avec le syndrome Caroline Ingalls.

Vexée par la raillerie d'Antoine, Marie-Anne s'apprête à répliquer, quand Maxim intervient :

– Et toi, tu décides de quoi dans ton couple ?

Je retiens mon souffle. Je crains le pire si l'échange se focalise sur eux deux. Marie-Anne n'a jamais pu sentir Maxim. Elle ne supportait pas son attitude avec les filles. « Je ne comprends pas comment, à notre époque, des gars agissent encore de cette façon », me répétait-elle lorsque je lui racontais une anecdote sur ses copines de passage. Je lui faisais chaque fois remarquer qu'elle était de mauvaise foi, vu son comportement parfois similaire avec les hommes, mais elle n'en démordait pas. Ces dernières semaines, elle n'a pas arrêté de me marteler qu'elle me trouvait trop patiente avec lui, que son attitude ne méritait qu'une chose : un coup de pied aux fesses.

Devançant Marie-Anne, Alexandre répond avec un sourire :

– Elle ne décide rien pour moi.

Je dépose rapidement ma main sur la cuisse de Maxim sous la table pour l'empêcher de riposter. Je l'entendais d'ici lancer quelque chose comme « on en reparlera dans un an ». Il n'est pas non plus un grand fan de Marie-Anne, certainement à cause de cette désapprobation empreinte de mépris qu'elle affichait quand elle venait manger chez nous et qu'il évoquait ses blondes et ou ses *fuck friends*. « Elle juge les gens bien vite, ta copine, et à ce que je sache, ça ne la concerne pas, ce que je fais ou pas avec les filles », m'a-t-il marmonné une fois. Maxim comprend mon avertissement et reste muet.

– Je pense que vous généralisez trop, enchaîne Alexandre. Les femmes sont castratrices, les hommes sont trop mous. Oui, sans doute, il y en a qui le sont, mais un couple est ce qu'on en fait. C'est trop facile de se cacher derrière des phrases toutes faites et des fausses évidences.

Il me plaît, ce jeune homme. Calme. Posé. Journaliste aux opinions parfois acides sur la société, il rédige, en plus d'articles sur l'actualité, des éditoriaux implacables. Marie-Anne l'a bien choisi. Et pourtant, ils ont failli ne jamais se rencontrer. Elle était sur le point d'effacer sa fiche quand Alexandre a surgi de nulle part. Un peu comme Zorro qui serait venu la sauver, il lui a envoyé un message prometteur. Son annonce semblait, elle aussi, de bon augure. Originale, humoristique, sans parler de sa photo qui révélait un homme grand, bien bâti, et élégant. Le soir même, ils commençaient à discuter et une semaine plus tard, ils se rencontraient. Pas de vantardises exagérées lors de leur premier rendez-vous, pas d'interrogatoire serré. Juste des désirs et des envies communs, et leur relation a démarré. Ils ont l'air amoureux. Je dis « l'air » parce que je ne sais pas du tout ce que ressent Marie-Anne, elle est tellement pudique dès qu'il s'agit de sentiments. Elle joue la carte de la froideur et de la maîtrise de soi. Un peu comme moi, mais en plus vrai. Une vraie cartésienne. Et Alexandre semble aussi peu démonstratif qu'elle.

La conversation s'apaise. Satisfaite de la réponse de son chum, Marie-Anne enterre la hache de guerre et Antoine se radoucit. Nous nous installons dans le salon en attendant le gâteau et je m'assois sur le canapé. Avec un sourire de délectation, j'observe Maxim et Antoine tenter tant bien que mal de résister à la tentation d'allumer la télé pour regarder la fin du match de hockey. Ah ! franchement, les hommes ! On ne peut pas les laisser sans surveillance deux minutes.

– Regardez-la donc, votre fin de match.

Antoine s'excite comme un petit garçon en s'emparant de la télécommande.

– Il est vraiment important, ce match ! Il faut qu'ils gagnent, sinon ils ne feront peut-être pas les séries. Pis la dernière fois...

– O.K., c'est correct, Antoine.

Une voix un peu trop familière me parvient. « Mise en échec de Kovalev, passe à Koivu... » Comment se fait-il que je reconnaisse la voix des commentateurs et les noms des joueurs des Canadiens ? Je vis avec Maxim depuis trop longtemps.

Cécile disparaît dans la cuisine pour vérifier son gâteau, Marie-Anne la suit, et Alexandre me rejoint sur le sofa. Je me tourne vers lui :

– Tu n'es pas fan de hockey ?

– Pas vraiment. J'aime en jouer, mais regarder, non, à part les séries et occasionnellement.

– Hum ! sais-tu que je jalouse fortement Marie-Anne ?

Il me sourit et je décide, puisque je tiens un journaliste sous la main obligé de me faire la conversation – sa blonde n'est pas dans la pièce, c'est mon anniversaire et il est chez moi –, de disserter sur un sujet qui me passionne : la beauté de la langue écrite. Nous discutons de ses règles de grammaire et d'orthographe tortueuses, ce qui nous amène à discuter des fautes de français de plus en plus nombreuses que ce soit au Québec ou en France. Nous essayons d'en comprendre l'origine – anglicismes, laxisme de la part des médias, des professeurs, écriture mutilée sur les forums ou les blogues. Je lui conte ce que certains des étudiants avec lesquels je réalise des travaux d'équipe me rétorquent quand je leur reproche leurs fautes : « Le prof comprendra ce qu'on a voulu dire, c'est l'essentiel. » Il s'en offusque autant que moi et je me sens rassurée. Je ne suis pas la seule à ne pas supporter qu'on massacre la langue française.

Je m'aperçois soudain que tout le monde a disparu. Passionnée par ma conversation avec Alexandre – à moins qu'il ne cache un vilain vice caché, je dirais que Marie-Anne a tiré le gros lot –, je n'avais pas vu que nous étions à présent seuls dans le salon. La télé est même éteinte.

– Ils sont où, tous ?

Le salon se retrouve soudain plongé dans le noir et Maxim apparaît. Le gâteau de Cécile dans les mains dont les vingt-six bougies scintillent, il avance vers moi. Antoine, Cécile et Marie-Anne suivent de près. Ensemble, ils entonnent, non pas le traditionnel *Joyeux anniversaire*, mais ces quelques phrases adaptées de la chanson *Gens du pays* de Gilles Vigneault : « Ma chère Isa, c'est à ton tour de te laisser parler d'amour. »

Je fais face à Maxim. Je vois son sourire rempli de promesses, éclairé par les petites flammes. Oui, c'est à mon tour de me laisser parler d'amour. Je ferme les yeux, formule en vœu et souffle bien fort.

Ce n'est pas la fin.
Ce n'est même pas le commencement de la fin.
Mais, c'est peut-être la fin du commencement.

Winston Churchill

———

Non mais vous ne croyez pas que mon histoire finit comme toutes les autres, que le rideau tombe au moment du « ils vécurent heureux et eurent beaucoup d'enfants et tout fut parfait dans le meilleur des mondes ». Non, tout ne fut pas parfait dans le meilleur des mondes. Ce n'est pas parce qu'on se dit je t'aime que toutes nos peurs s'envolent comme par magie, alors restez assis, ne bougez pas et lisez.

———

TROISIÈME PARTIE

ENSEMBLE

Chapitre vingt-deux

« *Certificat en création littéraire : programme visant à permettre à l'étudiant d'acquérir un ensemble de connaissances théoriques et pratiques et de développer des aptitudes affectives qui le rendent capable de créer des textes littéraires de qualité.* »

Je soupire et continue mon exploration du site de l'Université Laval.

« *Baccalauréat en études littéraires, concentration littéraire et médiatique.* »

« *Maîtrise en littérature et arts de la scène et de l'écran avec rédaction d'un mémoire pouvant prendre la forme d'un roman.* »

Ohhhhhhh ! Écrire un roman sous supervision, le rêve. Je soupire à nouveau. Je peux savoir pourquoi personne ne m'a jamais parlé de ces programmes ? C'est une maîtrise en études littéraires avec roman à la clé que je serais sur le point d'obtenir, pas ce Master of Business Administration. Quel titre pompeux ! Presque ronflant. Oui, je sais, ce diplôme m'ouvre la porte du monde des affaires, des salaires à cinq zéros dans quelques années, et accessoirement, me conduit droit vers l'approbation et la fierté de ma mère. Je n'ai pas le droit de me plaindre. Au contraire, je devrais être satisfaite du chemin parcouru, je devrais être enchantée de pouvoir prétendre à un avenir professionnel doré. Je le suis, d'une certaine manière ; mais qu'est-ce que j'ai regretté durant tout cette session de devoir me plonger dans la rédaction d'un essai sur la gestion de la diversité culturelle en entreprise au lieu de pouvoir m'atteler à l'écriture de mon roman. Pourtant, j'ai aimé travailler sur ce thème, seulement ce n'était pas ce que je voulais *vraiment* faire.

Ah ! si j'avais su avant qu'en Amérique du Nord, on pouvait apprendre à écrire et obtenir un diplôme. Les Français sont tellement persuadés qu'écrire est un don, que cela doit être inné. Ridicule. Bien sûr, il faut des prédispositions, mais il existe certaines techniques d'écriture qui s'enseignent et qui devraient être enseignées dans les universités françaises. Pas étonnant que presque tous les auteurs de best-sellers soient nés dans le pays de l'oncle Sam.

Je m'apprête à explorer Amazon, à la recherche de bouquins sur l'écriture, lorsqu'une voix familière me fait sursauter.

– Alors, comme ça, tu sors avec Maxim ?

Je lève les yeux pour croiser ceux de Samuel qui m'observe de haut. Il se laisse tomber sur une chaise à côté de moi, un sourire de défi aux lèvres.

– Je vous ai vus l'autre jour à la bibliothèque... entre les rayons. J'ai failli contacter la sécurité pour leur dire que deux personnes étaient sur le point de baiser entre Socrate et Sénèque.

Je sens mes joues s'empourprer et, malgré moi, je me défends :

– Franchement, tu exagères, on s'embrassait à peine.

– Ouais, ben, je ne sais pas ce que ça doit être quand vous...

– Qu'est-ce que tu veux, Samuel ?

Il hausse les épaules.

– Rien, juste prendre de tes nouvelles.

– Je vais bien, mais tu ferais mieux de t'en aller si tu ne veux pas que je te casse les oreilles avec mon subjonctif imparfait.

Son sourire devient soudain plus contrit.

– Tu m'en veux encore ?

Je ne réponds pas. Suis-je encore fâchée ? Non. Plus vraiment. Ai-je envie de lui parler ? Non plus. Aussi je préfère me taire.

– Excuse-moi, Isa, je n'aurais pas dû me moquer de toi.

Je lui fais signe que l'incident est clos, pensant ainsi l'amener à me laisser tranquille, ses fautes étant absoutes, mais il insiste :

– Tu n'as pas répondu à ma question... concernant Maxim.

– Je ne vois pas en quoi ça te regarde.

– T'as succombé à son numéro de charme, c'est ça ?

Je reporte mon regard sur mon ordinateur pour lui signifier que je n'ai pas le temps de satisfaire sa curiosité, que la bibliothèque est un lieu de quiétude non propice à des conversations longue durée et que, par conséquent, il peut disposer. Visiblement insensible face à mon mutisme, il enfonce le clou.

– Non mais, sérieusement, tu couches avec lui de temps en temps, ou t'es officiellement sa blonde ?

– Mais en quoi ça t'intéresse ?

– Je ne te comprends pas, c'est tout. En janvier, tu voulais une vraie relation, tu m'as laissé à cause de ça, d'ailleurs, et aujourd'hui t'es dans les bras de Maxim ? Un gars qui n'est pas capable de se contenter de la même fille bien longtemps ?

Je recule au fond de ma chaise, croise les bras et le toise avec dédain.

– Tout ce que tu sais de Maxim, tu le tiens de moi, alors ne...

– T'es amoureuse de lui, pas vrai ? Et tu penses qu'il l'est de toi ?

– Arrête.

Il soupire, regarde ailleurs un moment, et lorsque ses yeux reviennent sur moi, il n'y reste rien de l'ironie qui les faisait briller.

– Désolé, je crois que je suis un peu jaloux.

– On peut savoir de quoi ? Je ne me considère même pas comme ton ex, j'étais juste une fille avec qui tu couchais de temps en temps. D'ailleurs, petite rectification : je ne t'ai pas *laissé*. Pour que je te laisse, il aurait d'abord fallu qu'on vive une vraie relation, tous les deux. Avoue plutôt que ton orgueil de mâle est blessé.

À peine ai-je terminé ma phrase que je surprends quelques étudiants nous écoutant avec attention. Ça devient une habitude de se laisser surprendre à la bibliothèque. En même temps, qui refuserait une présentation en direct des *Feux de l'amour* ? Du pop-corn, avec ça ?

– Isa, les choses ne se sont pas déroulées comme j'aurais voulu entre nous, mais...

J'ouvre grand les yeux pour l'empêcher de continuer et lui désigne du menton ceux qui nous observent. Pris en faute, ces derniers s'empressent d'afficher une mine concentrée devant leur écran.

– Viens... On va discuter dehors.

Il saisit mon bras avec autorité, m'obligeant à me lever, ce qui ne manque pas de m'énerver.

– On n'a plus rien à se dire, tous les deux.

– Allez... Notre relation ne peut se finir sur un accrochage stupide au téléphone.

Je me dégage sèchement et me rassois.

– Pourtant, si ! Et j'aimerais bien que tu me laisses maintenant.

Que pourrait-il avoir à me dire que je ne sache déjà ? Je ne suis pas dupe, je le connais un peu, malgré tout. Quand il croisait Maxim à la maison, il essayait tant bien que mal de dissimuler sa jalousie envers lui. Quand je lui racontais des anecdotes sur lui, il faisait mine de ne pas écouter. Il n'était pas jaloux à cause de ma complicité avec Maxim, il était jaloux de son côté séducteur et de son assurance. Il aurait donné cher pour lui ressembler un peu. Il s'y efforçait, à vrai dire, mais il arrivait trop tard.

Il me jauge encore quelques secondes, semblant évaluer ma détermination puis capitule et glisse entre ses dents :

– Dans ce cas-là, bonne chance avec Maxim ! Si ça tourne mal, tu sais où me trouver !

Son culot me laisse pantoise. Si je le tue, là, maintenant, je suis certaine que je pourrais obtenir les circonstances atténuantes et faire à peine six mois de prison. Six mois cloîtrée dans une petite chambre, avec du temps à l'infini pour écrire. Je pourrais m'offrir le plaisir d'étrangler Samuel pour effacer cette ironie cinglante qui tartine son visage *et* devenir une auteure à succès. Samuel disparaît malheureusement aussi vite qu'il était apparu et je reste avec le fantasme de mes mains autour de son cou.

Je tente de me replonger dans mes recherches, en vain. J'éteins mon ordinateur, enfile ma veste et quitte le pavillon Bonenfant tandis que les dernières paroles de Samuel résonnent dans mes oreilles. Il a bien réussi son coup. Quelle mesquinerie ! Je n'en reviens pas de voir à quoi les hommes peuvent s'abaisser quand on chatouille leur ego ou leur orgueil.

Dehors, la neige a perdu du terrain et ce n'est pas beau à voir. De la *sloche*, de la *sloche* et encore de la *sloche*. Les carrés de gazon sont dans un état lamentable et les bourgeons sur les branches hésitent : est-ce vraiment la fin de l'hiver? Officiellement, oui, et depuis presque un mois. Pourtant, il a fallu attendre encore jusqu'à ces derniers jours pour sentir les rayons du soleil plus vifs et généreux. On devrait adapter le calendrier à la réalité québécoise : 15 mai : printemps. 21 juin : été. 21 septembre : automne. 1er novembre : hiver ! Évidemment, je doute que l'Office du tourisme du Québec apprécie. Quoi qu'il en soit, j'ai enfin pu troquer ma mine renfrognée et mon armure d'hiver contre un joli sourire et ma veste en toile beige au début de la semaine. Un vrai plaisir.

Je poursuis ma route en essayant de trouver des bouts de trottoirs non glissants, non inondés, non défoncés, quand mon cœur se fige. Maxim est là, devant le pavillon Charles-De Koninck... avec Sophie ! Leurs corps ne sont qu'à quelques centimètres l'un de l'autre et semblent prêts à se rapprocher d'une seconde à l'autre. Pincez-moi encore, je cauchemarde ! Ça ne peut pas arriver. Maxim ne peut pas me tromper, là, juste sous mes yeux. Comme pour me narguer, Sophie éclate de rire, rejette la tête en arrière d'une manière si sensuelle que j'en ai des frissons, et touche l'épaule de Maxim. Elle *touche* l'épaule de Maxim. La garce ! Elle n'a jamais pu me sentir, toujours jalouse de l'attention qu'il me portait, et maintenant elle se venge.

Ne pas pleurer. Non. Surtout pas. J'inspire une grande bouffée d'air qui descend directement dans mes poumons. O.K. La fin justifie mes moyens et mes cours d'autodéfense ne sont pas loin :

1. Tirer les cheveux aussi noirs que des plumes de corbeaux de votre rivale.

2. L'attaquer par surprise avec votre sac à main. Bien sûr, on parle ici d'un fourre-tout qui pèse au moins deux kilos. Quoi ? Je suis étudiante, ne l'oubliez pas. C'est lourd, des livres...

3. Si les choses dégénèrent, ne pas hésiter à la plaquer dans la neige boueuse pour éteindre son mascara si parfaitement appliqué et brouiller son teint de porcelaine.

Vous n'avez pas suivi les mêmes cours que moi ? Dommage.

Je réfléchis au meilleur angle d'attaque quand Maxim m'aperçoit. Espèce de sale menteur ! Je te déteste ! Tu m'as dit que tu travaillais à finaliser ton mémoire à la maison toute la journée, et au lieu de ça, tu me trompes sans vergogne avec ton ex ! J'en ai tellement marre que ma vie ne soit qu'une avalanche de clichés.

Je m'arrête à sa hauteur, aussi droite et rigide qu'un panneau d'arrêt. Maxim se penche vers moi et m'embrasse.

— Tu te souviens de Sophie ?

Je hoche la tête et la salue du bout des lèvres tandis qu'elle me décoche un sourire qui me crève le cœur. Vous savez, ce sourire qu'ont toutes ces garces qui entraînent les hommes casés dans la luxure, le sourire « Je viens de baiser avec ton chum dans les toilettes et il a joui comme jamais ! ». Je vais l'assassiner. Je vais les assassiner, tous les deux. Avec Samuel. Trois meurtres pour le prix d'un. Les circonstances commencent à être moins atténuantes, mais à ce stade-ci, je m'en fiche. Bon, je commence avec qui ?

— Qu'est-ce que tu fais, là ? Je pensais que tu travaillais à la maison ?

— Je suis passé voir mon directeur de recherche et je suis tombé sur Sophie.

Tu ne pouvais pas lui écrire à ton directeur de recherche ? Lui téléphoner ? Je ne suis pas née de la dernière pluie, je sens l'odeur du sexe qui flotte tout autour de nous. Ne pas faire de scène devant Sophie et son air suffisant, ça lui ferait trop plaisir. Attendre d'être à la maison. Je grommelle quelque chose d'incompréhensible et Maxim fronce les sourcils.

— Tu veux rentrer ?

— Ça vaudrait mieux.

Il se tourne vers Sophie.

— Ça m'a fait plaisir de te revoir.

— Moi aussi. Je te dis à bientôt.

Non mais ils se foutent de ma gueule ou quoi ? Embrassez-vous pendant que vous y êtes ! Je tire Maxim par le bras et l'entraîne vers le stationnement.

— Mais qu'est-ce qui te prend ? s'écrie-t-il.

— Qu'est-ce qui me prend ? À moi ? On aurait dit deux amants jouant une poignante scène d'adieu.

— Pardon ?

Sa voix est rieuse et sa nonchalance me donne envie de hurler.

— Je ne plaisante pas, Maxim !

— Attends, tu crois que Sophie et moi...

Il passe une main dans ses cheveux puis secoue la tête.

– T'es ridicule.

Sans me laisser le temps de protester, il glisse à l'intérieur de sa voiture et claque la portière. J'hésite une nanoseconde avant de me glisser sur le siège du passager et il démarre sans un mot. Il serre si fort le volant que ses jointures blanchissent. Je tourne la tête du côté de ma fenêtre et me mordille la lèvre inférieure. Aurais-je laissé mon imagination s'emballer un peu trop vite ? Qu'est-ce que j'ai vu, finalement ? Deux personnes qui discutaient. C'est tout. Ma rencontre avec Samuel m'a sans doute plus chamboulée que je ne l'aurais cru. Je ne sais plus quoi penser. Les rues défilent, quelques écureuils grimpent dans les arbres, et je ne sais toujours pas quoi penser. Un silence de plomb règne dans l'habitacle. Je crois que je suis en mauvaise posture...

Maxim gare la voiture dans notre allée et descend sans même m'attendre. Je remets le contact avec ma clé et allume la radio. Je vais rester ici jusqu'à ce que je sache quoi faire. Je sais, je suis ridicule, on vient juste de me le dire. Merci.

Je ferme les yeux, me laisse bercer par *Chasing cars* de Snow Patrol et les battements de mon cœur s'ajustent au rythme de la mélodie. On a tort de penser qu'une fois qu'on a trouvé l'amour, tout se règle comme par magie. Nos angoisses restent là, vaillantes, sournoises, prêtes à bondir et à nous clouer sur place à la moindre occasion.

– *Bon, ça suffit, maintenant, sors tes fesses de cette voiture et va rejoindre Maxim !*

Je rouvre les yeux et gronde :

– *Pourrais-tu arrêter de me sermonner chaque fois que tu t'adresses à moi ? Je ne suis pas sourde et je n'ai plus quatre ans !*

– On ne dirait pas, en te voyant bouder ici comme une gamine.

– Je ne boude pas.

– Qu'est-ce que tu fais, alors ?

– J'écoute Chasing cars, j'adore cette chanson.

L'univers s'étant ligué contre moi, l'animateur reprend l'antenne à peine ma phrase terminée. Je réprime un cri de rage.

– Et maintenant ? Quelle excuse vas-tu trouver ?

Est-ce que toutes les petites voix sont à ce point agaçantes, irritantes, exaspérantes ou la mienne fait-elle du zèle ? Peut-être est-elle en nomination pour l'oscar de la conscience la plus obsédante ?

– Isa, parle à Maxim. Dis-lui ce qui ne va pas, tu te sentiras mieux après. Tu sais bien que j'ai raison. Et plus tôt tu l'admettras, plus vite je repartirai.

Elle sait exactement sur quels boutons appuyer pour me faire marcher.

Je me décide à couper le contact et rentre à l'intérieur. Maxim est dans la cuisine. Une odeur de poulet au gingembre s'échappe de la poêle. Je m'assois sur une des chaises, autour de la table, et nous ne prononçons pas un mot pendant deux ou trois minutes. Seul le tac-tac-tac du couteau avec lequel il tranche des carottes en rondelles brise le silence. Il ouvre ensuite un paquet de préparation de sauce à la béchamel et verse le contenu dans une petite casserole remplie d'eau. J'essaie de trouver quelque chose à dire quand Maxim murmure, sans même se retourner :

– Je n'ai pas couché avec Sophie et je ne coucherai plus jamais avec elle.

Je m'apprête à lui répondre, mais il enchaîne d'une voix plus ferme :

– Je ne veux plus jamais que tu doutes de moi juste parce que tu me vois discuter avec une fille.

– Avec une ex, plutôt.

Il dépose son couteau et me fait face :

– Des ex, j'en ai des tonnes, tu l'as toujours su, mais je suis avec toi, je suis heureux avec toi.

– Vraiment ?

– Comment ça, vraiment ? Mais qu'est-ce que t'as, Isa ?

Je soupire et fuis son regard.

– Je ne sais pas trop. Je crois que j'ai peur que tu te lasses, que tu te rendes compte que le couple et tout ce que ça implique, ce n'est pas ce que tu voulais. J'ai peur que tu me trompes, que tu me quittes. Toutes ces filles qui sont passées dans ta vie sont tellement plus jolies, plus drôles, plus parfaites que moi.

– La perfection est ennuyeuse, tu sauras.

– Donc, tu es avec moi parce que je suis imparfaite ?

– Mais arrête ! Tu ne vois pas que tu les vaux toutes, ces filles, parce que je t'aime ?

Des larmes me montent aux yeux et Maxim m'attire contre lui.

– Mais qu'est-ce qui se passe, ma luciole ?

Tout en restant blottie contre son torse, je lui raconte l'épisode de la bibliothèque avec Samuel et puis Sophie qui le mange des yeux et qui lui touche l'épaule. Je lui parle aussi de tous ces scénarios ridicules que je m'invente et dans lesquels il se laisse séduire par le chant des sirènes. Tandis que je lui parle, je sens son corps se raidir.

– Premièrement, commence-t-il, Sophie sort avec un chargé de cours.

Je me redresse.

– Tu plaisantes ?

– Non. Deuxièmement, je veux que tu arrêtes tout ça et que tu aies confiance en moi. Il faut que tu aies confiance en nous, sinon notre relation ne marchera jamais.

– Je sais.

– Est-ce que je t'ai déjà donné des raisons de t'inquiéter ?

– Non.

– Alors ?

Je dépose un long baiser sur ses lèvres et me blottis encore plus fort dans ses bras. Je resterais là pour l'éternité. C'est tellement chaud, tellement doux, tellement rassurant. Comme une barrière contre le vrai monde. Maxim m'aime et je dois arrêter d'avoir peur.

* *

*

287

Deux heures plus tard, toute cette histoire n'est plus qu'un mauvais souvenir. Maxim pianote sur son ordinateur dans le salon et moi sur le mien, dans mon ancienne chambre reconvertie en bureau. Une fois les meubles agencés, j'ai placardé des dizaines de photos de Maxim sur les murs. Une véritable exposition qui me fait voyager. Il a un don. Un vrai don. Il saisit des choses que personne ne voit à part lui. Je ne suis peut-être pas la plus objective, mais je n'en démords pas. Je sais qu'il serait capable d'exposer ailleurs que dans cette pièce de douze mètres carrés. Je le sais et je donnerais cher pour qu'il s'y consacre tout son temps au lieu de devenir avocat. Avocat. Lui, si avare de mots la plupart du temps, comment pourrait-il plaider ? Il se destine plutôt à une carrière de juriste d'entreprise, mais je ne le vois pas en complet-cravate. Je ne le vois pas sans ses tee-shirts ni ses jeans. Et pourtant, il achève son mémoire, sa maîtrise aussi, et fin août, il intègrera l'école du barreau.

Je relève la tête et masse ma nuque tendue. Nos vies, à Maxim et moi, sont deux miroirs qui se reflètent l'un dans l'autre. Dans quatre jours, je dépose mon essai et je vais chercher un emploi. Nous enfermerons nos rêves quelque part en prenant soin de bien les verrouiller et de jeter la clé. C'est comme ça. Nous confronter à nos rêves nous fait peur, on préfère les rêver. C'est tellement plus facile, plus rassurant, plus parfait. Et si nous nous rendons compte que nous n'avons pas de talent en réalité ?

Je n'ai pas écrit une seule ligne de cet hypothétique roman coincé bien loin au fond de mon œsophage. Je n'ai pas eu le temps. Ce n'est qu'une excuse, même si ce n'en est pas une. Mon essai et mes deux derniers cours ont accaparé toute mon énergie cet hiver. Aujourd'hui, tout se conclut, mais qu'est-ce que je fais ? Je fais comme les autres. Je suis ce chemin qui a été tracé bien avant moi sans me poser de questions. Ou plutôt, en me posant des questions mais sans y apporter de réponses...

En ce moment, beaucoup de gens ont renoncé à vivre.
Ils ne s'ennuient pas, ils ne pleurent pas,
ils se contentent d'attendre que le temps passe.
Ils n'ont pas accepté les défis de la vie
et elle ne les défie plus.

Paulo Coelho

Chapitre vingt-trois

– Où vous voyez-vous dans cinq ans ?

Je tressaille mais tente de rester impassible. Je l'attendais, cette question, je m'y étais préparée, j'avais même appris par cœur ma réponse, comme pour toutes les autres.

Quelles sont vos principales qualités ? La débrouillardise, une bonne capacité d'adaptation et l'amour du travail bien fait.

Vos principaux défauts ? Ah ! la question piège : trouver un défaut qui est en réalité une qualité. Je n'aime pas cette question parce qu'elle appelle l'hypocrisie. Qui va dire la vérité ? Je suis incapable de prendre une décision et j'ai peur de me tromper et de souffrir. Comme tout le monde, mademoiselle, mais nous ne sommes pas chez un psy ici, recommencez. O.K., je suis parfois un peu trop méticuleuse et j'ai du mal à déléguer, je préfère traiter mes dossiers moi-même. C'est mieux, non ? Cela sous-entend que je suis une bosseuse et que mon assistante ne fera pas de *burn-out* à cause de moi. Car, oui, si je décroche ce poste de conseillère en recrutement pour lequel je passe en ce moment une entrevue, j'aurai mon assistante. Moi. Je devrai donner des ordres. C'est ma mère qui va être fière.

Où me vois-je dans cinq ans donc ? Au Québec ? En France ? Plongée dans une carrière de gestionnaire ? En train de courir les salons du livre et les séances de signature ? Pouvez-vous m'aider à décider ? Juste un peu ? S'il vous plaîîît ?

Je fais appel à ma mémoire pour retrouver ma réponse préfabriquée.

— Investie dans ma carrière, en train de relever des défis et à la tête d'une petite équipe.

Je réprime une grimace. Je n'aurais pas dû dire « petite », ça ne fait pas assez ambitieux. Oui, mais « équipe » seul, cela aurait pu faire présomptueux ; pourquoi pas « à votre place » aussi ? Certains ont peut-être cette audace, mais moi, je préfère la prudence.

Mon interlocutrice prend quelques notes, puis relève la tête avec un sourire engageant. L'ambiance est détendue tout en étant professionnelle. Madame Gagnon continue de me bombarder de questions, je réponds, parfois en improvisant, parfois avec les réponses que j'avais préparées et tout se déroule à merveille. Au bout d'une demi-heure, l'entrevue est finie et je suis satisfaite. Si je pouvais, je m'engagerais. Madame Gagnon se lève, me raccompagne jusqu'à la porte de son bureau, et nous nous serrons la main. Elle me promet de me rappeler dès le début de la semaine prochaine. Je la remercie pour son temps et me voilà dehors. Ne me trouvant qu'à cinq minutes de Place Laurier, je décide d'improviser une virée dans un magasin de lingerie coquine, quand ma petite voix surgit de nulle part :

— *Je peux savoir ce que tu fais* ?

— *Euh ! je viens d'essayer de me vendre pour me faire embaucher dans une grande entreprise et gagner plein, plein de sous.*

— Et notre rêve d'écrire un roman?

— Tu m'énerves.

— Mais on avait un deal.

Je ne réponds pas.

— On avait un deal, Isa !

Je soupire et tente de contenir cette sourde colère qui monte en moi. Résoudre mon dilemme shakespearien – écrire ou ne pas écrire, telle est la question – a déjà été bien assez difficile, je n'ai pas besoin qu'une conscience rabat-joie vienne remuer le couteau dans la plaie.

Je me concentre sur ma respiration pour chasser ce poids qui enserre ma poitrine mais finis par exploser :

— Je peux savoir ce que tu voudrais que je fasse ? Que je demande à ma mère de continuer à m'entretenir, le temps que j'écrive un roman qui ne verra peut-être jamais le jour ? Que je lui demande de financer d'éventuelles études en création littéraire ? T'imagines un peu : « Maman, pourrais-tu me payer une autre année d'études pour que je puisse m'inscrire au certificat en création littéraire et devenir ce que tu refuses tant que je devienne ? Allez, aide-moi à devenir écrivain ! » Je la vois d'ici s'extasier. Je n'ai pas envie de revivre notre dispute de Noël et, de toute façon, je ne peux pas rester étudiante toute ma vie, il faut savoir grandir.

— Ce n'est pas la question.

— Si, c'est la question ! Redescends sur terre, ma petite, et reçois la réalité de la vie en plein visage !

Je prends une profonde inspiration et décide de remettre mes achats à plus tard. Je n'en ai plus du tout envie. Je me demande bien pourquoi. Fichue voix ! C'est du harcèlement et je vais finir par porter plainte si cela continue ! J'attrape le bus de justesse, m'assois sur un siège près de la porte et dépose ma tête contre la fenêtre. Je veux ce poste, c'est tout. Voilà deux semaines que je suis devenue chercheuse d'emploi professionnelle, depuis que j'ai rendu mon essai, et les choses suivent leur cours. Choisir un domaine d'emploi s'est toutefois révélé presque aussi difficile que *Le Choix de Sophie*. La concentration de mon MBA m'a permis de toucher un peu à tout, du marketing à la comptabilité en passant par la gestion de projet, et c'est ce que je voulais. Je voulais me laisser le temps de décider de mon avenir professionnel. Aujourd'hui, c'est chose faite et je ne laisserai personne, surtout pas une partie de moi, remettre en question mes choix. Travailler au sein d'un service de ressources humaines, c'est l'alternative à ma vie d'écrivain qui m'attire le plus.

J'ai encore du mal à croire que j'ai fait ce choix, mais qu'aurais-je pu faire d'autre ? C'est difficile d'avoir des rêves et de refuser de les abandonner. Elle me fait rire, cette petite voix qui me crie que je me laisse emprisonner, qui se scandalise devant ce que la société a fait de moi. Arrête de t'époumoner et propose-moi donc une autre alternative !

Un quart d'heure plus tard, je descends du bus, ma colère envolée. Quand j'aurai un travail et que je me serai habituée à mon nouveau rythme de vie, j'écrirai mon roman. Je l'écrirai et, cette fois, je ne le remettrai pas à plus tard. Je me le promets. Plus d'excuses, plus de tergiversations, je vais le faire. Oui. Je vais le faire.

Je me sens soudain plus légère et je me mets à chantonner. Quel sujet ai-je envie d'aborder ? Quel style m'attire ? Le roman policier, le roman historique, les histoires d'amour ? Écrire sur ce qu'on connaît, c'est le premier conseil que j'ai pu repêcher sur Internet. Je pourrais écrire sur l'expatriation, sur les relations mère-fille, sur les rencontres sur Internet et inventer une belle histoire d'amour. Une belle histoire d'amour entre deux colocataires qui se tournent autour sans oser aller plus loin. Je suis encore en train de chanter lorsque je pousse la porte d'entrée. Mon cerveau fourmille d'idées et je me sens capable d'abattre tous les obstacles.

L'appartement est vide et je file sous la douche. En sortant, j'allume la radio et Pierre Lapointe s'invite dans ma chambre. Maxim arrive alors que je suis debout au milieu de la pièce, à la recherche de vêtements à mettre pour la soirée, et encore enroulée dans ma serviette. On s'embrasse. Longuement.

— Tu colles, je lui murmure en souriant.

— J'ai été faire mon jogging. Comment c'était, ton entrevue ?

— Bien, très bien même, enfin je crois. Je devrais avoir une réponse lundi ou mardi.

— Je suis sûr que ça va marcher.

Je lui souris et le regard de Maxim devient plus intense.

— Tu m'accompagnes sous la douche ?

— J'en sors.

— Et alors?

— Je vais être en retard.

J'ai rendez-vous avec Cécile et Marie-Anne dans moins d'une heure. Un long souper dans un restaurant rue Cartier pour rattraper ces dernières semaines où nous ne sommes presque pas vues, prises que nous étions par nos vies amoureuses. Nos conversations m'ont vraiment manqué. On s'appelait, bien sûr, et on se croisait à l'université, mais nous n'avions aucun cours ensemble. La session étant maintenant derrière nous, ce soir, notre trio reprend du service dans un bar à sushis.

Sans se soucier de mes protestations, Maxim me mordille l'oreille et épouse mon sein d'une main.

– Je suis certain que Cécile et Marie-Anne ne t'en voudront pas.

– Je ne parierais pas là-dessus.

Il glisse sa bouche sur ma nuque et dénoue ma serviette.

– Tu emploies les grands moyens, là.

– Tu veux que j'arrête ?

– N'essaie même pas.

Il m'entraîne dans la salle de bains et se déshabille à la hâte avant de me rejoindre dans la baignoire. Il promène le savon sur ma peau, m'enveloppe et son odeur m'attise. Nos respirations deviennent haletantes, nos corps se cherchent, nos langues se goûtent. Faire l'amour. C'est avec Maxim que j'ai compris le sens de cette expression. À chaque coup de reins, je me sens aimée, désirée, choyée, respectée, protégée, le monde pourrait se désintégrer que je ne m'en apercevrais même pas. Je lui murmure à l'oreille que je l'aime, il me répond que lui aussi. Je peux mourir maintenant, j'ai connu l'amour. Mais non, ne levez pas les yeux au ciel, souriez d'un air attendri, ce n'est pas quétaine, c'est la vérité.

*   *

*

296

Le bus s'arrête à l'intersection René-Lévesque et Cartier. Le soleil commence sa descente et une lumière orange colore le ciel. Je me dirige vers le Kimono et, en passant devant la fenêtre, j'aperçois Cécile déjà attablée. Je lui fais un signe de la main et me dépêche d'entrer. Nous commandons un apéritif en attendant Marie-Anne et, deux minutes plus tard, la serveuse dépose deux pina colada sur la table. Les cosmopolitains ne nous attirent pas ce soir. Nous avons envie de quelque chose de frais, au délicieux parfum d'été.

Cécile avale une gorgée de ce cocktail délicieusement sucré et me lance :

– Alors, la vie de couple, c'est comment ? Comme dans les films ?

Bonne question. La fiction s'inspire de la vie, dit-on, et pourtant... Non, c'est différent. J'essaie de formuler une réponse appropriée quand Marie-Anne arrive sur les chapeaux de roues et déclare d'un ton sans appel :

– La vie de couple, tu dis ? C'est l'enfer ! Franchement, c'est l'invention la plus stupide au monde.

Elle se laisse tomber sur une chaise à côté de Cécile, hèle la serveuse et désigne nos verres d'un mouvement de tête :

– Qu'est-ce que vous buvez ?

– Des pina colada.

Elle commande la même chose et finit par remarquer nos mines surprises.

– Quoi ? Ce n'est pas vrai, peut-être ? Le couple n'est pas l'invention la plus ridicule au monde ?

– Il faudrait que tu élabores.

– C'est Alexandre qui m'énerve.

– Ça, on avait compris.

Marie-Anne saisit le cocktail que la serveuse lui tend. Elle prend le temps d'y goûter avant de continuer :

– Je pensais qu'on envisageait le couple de la même manière et voilà que maintenant, il me trouve trop indépendante et trop froide. Je vous jure, les filles, les gars me désespèrent. Ils sont tous incapables de gérer une femme avec du caractère et une vie à elle. Alexandre me reproche de le caser dans mon agenda comme je case mes rendez-vous professionnels et de ne pas m'investir dans notre relation. Pourtant, dès le début on s'est entendus pour dire qu'on accordait tous les deux une grande importance à notre carrière.

Elle lâche un soupir.

– On commande ? J'ai faim.

En attendant nos plats, nous discutons tranquillement. Ce n'est que lorsque nos sushis arrivent que Marie-Anne revient sur le sujet qui la préoccupe, tout en détachant ses baguettes l'une de l'autre :

– Est-ce que c'est trop demander de vouloir garder une vie à soi, même quand on est en couple ? Je ne veux pas arrêter de voir Alexandre, mais il devrait comprendre que notre relation n'est pas la seule chose qui compte dans ma vie. Il dit que je me cache derrière mon boulot pour ne pas m'investir. Qu'il essaie donc de travailler quarante heures par semaine et de suivre deux cours à l'université !

Cécile me regarde avec un sourire. On pense toutes les deux à la même chose.

– Tu ne trouves pas de temps pour lui et tu es venue souper avec nous ? je lui demande.

– Il faudrait que je sacrifie mes amies en plus ? Je ne vous ai pas vues depuis des semaines.

– Je n'ai jamais dit ni même pensé ça. Seulement, reconnais que si tu trouves du temps pour nous, tu devrais en trouver pour lui.

– Je ne comprends pas. Il faudrait que je le voie tous les jours et qu'on reste collés l'un contre l'autre toutes nos fins de semaine? C'est ça, la vie de couple?

– Tu n'en as pas envie ?

Moi, je ne remplirais ma vie que de ça si je pouvais. Que des baisers de Maxim. Tout ce qui est autour est tellement compliqué. Gérer les mauvais jours, les sautes d'humeur, la jalousie, l'avenir, ça m'épuise.

Marie-Anne hausse les épaules mais ne répond pas. Elle se contente de jouer avec ses baguettes. J'insiste :

– Tu es amoureuse de lui ?

Elle reste concentrée sur ses deux petits bouts de bois.

– Marie ?

Elle relève ses yeux vers moi et me jette presque avec colère :

– Oui, je l'aime, et après ? Ça ne justifie pas que je le fasse passer en premier dans ma vie !

– Tu préfères te concentrer sur ta carrière ?

– Je ne priorise rien, je gère les deux comme je peux.

– Peut-être, mais l'amour est égoïste. Il attend de nous un don total, il exige qu'on se consacre à lui et rien qu'à lui, surtout au début, et c'est non négociable.

– Ben il m'emmerde ton amour !

Je hoche la tête d'un air entendu en pinçant les lèvres.

– Ce n'est pas facile l'intimité amoureuse, pas vrai ? Laisser l'autre entrer vraiment dans notre vie ?

Toujours hypnotisée par ses baguettes, elle marmonne un non presque inaudible. Je sais ce que c'est. J'aime Maxim et je savais qu'il était possible d'aimer comme je l'aime, mais construire une relation, ce n'est pas seulement une question d'amour.

Quelques makis, hosomakis et futomakis plus tard, la fin de la relation de Cécile et Brad Pitt accapare notre attention. Ils ont continué à se voir après mon anniversaire. Cécile tentait de mettre de la distance entre eux, mais il s'est accroché.

– J'aurais dû me montrer plus ferme, poursuit-elle, seulement j'avais envie de sa présence. Ce n'était pas juste sexuel, je suis humaine après tout. Ça me faisait du bien d'avoir quelqu'un. Mais P.-O. a cru que je m'attachais à lui. Quand il a compris qu'il ne serait jamais mon chum, il m'a balancé des choses assez horribles. Il m'a dit que je m'étais servie de lui, que ça me rassurait de voir que je pouvais encore faire de l'effet à un gars plus jeune. Comme si j'avais cinquante ans. J'ai mis ça sur le compte de la colère, mais plus j'y pense et plus je me dis qu'il avait raison.

– Non, proteste Marie-Anne, comme tu l'as si bien dit, tu es juste humaine. C'est lui qui s'est monté un film en pensant à vous deux.

Cécile tourne la tête vers moi et j'acquiesce.

– Tu ne lui as jamais menti. Tu l'as avisé dès le début que tu sentais que le fossé entre vous était trop grand pour que votre relation marche, le reste n'est pas de ta faute. Et puis, pour une fois que ce sont les gars qui se font des films, on ne va pas s'en plaindre. Il a vingt ans, Cécile, il s'en remettra.

– Ouais. J'espère seulement que la prochaine fille qu'il va rencontrer n'en bavera pas à cause de moi.

Ah ! la belle Cécile. Toujours à penser aux autres. Marie-Anne et moi tentons encore de chasser cette culpabilité qui l'anime jusqu'à ce qu'elle se décide à sourire. Elle évoque ensuite ses prochaines vacances en France. Elle s'envole pour l'Hexagone dimanche jusqu'en septembre. Sa mère et son beau-père passeront tout le mois d'août en Camargue, et Cécile se réjouit de pouvoir passer ses journées à cheval. Depuis cinq ans, elle est monitrice d'équitation pour un club après avoir passé presque toute son enfance à cheval et elle retrouve les mêmes personnes d'année en année.

– Je vais en profiter pour faire le point sur ce que je veux. Réfléchir à son avenir en randonnée dans une forêt ou un verre de limonade à la main sur une plage, on a vu pire, non ?

Nous quittons le Kimono vers vingt-deux heures. Marie-Anne sent qu'une longue conversation avec Alexandre s'impose et quand elle décide quelque chose, ça ne peut pas attendre. Nous souhaitons d'excellentes vacances à Cécile puis nous nous séparons. J'arrive à la maison une demi-heure plus tard et retrouve Antoine dans le salon.

– Qu'est-ce tu fais là ?

Il prend un air faussement vexé.

– Ah ! ça y est, je suis resté trop longtemps chez vous et tu n'es plus capable de m'endurer !

Je secoue la tête en riant et m'assois près de lui. Antoine est resté chez nous jusqu'à la mi-session. Après ses examens, il s'est déniché un appartement en colocation et a décidé qu'il était temps qu'il arrête de nous chaperonner.

– Maxim m'a appelé pour savoir si je voulais passer.

– Qu'est-ce que vous avez fait ?

– On est allés aux danseuses.

Je me renfrogne, lance un regard déjà courroucé à Antoine qui éclate de rire.

– Mais non, je plaisante ! On est tombé sur des épisodes de *CSI*, on a bu quelques bières et on a jasé.

Il hausse les sourcils et s'informe sur un ton taquin :

– Alors, comme ça, mon frère ne peut plus aller aux danseuses ?

– S'il veut voir danser une fille toute nue, qu'il me regarde, moi.

Le sourire d'Antoine s'étire jusqu'aux oreilles.

– Tu lui fais des danses privées ?

– Euh... on va se garder une petite gêne, comme vous dites ici.

Il rit encore et enchaîne :

– Parle-moi donc de Cécile. Comment va-t-elle ?

– Bien, elle part en France dimanche.

– Ah oui ?

Étonnée par le son de sa voix que je sens un brin déçu, je me retourne vers lui.

– Quoi ? Elle va te manquer ?

Ses joues se colorent et il se met à triturer l'accoudoir du canapé.

– Non, non, je suis juste surpris.

– Mmm !

– Quoi, mmm ?

– Elle te plaît, Cécile ?

– Pas du tout, arrête !

– Mon Dieu, elle te plaît vraiment, t'es en train d'arracher le tissu de mon canapé !

Il sursaute, enlève sa main et s'excuse.

– Ne sois pas gêné parce que tu es attiré par Cécile.

Il se remet à jouer avec les fils de couture de l'accoudoir.

– Oui, mais je suis plus jeune qu'elle.

Ouais, il n'a peut-être pas tort. Antoine a beau n'avoir que deux ans de moins que Cécile, après sa mésaventure avec P.-O., je ne suis pas certaine que se relancer dans une relation avec quelqu'un de plus jeune puisse la tenter. Est-ce qu'Antoine pourrait lui plaire ? Ils s'entendent à merveille tous les deux et, en y réfléchissant bien, je trouve qu'ils feraient un couple idéal. Ils ne se feraient pas de mal parce qu'ils ont tous les deux à cœur le bonheur des autres. Plus que leur propre bonheur parfois. Oui, plus j'y pense et plus je me dis que Cécile et lui feraient un couple idéal.

Je sautille sur le sofa comme une enfant.

– Il faut que tu tentes ta chance, je suis sûre que ça pourrait marcher entre vous.

– Je ne sais pas.

– Je ne vais pas te mentir, il se peut que votre différence d'âge la rebute un peu, mais il faut que tu essaies. Vous vous entendez comme larrons en foire tous les deux et qui ne tente rien n'a rien, pas vrai ? Est-ce que tu veux son adresse email pour lui écrire ?

– Tu ne voudrais pas tester le terrain, plutôt, et voir si j'ai mes chances ?

– Elle ne va pas te manger.

– Je sais, mais je ne suis plus vraiment habitué à la drague, la séduction et tous ces trucs-là. En plus... je crois que mon ex a détruit le semblant de confiance que j'avais en moi.

Je l'observe, les sourcils froncés.

– Tu essaies de m'attendrir ?

– Euh... oui. Ça marche ?

J'éclate de rire.

– Ça a failli.

Il me tend la paume de sa main.

– Allez, donne-la-moi, son adresse !

– On a du papier, tu sais.

– Non, je trouve ça romantique.

Il est vraiment incroyable, Antoine. Je fouille dans mon sac à la recherche d'un stylo, retire le capuchon et m'applique à écrire lisiblement sur sa peau avec un feutre noir.

– Et voilà !

Il contemple sa main comme si je venais de dessiner la Joconde. Subitement intriguée, je balaie la pièce du regard et aperçois Maxim sur le balcon, assis sur une chaise, une bière posée entre les jambes.

– Antoine, pourquoi ton frère est tout seul dehors ?

– Oh... euh...

– Quoi ?

Antoine grimace.

– Il y a une demi-heure, j'ai reçu un appel de Louise sur mon cellulaire.

– Louise ?

– Notre mère.

Ah ! Oui. Je vois.

Dans un couple, peut-être que l'important n'est pas de vouloir rendre l'autre heureux, c'est de se rendre heureux et d'offrir ce bonheur à l'autre.

Jacques Salomé

Chapitre vingt-quatre

De moi à Lucie :

« *Objet : Départ dans trois semaines !*

As-tu commencé à faire tes valises ? Non, c'est peut-être encore un peu trop tôt. Je suis tellement contente d'avoir pu négocier deux semaines de congé sans solde pour que tu puisses venir me voir et qu'on parte faire le tour de la province ensemble ! Tu imagines ça, en France ? Demander un congé, même sans solde un mois après avoir commencé à travailler ? Je me serais fait rire au nez.

Je suis surexcitée, tu vas voir, le Québec, c'est splendide, on va passer deux semaines magiques. Maxim a décidé de passer le mois d'août à La Malbaie chez son père, on s'y arrêtera quelques jours. J'ai tellement hâte que tu le rencontres enfin et que tu tombes sous son charme, mais pas trop, hein ! Il me rend heureuse, Lucie, tu n'imagines même pas. Ce n'est pas facile tous les jours, j'ai encore peur souvent de le perdre, et il est tout aussi borné que moi. Il ne veut vraiment rien entendre à propos de sa mère. D'ailleurs, on a failli se disputer à cause de ça il y a quelques semaines. Je ne t'en ai pas parlé parce que je sais que Maxim n'aimerait pas savoir que je te raconte notre intimité. Mais je te dis tout depuis qu'on a douze ans et rien ne changera ça. Et puis, j'ai besoin de conseils parce que ça me mine de le voir réagir comme ça dès qu'on évoque sa mère.

Il ne lui a pas parlé depuis plus de dix ans, depuis le jour où elle a quitté La Malbaie. Il refuse de la prendre au téléphone ou d'ouvrir ses lettres. Son intransigeance le pousse même à se brouiller avec Antoine lorsque celui-ci revient d'un séjour chez sa mère. Sylvain, le grand frère de Maxim, a quelques contacts avec elle, rien de chaleureux, mais au moins il en a. Seul Maxim s'entête. Quand je lui ai suggéré d'essayer de lui pardonner, tu sais ce qu'il m'a dit ? "Louise est morte pour moi depuis le jour où elle nous a quittés, préférant suivre ses caprices d'adolescente plutôt que de rester avec son mari et ses enfants." Ça m'a toute chamboulée à l'intérieur. Moi aussi, j'en ai voulu à mon père, mais jamais au point de le considérer comme mort. C'est un pas que je me suis toujours refusée à franchir.

Sa mère a grandi à la campagne en rêvant d'une vie urbaine, de défis professionnels et de succès. Féministe d'avant-garde, elle voulait tout : une famille et une carrière. Elle avait dix-neuf ans, elle était amoureuse de Martin et elle essayait de le convaincre de la suivre. Et puis elle est tombée enceinte et ils se sont mariés. C'était ce qu'il fallait faire. Martin a repris la scierie familiale et Louise a fait ce qu'on attendait d'elle durant dix-huit ans. Elle a donné un fils à son mari, puis encore deux autres. Maxim m'a dit une fois qu'elle n'avait pas l'air malheureuse. Au contraire, elle était une mère quasiment parfaite, mais que sait-il de ce qu'elle ressentait vraiment ? C'était peut-être ce qu'il voulait voir.

Maxim s'en allait sur ses quinze ans quand ils sont tous partis à Montréal pour des vacances. C'est là que sa mère a croisé son amie d'enfance qui, elle, s'était installée dans la métropole. Les choses n'ont plus jamais été les mêmes après. Ses parents n'arrêtaient plus de se disputer et, presque jour pour jour, un an après ce voyage à Montréal, Louise a rassemblé ses affaires. Elle a réuni ses fils et a essayé de leur faire comprendre qu'il fallait qu'elle parte, que c'était sa dernière chance de savoir si elle pouvait avoir la vie dont elle rêvait, qu'elle ne déménageait pas si loin que ça et qu'ils continueraient à se voir. Ils pourraient même vivre avec elle s'ils le souhaitaient. Les cégeps et les universités de Montréal étaient parmi les meilleurs de la province. Elle a pleuré et puis elle est partie. Elle a été embauchée comme secrétaire dans l'entreprise où travaillait son amie d'enfance et, petit à petit, elle a gravi les échelons. Elle s'est inscrite à l'université, a mis presque six ans pour obtenir un baccalauréat en communication, est devenue bilingue, et s'est vu ensuite proposer un poste de responsable des relations publiques pour une multinationale à New York. Antoine m'a dit qu'elle a hésité pendant plusieurs semaines avant d'accepter. Elle espérait encore que sa relation avec Maxim et Sylvain s'arrangerait, mais les enfants peuvent être bien cruels. Beaucoup plus que les parents. Elle s'est rendue à l'évidence et a finalement déménagé. Deux ans plus tard, elle se mariait avec un Américain. Ils vivent à Long Island et tiennent une galerie d'art à New York. Une belle histoire de succès. Je suis même assez impressionnée. Voir tout ce que l'être humain est capable de faire quand il poursuit un but. Évidemment, je ne l'ai pas dit à Maxim.

Lorsque je suis rentrée le soir où on a failli se disputer, Antoine venait de recevoir un coup de téléphone de Louise sur son portable. Après son départ, j'ai essayé de parler à Maxim. J'ai essayé de lui expliquer que tourner la page sur un passé douloureux est essentiel pour avancer, mais il n'a pas du tout été réceptif. Il m'a demandé assez sèchement de me mêler de mes affaires. J'ai préféré battre en retraite et nous n'en avons plus reparlé. J'ai tellement mal pour lui, Lucie, je voudrais tellement que les choses s'arrangent entre eux. Qu'est-ce que je dois faire ? Qu'est-ce que tu ferais, toi, à ma place ?

Mon Dieu, je t'ai écrit un véritable roman ! Si je pouvais être aussi loquace quand j'essaie d'écrire vraiment. Je n'y arrive pas, Lucie, j'essaie, mais je n'y arrive pas, je ne fais que procrastiner et c'est assez déprimant.

Bon, je te laisse avant de me mettre à pleurer ! À dans trois semaines, ma belle !

Isa xxx »

De Cécile à moi :

« *Objet : Antoine !*

Dis donc, toi, tu joues les entremetteuses ? J'ai reçu un mail d'Antoine hier dans lequel il m'avoue que je le fais craquer et qu'il aimerait me connaître mieux. Pour tout te dire, j'ai trouvé ça adorable, je sentais sa timidité flotter autour des mots. Mais Isa, il est plus jeune que moi, à quoi as-tu pensé ? Je l'aime beaucoup, Antoine, c'est vrai, il me fait rire, et le courant passe bien entre nous, mais ça ne peut pas aller plus loin. Il a vingt-trois ans et en plus il vient de sortir d'une histoire difficile. Je n'ai pas du tout envie d'être sa fille de transition. Tu sais, celle qu'on voit pour oublier celle qu'on a aimée et qui nous a brisé le cœur.

C'est dommage parce que plus j'y réfléchis en t'écrivant, plus je le trouve adorable. Il est prévenant, il ne ferait pas de mal à une mouche, et en même temps, il sait ce qu'il veut et il ne se laisse pas marcher sur les pieds. J'aime ça, la dualité... Ah ! mais qu'est-ce que tu me fais dire ? Je ne peux pas être avec Antoine. De toute façon, est-ce qu'il m'attire physiquement ? Oui, quand même, il me fait penser au gars qui joue Jack dans Dawson, sans le côté gay... et j'ai toujours craqué pour Jack !

Bon, tout ça, c'est de ta faute ! Tu m'envoies Antoine dans les jambes, et maintenant voilà que je me rends compte qu'il me plaît et que je suis contente de savoir qu'il pense à moi tout le temps. Tu te rends compte qu'il a osé m'écrire ça ? « Je pense à toi tout le temps. » Quel gars avoue ça de nos jours ? Eh bien, je suis dans de beaux draps ! Qu'est-ce que je fais ? Est-ce que tu crois que ça pourrait marcher avec lui ? QU'EST-CE QUE JE FAIS ?

Cécile »

De moi à Cécile :

« Objet : Re-Antoine !

Eh bien, il a mis le temps ! Un mois avant de se décider à t'écrire, il est encore plus lent et indécis qu'une fille. Si ça se trouve, il s'est même fait une liste de pour et de contre ! Je l'adore, Antoine.

Quant à savoir ce que tu fais, tu fonces, c'est tout ! Tu te rappelles ce que tu m'as dit quand je ne savais pas quoi faire pour Maxim ? "On se remet d'une peine d'amour, Isa." L'important, c'est de vivre ce qu'on a à vivre. Si j'ai donné ton adresse email à Antoine, c'est parce que je savais que ça pourrait marcher entre vous, fais-moi confiance, je suis une bonne entremetteuse ! Tu m'as toujours dit que tu voulais tomber amoureuse d'un gars comme toi, respectueux de ce qui est bien et ce qui est mal, et qui fait les choses de la bonne manière. Eh bien, c'est Antoine. Il n'abusera jamais de ta gentillesse ni de ta confiance comme les autres ont pu le faire. Fonce, Cécile, mais ne lui brise pas le cœur. Maxim m'en voudrait à mort et Antoine ne mérite pas ça. Et puis, ne t'inquiète pas, son histoire avec son ex est derrière lui. Des filles de transition, il en a eu plusieurs quand il sortait dans les bars avec son frère. Il est prêt pour une relation sérieuse. Toi aussi. Aimez-vous et faites plein de bébés. Enfin, aimez-vous d'abord, les bébés, ça peut attendre un peu.

À part ça, est-ce que ton voyage en France t'aide à voir plus clair dans ce que tu veux faire après ta maîtrise ? Rester au Québec ou reprendre ta vie à Paris ? Ta famille en pense quoi ? Le Québec, c'est seulement sept heures d'avion et ça peut faire du bien de se couper de sa famille quelques années. Ça permet de grandir et de devenir soi-même.

Bonne chance dans cette quête, ma belle, je sais que ce n'est pas facile. Tiens-moi au courant pour Antoine et profite bien de la France pour moi. N'oublie pas mes biscuits à la noix de coco et mon marbré au chocolat ! Je te le dis, avec le nombre de Français qui vivent au Québec, on devrait s'ouvrir une épicerie où l'on ne vendrait que des choses importées de la France, on ferait fortune.

À très vite ! Isa xxx »

De Lucie à moi :

« *Objet : Départ dans deux semaines !*

Ça arrive vite, je n'en reviens pas ! Désolée pour cette réponse tardive, mais Justin et moi sommes partis à Nice quelques jours sur un coup de tête. Il n'était pas franchement ravi de savoir qu'on ne passerait pas nos vacances ensemble, alors on s'est organisé une semaine en amoureux. Après avoir fait des pieds et des mains auprès de son boss, il a réussi à avancer sa première semaine de vacances. Nous avons cherché une chambre dans un petit hôtel à Nice et nous sommes partis. On a passé sept jours extraordinaires, dont un à Monaco, parmi la jet-set, *enfin pas parmi, à côté ! Tout ce luxe, ouch ! c'est indécent !*

On est rentrés hier et Justin fait à nouveau la gueule en pensant à mon départ. Tant pis, notre road-trip *est prévu depuis bien trop longtemps et j'ai envie de te voir. J'ai si hâte de découvrir ce pays qui t'éloigne de nous depuis si longtemps et qui, je le sens, va te garder encore plusieurs années. Je ne te le reproche pas, tu sais, même si ce n'est pas facile de me dire que ma meilleure amie s'installe dans une vie à six mille kilomètres de moi, avec un copain, un appart et un travail. Enfin, vive Skype et Internet !*

Je suis tellement excitée par ce voyage ! Je veux vivre tous mes vieux clichés du Canada. Je veux voir des ours, adopter des écureuils, vivre dans une cabane au fond des bois, enfin, tu vois le genre ! Je compte les jours !

Ça va nous faire du bien de nous aérer un peu, Justin et moi, pour que notre relation ne retombe pas dans la routine qui l'a saccagée ces dernières années. Je sais qu'il va finir par s'en rendre compte. Il part avec son frère en Croatie, la nouvelle destination pas chère à la mode. Ils devraient bien s'amuser.

Ah oui ! il faut que je te dise ! Marjorie et son copain parlent d'emménager ensemble ! Ils se sont rencontrés il n'y a même pas sept mois ! À ce rythme-là, ils vont nous faire un petit d'ici l'été prochain. Mais ça fait tout de même du bien de voir que des choses un peu folles peuvent se produire dans la vie. Le coup de foudre longue durée existe. Elle sait que c'est rapide, elle sait que c'est risqué, mais elle ne veut pas s'empêcher de vivre quelque chose sous prétexte que ce n'est pas raisonnable. Et, tu vois, je suis plutôt d'accord avec elle. On devrait plus souvent vivre sans se poser de questions et en écoutant nos instincts.

Concernant Maxim et sa relation avec sa mère, je crois qu'il vaut mieux que tu ne te mêles pas de ça. C'est une histoire difficile, compliquée, remplie d'émotions parfois contradictoires. Lorsque le temps viendra, ils se reparleront, sinon, c'est qu'il devait en être ainsi. On se doit d'assumer nos choix jusqu'au bout, même quand les choses ne se passent pas comme on l'avait prévu. Sa mère a refait sa vie, elle a sacrifié sa relation avec ses enfants, et ce n'est pas à toi d'essayer de trouver une solution. Voilà mon conseil. À suivre ou ne pas suivre, tu décideras, mais rappelle-toi qu'à force de jouer avec le feu, on finit par se brûler.

J'ai tellement hâte de le rencontrer, ton Maxim, j'ai l'impression de le connaître déjà par cœur tant tu me parles de lui depuis plus d'un an. Je dois t'avouer que j'avais quelques craintes au début, vu son comportement avec les filles. Mais je ne t'ai jamais sentie aussi épanouie et je sais que ce n'est pas grâce à ton boulot, ni à ta *nouvelle relation avec ton père, ni aux décisions que tu as enfin prises concernant ton avenir. Je sais que c'est grâce à lui et votre relation, alors je me dis qu'il est parfait pour toi. Fais taire tes peurs, éteins ta jalousie, ferme les yeux et savoure.*

À dans quatorze jours !

Lucie »

Ne pas me mêler de cette histoire. Oui, ce serait la meilleure chose à faire, ce n'est pas à moi d'essayer de tout arranger. Ni à Antoine. D'ailleurs, il faudrait que je lui parle, à lui. Espérons juste que Cécile détourne suffisamment son attention pour qu'il arrête de se casser la tête afin de trouver un moyen d'amener Maxim à pardonner à sa mère.

Antoine et Cécile.

Je croise les doigts pour que ça marche, on pourrait devenir belles-sœurs, elle et moi. On pourrait faire des sorties à quatre, des sorties à six, même, avec Alexandre et Marie-Anne. Leur relation s'est arrangée. Marie-Anne a compris que l'amour ne se casait pas dans un agenda, et que si elle voulait que ça marche – et elle le voulait –, elle allait devoir faire des efforts.

Toutes mes amies sont en couple, maintenant. Nathalie et copain numéro un, Marjorie et copain numéro deux, Christelle et copain numéro trois. Marjorie est même prête à vivre avec copain numéro deux. Qui l'aurait cru ? Elle est vraiment devenue imprévisible ces derniers mois, mais on dirait bien qu'elle est heureuse. La vie finit toujours par démêler les choses et nous donner ce qu'on veut. Elle m'a donné Maxim. Heureusement, sinon je serais sur le point de m'immoler par le feu.

315

– Isa, il faudrait qu'on se fixe une rencontre pour discuter du Carrefour de l'emploi de l'Université Laval qui a lieu en septembre.

Karine, une collègue avec laquelle je travaille en étroite collaboration, me sourit depuis le seuil de mon bureau. Je me remets en mode travail, démêle ce qu'elle vient de me dire et lui réponds :

– Oui, c'est vrai, je vais demander à Chloé qu'elle nous organise une réunion. Mais tu sais déjà ce que je pense : le Carrefour de l'emploi est trop général pour nous. Rencontrer des étudiants en pharmacie ou en génie civil, c'est une perte de temps. Organiser un cinq à sept avec des étudiants en administration, ça c'est mieux.

– Sans doute, oui, mais on en rediscutera. J'attends ta convocation pour notre réunion.

Karine disparaît et je rédige un bref courriel à Chloé, mon assistante, pour qu'elle s'occupe de tout ça. J'ai une assistante. De vingt-deux ans. Et j'ai un bureau avec mon MBA encadré sur le mur. Je suis conseillère en ressources humaines. Je commence à huit heures trente et finis à seize heures trente. Je prépare tous les soirs mon repas du midi que je glisse dans ma boîte à lunch. Je reçois un salaire assez conséquent sur mon compte toutes les deux semaines, de la part d'une entreprise spécialisée en assurance. Je fais partie des statistiques. J'entre dans la catégorie des vingt-cinq-trente-quatre ans, diplômés de l'université, avec un salaire supérieur à la moyenne nationale.

Je jette un coup d'œil à ma montre et rassemble mes affaires. Mon assistante – je ne m'y ferai jamais – a déjà quitté son bureau. Je salue quelques collègues tout en me dirigeant

316

vers la sortie et m'engouffre dans un ascenseur déjà surchargé. Je tente de préserver mon espace vital et fixe la petite lumière qui défile sur le numéro des étages. Je guette ce petit dring qui retentit au moment de l'ouverture des portes. Lorsque l'ascenseur termine sa course, je replace mon sac sur mon épaule et me fonds dans la foule avec un soupir. Et dire que demain il faudra recommencer. J'ai choisi la sécurité. J'ai choisi cette routine. J'ai choisi ce travail. Mais souvent, le matin, quand j'arrive, ou le soir, en partant, je me demande ce que je fais là.

Le lundi suivant mon entrevue, madame Gagnon m'a appelée pour me dire que j'étais engagée et, le lendemain, je signais mon contrat. Dix jours plus tard, le temps de recevoir mon permis de travail, j'intégrais l'équipe des ressources humaines en tant que conseillère junior. Depuis, je fais de la figuration dans ma propre vie.

Maxim commence sa formation à l'école du barreau à la fin de l'été et, ensemble, nous allons entrer dans d'autres statistiques. Jeune couple professionnel ou semi-professionnel sans enfant. Vous prendrez bien un condo avec ça, une voiture neuve, un chalet et des REER tant qu'à y être ? Et n'oublions pas le chien ! Caniche racé ou chihuahua ?

C'est quand que ça commence, la vraie vie ? C'est quand ? Si je ne tente pas de réaliser les choses les plus folles de ma vie maintenant, alors que je n'ai ni enfants et ni réelles responsabilités, je ne le ferai jamais. Le problème, c'est que je n'arrive pas à écrire. Je suis fatiguée après le travail, je mets mon cerveau en pause toute la soirée, et le week-end, je ne fais que procrastiner. Je m'assois devant mon ordinateur et, au bout d'une demi-heure, je me retrouve en train de commenter quelques billets sur des blogues. Au moins, j'écris, pas vrai ?

Mais il n'y a pas que ça. Je me suis habituée à mon train de vie, à ma sécurité financière et, surtout, à lire de l'approbation dans les yeux des autres. Ma mère est si fière de moi. Je l'entends dans sa voix. Et ça me fait du bien. Sa fierté me console de mon incapacité à écrire. Celle de mon père aussi.

Depuis ce court email dans lequel je lui disais que je voulais me rapprocher de lui, nous nous écrivons de temps en temps. Je suis contente qu'Internet existe parce que je ne me sens pas encore prête à lui parler au téléphone. Je lui raconte quelques anecdotes sur ma vie et je réapprends à le connaître. Je fais le deuil de notre relation passée pour pouvoir me concentrer sur celle que nous bâtissons, assez difficilement, il faut bien le dire, depuis trois mois. Il n'a pas été là le reste de ma vie d'enfant, ni au début de ma vie d'adulte, mais une partie de moi veut qu'il soit présent maintenant. L'autre est encore en colère. Quand on l'a été pendant seize ans, impossible de ne plus l'être du jour au lendemain. Mais je suis résolue à regarder en avant et j'ai même eu envie d'en apprendre un peu plus sur ma petite sœur.

Ophélie est comme toutes les adolescentes, elle voudrait envoyer balader ses parents, elle se cherche et se pose des questions sur son avenir. Celles concernant son orientation professionnelle reviennent souvent. Que lui dire ? N'écoute que toi ? Suis tes rêves avant qu'il ne soit trop tard ? J'aimerais tellement pouvoir être capable de les suivre, ces conseils. Quitter mon travail, ou au moins passer à temps partiel, manger des pâtes à tous les repas, sauter le souper, ne pas savoir comment payer le loyer. Maxim essaierait de vendre ses photos et moi, j'écrirais des romans populaires. Un remake de *La bohème* de Charles Aznavour, version québécoise. Ouais. Je ne sais pas si cette existence me plairait davantage. Un juste milieu, c'est possible ?

Apparemment, non. Je me console en pensant que je commence à avoir une vraie famille. Quand les mots « il faut que j'écrive à mon père ou ma sœur » s'entremêlent dans ma tête, c'est encore assez étrange, mais ça me fait chaud au cœur.

La vie quotidienne aliène et voile la vraie vie,
la vie quotidienne permet trop de compromis.

Hélène Rioux

Chapitre vingt-cinq

— Antoine, c'est une très mauvaise idée.

Je dépose mon chandail dans le sac de voyage posé sur le lit et me retourne vers lui. Il fixe le sol en se tordant les mains et balbutie :

— Je sais que c'est risqué, mais...

— Risqué ? C'est Tchernobyl 2 que tu prépares ! Que *vous* préparez, ta mère et toi !

Il lève les yeux vers moi.

— Mais on n'a pas le choix ! Ça fait plus de dix ans qu'elle ne lui a pas parlé. Dix ans sans aucune nouvelle, tu te rends compte de ce que c'est ? Alors je m'excuse, mais ça va faire, ses conneries, à Maxim, il faut le secouer, il n'y a pas d'autre solution.

Je soupire et me laisse tomber sur mon lit. Antoine aurait dû garder tout ça pour lui, il me met dans une de ces situations. Je lui ai dit et redit que je ne voulais plus être mêlée à ces histoires avec leur mère, et maintenant me voilà prise entre deux feux. Est-ce que quelqu'un pourrait se pencher sur la question d'une machine à remonter le temps ? Et ne me dites pas que c'est impossible ! On a bien marché sur la Lune. Je donnerais tout pour n'être encore que cette jeune femme qui préparait son sac en vue de ses vacances avec sa meilleure amie. Cette jeune femme qui bavardait avec le frère de son chum en attendant que ce dernier revienne de l'épicerie.

– Isa, tu ne crois pas que Louise a droit à une deuxième chance? Tu ne crois pas que Maxim devrait lui parler ?

Bien sûr, qu'il devrait. Dans le meilleur des mondes, il devrait reprendre contact avec sa mère. Mais il se trouve où, ce monde-là ?

– Tu te rends compte de ce que vous vous apprêtez à faire ?

Louise veut reprendre contact avec Maxim coûte que coûte. Il est le seul de ses fils à ne lui avoir jamais reparlé depuis qu'elle a quitté La Malbaie, et elle ne supporte plus de rester loin de lui. Elle vit avec le souvenir de l'enfant et de l'adolescent qu'il était, sans connaître l'homme qu'il est devenu. Tout ce qu'elle sait de lui, c'est ce qu'Antoine lui raconte. Durant toutes ces années, elle a attendu et espéré qu'il fasse le premier pas ; aujourd'hui, elle sait qu'il ne le fera pas et qu'elle doit prendre les choses en main. La semaine passée, elle a acheté un billet d'avion pour Québec et a loué une chambre d'hôtel sur le boulevard Laurier. Maintenant, elle voudrait qu'Antoine et moi entraînions Maxim jusque dans un restaurant pour qu'elle puisse lui parler. Elle se doute qu'il ne sera pas ravi, mais elle espère qu'il se rappellera qu'elle est sa mère. Malgré tout. Elle ne voit pas qu'elle s'apprête à marcher sur un champ de mines. Elle refuse de le voir. Antoine aussi.

Depuis le soir où Louise l'a appelé sur son cellulaire, il me bassine avec elle. Il a d'abord voulu que je parle à Maxim. Toi, il t'écoutera, qu'il disait. Et voilà qu'aujourd'hui, il m'arrive avec un plan suicidaire. J'ai essayé de parler à Maxim et je me suis heurtée à un mur. J'ai alors dit à Antoine de laisser tomber, d'attendre, encore, que le temps fasse son œuvre et que son frère pardonne à leur mère de lui-même. Je ne dois pas être très convaincante. Et si je retentais ma chance ?

– Quand j'avais onze ans, ma mère a voulu me forcer à passer une semaine chez mon père. Je peux te dire qu'elle ne l'a jamais oublié.

– T'étais jeune, Isa.

– Peut-être, mais Maxim réagira de la même façon, tu ne le vois pas ? Tu voulais avoir mon avis, je te le donne : empêche ta mère de faire ça.

Il soupire. J'ai l'impression qu'une chape de plomb vient de tomber sur mes épaules.

– Je suis désolée, mais je n'entraînerai pas Maxim au restaurant demain soir.

– Isa...

– Je ne peux pas, Antoine. Allez-y sans moi.

– Si tu es là, tu pourras l'aider à se calmer et le convaincre de parler à Louise.

– Tu surestimes mon ascendant sur ton frère.

– Non, c'est toi qui le sous-estimes, et à deux, on y arrivera mieux. S'il te plaît, j'ai besoin de toi.

323

– Je refuse de participer à cette catastrophe nucléaire que vous préméditez.

– Et si t'avais tort ? Et si ça se passait bien ? Je suis certain qu'elle lui manque même s'il ne l'avouera jamais !

– Mais pourquoi maintenant ? Pourquoi samedi ?

– Parce que...

Il passe une main dans ses cheveux de la même manière que Maxim.

– Son amie d'enfance, celle qui l'a aidée à trouver un emploi à Montréal quand elle est partie, elle a été heurtée par une voiture le mois dernier. Elle est dans le coma et les médecins sont plutôt pessimistes.

– Oh !

Je me laisse choir sur mon lit, déstabilisée. Antoine poursuit :

– C'est pour ça que Louise m'a appelé ce fameux soir, elle avait besoin de parler. Elle n'arrête pas de se torturer en se disant que ça pourrait lui arriver à elle aussi, qu'elle pourrait mourir sans avoir eu le temps de faire renaître sa relation avec Maxim. On pense toujours qu'on aura toute la vie pour faire ce qu'on a à faire. On se trompe. On peut mourir en laissant des tas de choses inachevées. Isa, une relation avec son enfant ne devrait jamais rester inachevée.

Il est doué. Et moi trop empathique. J'imagine sans effort ce que doit ressentir Louise. Je tente néanmoins un dernier contre-argument :

– Mais tu n'as pas vu comment Maxim a réagi quand Louise t'a appelé ?

– Justement, c'est bien la preuve qu'il y a quelque chose qui ne va pas ! C'est bien la preuve qu'il doit enterrer le passé et faire la paix avec elle. Tu le sais mieux que moi !

Évidemment que je le sais. Tout ce que fait Maxim est teinté par cet abandon de sa mère et cette haine qu'il voue à sa mère. Cette haine. J'ai si mal pour lui. Sa réticence à s'engager dans une vraie relation, à faire confiance à une femme, sa réticence à suivre ses rêves, tout ça, c'est parce qu'il n'arrive pas à...

Isa, arrête. Tu es en train d'essayer de te trouver des excuses pour te ranger à l'avis d'Antoine. « Je suis trop empathique, je sais ce que ressent Louise, Maxim a besoin de régler cette histoire... » Tu ne sais rien, alors arrête tout de suite.

Si, je sais. Maxim se sentirait mieux s'il pardonnait à sa mère, il pourrait être libéré de toute cette colère. Antoine sent ma volonté faiblir et il en profite pour se glisser dans la brèche. Il sait que je suis heureuse de sentir ma colère contre mon père s'effacer, il sait que je me sens fière d'avoir réussi à dépasser tout ça. Il sait aussi que je souhaite la même chose à Maxim. Il continue de parler, encore et encore.

« Est-ce que tu sais qu'il y a des photos de nous partout chez elle ? Que ça la détruit chaque jour de ne plus avoir de contact avec lui ? Qu'elle a essayé les cartes d'anniversaire, les cartes de Noël, les coups de téléphone et les longues lettres où elle lui expliquait pourquoi elle est partie et que ça n'a jamais rien donné ? Que son déménagement à New York n'était pas un signe qu'elle laissait tomber, comme l'a cru Maxim, mais plutôt sa dernière carte ? Elle espérait que la savoir si loin de lui et non plus à deux heures provoquerait un vide et lui ferait réaliser qu'il avait envie de la voir. Mais Maxim est tellement borné que... Isa, si cette tête de mule persiste, il va le regretter toute sa vie si jamais elle meurt sans qu'il ait pu lui reparler au moins une fois. On ne sait jamais ce que la vie nous réserve. Et Maxim, il l'adorait, c'est pour ça qu'il a si mal. Qu'est-ce qu'il t'a dit sur elle ? C'était une bonne mère, tu sais, une très bonne mère. Elle nous glissait toujours une petite surprise dans notre boîte à lunch, un chocolat, un biscuit, un morceau de ce gâteau qu'elle avait fait la vieille et que nous avions dévoré. Parfois c'était un petit mot dans lequel elle nous disait qu'elle pensait à nous. Et elle n'oubliait jamais rien, ni d'enregistrer *Passe-Partout*, ni notre devoir d'histoire qui nous avait demandé tant de mal, ou notre cours d'orthographe. Oui, on faisait des concours d'orthographe, Maxim et moi. Tu ne t'es jamais demandé pourquoi Maxim adore lire les modes d'emploi d'électro-ménagers ou la composition des aliments sur les plats ? C'est parce qu'il essaie d'apprendre de nouveaux mots. Louise nous en collait partout dans la maison. Isa, je pourrais te raconter pendant des heures la vie qu'elle nous a donnée. Elle a attendu qu'on grandisse avant de penser à elle, elle a attendu plus de vingt ans. Elle nous a tout donné et Maxim devrait lui en être reconnaissant. Mais quand on aime quel-qu'un si fort, on refuse qu'il nous déçoive, pas vrai ? Et s'il le fait, on le lui fait payer toute une vie. Maxim sait qu'elle n'était pas si heureuse que ça, il le sait, mais il continue de se comporter comme un enfant égoïste. Il sait que... »

Et Antoine continue. Et il ne s'arrête pas. Isa... Isa... Isa... Mes oreilles bourdonnent. Je le stoppe dans son plaidoyer tandis que la porte d'entrée s'ouvre. La voix de Maxim nous parvient :

– Antoine, viendrais-tu m'aider avec les sacs d'épicerie ?

Celui-ci hésite, me lance un regard qui me crève le cœur. Je ferme les yeux et prie pour que la décision que je viens de prendre soit la bonne.

* *
*

Depuis dix bonnes minutes, je fixe mes deux paires de sandales sans arriver à me décider. Avec ou sans talons ? Et si je mettais plutôt un pantalon ? Il pourrait faire plus frais en sortant du restaurant et je déteste avoir froid aux jambes. Oui, mais tous les pantalons que j'ai envie de mettre sont dans mon sac de voyage.

Je baisse les yeux vers ce maudit sac posé près de la porte de la chambre, regarde ensuite mes chaussures et me retiens pour ne pas les balancer par la fenêtre. J'aimerais tellement dormir et me réveiller dans deux jours, dans ce bus qui m'amènera à l'aéroport de Montréal pour accueillir Lucie. Mon cœur ne décélère pas depuis ce matin et mon ventre se tord d'angoisse. Qu'ils aillent au resto sans moi ! Je ne dois pas être là, c'est une histoire de famille. Je déteste Antoine. Je déteste Louise. Je déteste Maxim. Je déteste les tragédies grecques. Pourquoi me suis-je laissé entraîner là-dedans ? Je suis trop stupide. Je devrais tout dire à Maxim, il ne se doute de rien. Nous allons souper au Cosmos sur Laurier et Louise nous rejoindra pour le dessert. La troisième guerre mondiale. Ou peut-être pas. Et si je m'inquiétais pour rien ? Mon Dieu, faites que je m'inquiète pour rien. Faites que pour une fois, on vive dans le meilleur des mondes, où les enfants se réconcilient avec leurs parents, où tout est bien qui finit bien.

– Qu'est-ce que tu fais, ma luciole ? On est dehors avec Antoine.

327

Maxim apparaît dans la chambre. Son sourire est si léger, si lumineux que mon cœur se serre. Je soupire et enfile mes sandales à talons.

– J'arrive, je choisissais mes chaussures.

– Est-ce que ça va, toi ? Je te trouve bizarre depuis ce matin.

Il plisse les yeux comme pour essayer de forcer mes pensées et mon corps se liquéfie. Ça se voit gros comme le nez au milieu de la figure que quelque chose ne va pas. Même Lucie l'a senti quand nous nous sommes parlé sur Skype ce matin. Je lui ai tout raconté et elle m'a ensuite chauffé les oreilles avec un sermon pendant quinze bonnes minutes : «Tu ne dois pas te mêler de ça, ça ne te concerne pas, tu dois les laisser régler ça entre eux, tu vas perdre la confiance de Maxim. » J'aimerais bien savoir ce que ça fait d'être dans la peau de Lucie. Mademoiselle Parfaite, Mademoiselle-je-suis-une-sainte. Elle ferait mieux de s'occuper de son couple au lieu de donner des conseils. Lorsque je l'ai questionnée sur sa relation avec Justin, elle m'a répondu que l'euphorie de la réconciliation était finie avec un soupçon de résignation dans la voix. Lorsque je lui ai demandé si elle était heureuse, elle m'a répondu que ça allait. Comment peut-on se contenter d'un « ça va » comme réponse à la question « es-tu heureuse » ? J'ai beau avoir admis qu'on puisse s'aimer pour ne pas être seuls, je n'arrive néanmoins pas à comprendre ce qu'elle fait avec Justin si elle n'est heureuse qu'avec modération.

Maxim continue de me dévisager. Je soupire à nouveau. C'est quitte ou double. Les dés sont jetés. Ça passe ou ça casse. Prions pour que ça passe. J'attrape mon sac et le bras de Maxim au vol, et lui décoche mon plus beau sourire.

– Mais oui, je vais bien. Allons rejoindre ton frère.

Le serveur du Cosmos nous installe à une table près du bar, les hommes me laissent la banquette, et je commande une vodka-canneberge en apéritif. Maxim me fait un clin d'œil. Si ça pouvait me faire le même effet que la dernière fois. Antoine aussi est nerveux. Il joue avec tout ce qui lui tombe sous la main, la nappe, les serviettes en papier, sa petite cuillère. Pour essayer de le calmer, je lui parle de Cécile. Il rougit en m'apprenant qu'ils s'écrivent presque tous les jours et ses yeux pétillent.

Le restaurant se remplit et j'ai l'impression que nos plats mettent deux siècles à arriver. Je touche à peine à ma pizza au fromage, déplaçant quelques morceaux de gauche à droite dans mon assiette. Maxim nous lance de fréquents coups d'œil inquisiteurs, à Antoine et moi, et nous faisons semblant de ne pas le voir. Mon estomac fait des nœuds. Le temps s'écoule, seconde après seconde. Je me concentre sur ma fourchette et mon couteau. Je coupe un petit carré de pizza, m'oblige à le porter à ma bouche et mâche. Je mâche, je mâche, et j'avale péniblement.

– Mais allez-vous me dire ce qui se passe ? s'exclame Maxim. On dirait deux extraterrestres !

Je baisse les yeux sur mon assiette comme une enfant qui se fait gronder.

– Rien, répond Antoine. Pourquoi ? On doit tous les deux être un peu fatigués, pas vrai, Isa ?

Je reste muette et sens Maxim qui m'observe.

– Vous avez deux minutes pour me dire ce que vous tramez.

Sa voix est sèche, autoritaire, et je déteste. Il ne me parle jamais comme ça. Il doit sentir que quelque chose de grave se prépare. Les cordes vocales d'Antoine et les miennes se mettent en grève en même temps et Maxim s'impatiente.

– O.K., il faut que j'aille aux toilettes, mais vous ne vous en tirerez pas comme ça. Profitez-en pour réfléchir.

Je retiens un cri d'angoisse en le regardant s'éloigner.

– Antoine, il faut le lui dire pour qu'il puisse se préparer.

– Non, il ne restera pas si on lui avoue tout.

– Tu es peut-être prêt à sacrifier ta relation avec ton frère mais pas moi. Il ne nous pardonnera jamais ça.

– Je suis sûr que tu dramatises. Quand il la verra, il va se rendre compte qu'elle lui a manqué et qu'il a besoin d'elle.

– Je vais tout lui dire, Antoine, je n'ai pas besoin de ton approbation.

Je bondis de ma banquette et cours vers les toilettes. Mais qu'est-ce qui m'a pris de faire ça ? Je suis folle. Complètement folle. Je sais depuis un moment déjà que je ne suis pas la fille la plus sensée du monde, mais là, ça dépasse l'entendement. Un *alien* a dû me droguer pour prendre possession de mon corps et de mon cerveau et je viens tout juste de retrouver mes esprits. Je ne vois pas d'autre explication. Je m'arrête devant la porte des toilettes pour hommes, hésitante. Quelqu'un pourrait me prêter un pénis ? Je trépigne, me frotte les bras, et dès qu'apparaît Maxim, je lui saute dessus.

– Qu'est-ce qu'il y a, bon sang ? s'écrie-t-il devant l'expression de mon visage.

– C'est ta mère. Antoine m'a demandé de... Elle est ici. Au Québec. À Québec. Elle va venir nous rejoindre.

Il ferme les yeux et prend une profonde inspiration. Quand son regard se repose sur moi, il est aussi tranchant qu'une tronçonneuse. J'ouvre la bouche pour tout lui expliquer, mais il se rue vers Antoine sans plus me prêter d'attention.

– Dis-moi que tu n'as pas fait ça, gronde-t-il entre ses dents alors que j'arrive à leur hauteur.

Antoine rougit violemment. Il cherche ses mots, essayant de formuler une réponse appropriée, lorsque Louise pénètre dans le restaurant. Les clients et les serveurs disparaissent et il n'y a plus que nous. Vêtue d'un pantalon de lin beige et d'une chemise de la même couleur, elle marche d'un pas à la fois décidé et incertain jusqu'à notre table. Elle s'arrête à notre hauteur, ne sachant trop quoi faire, et je vois ses trois fils en elle. Elle est blonde, comme Sylvain que j'ai croisé plusieurs fois, ses traits sont aussi fins que ceux d'Antoine, et il émane d'elle la même force de caractère que celle de Maxim. Elle prononce son prénom doucement, comme si elle ne l'avait pas prononcé depuis longtemps, comme une prière. Un Maxim sans e, c'est elle qui l'a choisi.

– T'as intérêt à déguerpir d'ici très vite.

Ça commence mal. Je me doutais qu'ils ne se sauteraient pas dans les bras, mais en jetant un coup d'œil vers Maxim, je devine qu'un cyclone force cent trente-deux est sur le point de s'abattre sur nous. En même temps, je sais qu'il ne fera pas d'esclandre dans un restaurant. D'ailleurs, je soupçonne Louise d'avoir choisi un lieu public pour ça.

– Je ne partirai pas. Je suis venue parce que cela fait trop d'années que tu me tiens à l'écart de ta vie. Je ne peux plus...

– Il fallait y penser avant.

Louise s'exprime avec un léger accent anglais que je ne peux m'empêcher de trouver ravissant. Le mélange des accents, c'est divin. Je ne l'entends pas, mais il paraît que le mien aussi a changé.

– Arrête ! s'écrie Antoine en se levant à son tour.

Maxim tourne la tête vers lui.

– Toi, tu ne perds rien pour attendre.

– Mais est-ce que tu vas arrêter tes conneries un jour ? C'est notre mère !

– Non, elle ne l'est plus depuis qu'elle est partie !

Le ton monte, les regards se tournent vers nous et je tente un rapprochement.

– Est-ce que vous voulez vous asseoir ?

Je désigne la banquette à Louise, mais Maxim proteste :

– Hors de question qu'elle reste.

– S'il te plaît, je suis venue de loin. Je suis sûre qu'on pourrait... se parler. J'ai tant de choses à te dire.

Sa voix suppliante me brise le cœur, me transporte quinze ans en arrière quand j'avais onze ans et que je me trouvais face à mon père. J'ai refusé de céder si longtemps, même si je pleurais à l'intérieur, et je sais maintenant que Maxim en fera autant.

Comme pour me donner raison, il dit :

— Retourne à ta vie sophistiquée de New York, à ta galerie dans Soho, à ta villa de Long Island, c'est ça que tu voulais, non ? C'est pour ça que tu es partie. Parce que la vie à la campagne avec un mari et trois enfants n'était pas assez bien pour toi.

— Tu te trompes, je suis partie parce que je me le devais. Parce que j'avais beau avoir les trois enfants les plus merveilleux du monde, je n'étais pas tout à fait heureuse. Mais si j'avais pu imaginer une seule seconde que partir signifierait ne plus te voir pendant dix ans, je ne l'aurais jamais fait. Jamais. J'étais peut-être naïve, mais dans ma tête, je pensais que j'allais continuer à être ta mère, je...

— Je m'en vais, j'en ai assez entendu.

Maxim tourne les talons et disparaît en aussi peu de temps qu'il faut pour le dire. Un beau gâchis, voilà ce que nous avons réussi à faire tous les trois. Louise secoue la tête, les yeux brillants de larmes contenues et s'écroule sur la chaise la plus proche. Antoine tente de la consoler, s'excuse auprès de moi, et j'ai l'impression de suffoquer. Il faut que je quitte ce restaurant et que j'aille retrouver Maxim.

Je ramasse mon sac et dis :

— Je vais vous laisser.

Antoine lève les yeux vers moi.

— Appelle-moi pour me dire comment va Maxim, O.K. ?

J'acquiesce d'un mouvement de tête et quitte le restaurant à la hâte. Le trajet jusqu'à la maison est un véritable cauchemar. Je me traite de tous les noms, je me cherche des excuses, je m'emmêle dans des justifications qui ne serviront à rien.

J'ai hâte d'arriver et en même temps je meurs de trouille. À quoi peut bien penser Maxim en ce moment ? À ces fameux concours d'orthographe qu'il faisait quand il était enfant ? À ces mots que sa mère lui glissait dans sa boîte à lunch pour l'aider à en apprendre de nouveaux ? Pourquoi ne m'a-t-il jamais parlé de ça ? Est-ce qu'il a banni de sa mémoire tout ce qui touche de près ou de loin sa relation avec sa mère ? Et s'il ne me pardonnait jamais ce que je viens de faire ? Qu'est-ce que je vais bien pouvoir lui dire ? Le coup de l'*alien* ne me fait même plus sourire.

– Maxim ?

Je referme la porte et retiens mon souffle. Personne ne répond. Est-il possible qu'il ne soit pas encore rentré ? Je jette un œil dans la cuisine, dans le salon, sur la galerie, puis je finis par l'apercevoir dans notre chambre. Immobile devant la fenêtre, il regarde au loin.

– Maxim ?

Le silence résonne une nouvelle fois.

– Écoute, je sais que tu dois m'en vouloir, mais je...

– T'en vouloir ?

Il se retourne et je n'aime vraiment pas ce que je vois dans ses yeux. De la peine, de la colère, mais surtout de la déception. Et la déception, c'est ce qu'il y a de pire dans l'amour.

– Est-ce que tu te rends compte de ce que t'as fait ? Je n'arrive toujours pas à le croire. Je te faisais confiance et toi, tu te ranges du côté de mon frère, du côté de Louise que tu ne connais même pas ! Et tout ça pourquoi ? Parce que tu ne peux pas t'empêcher de penser qu'il faut que je lui pardonne !

– Est-ce si mal de vouloir qu'une mère et son fils se réconcilient ?

– Oui, c'est mal parce que tu ne respectes pas ce que je veux, ce que je suis !

D'une voix la plus calme possible, j'essaie de lui faire entendre raison :

– Je comprends ce que tu ressens vis-à-vis de ta mère, je le comprends parfaitement, mais il faut savoir tourner la page. On ne peut pas en vouloir toute notre vie à nos parents parce qu'ils ont fait des erreurs. Durant des années, j'ai refusé d'accepter le passé. Je refusais obstinément de pardonner à mon père. Je refusais même qu'il entrât ne serait-ce que quelques secondes dans mes pensées. Mais j'avais tort, Maxim. Je me faisais du mal pour rien, je m'en rends compte aujourd'hui.

Un sourire railleur apparaît sur son visage.

– Je le savais, je savais que ça arriverait ! Madame a renoué avec son père, si tant est que six courriels en trois mois puissent être considérés comme un renouement. Elle détient à présent la vérité sur les relations filiales et voudrait partager sa science avec tout le monde !

– Moi, au moins, j'essaie d'avancer !

– Ben, laisse les autres derrière toi et arrête de vouloir évangéliser tous ceux qui croisent ta route avec ton savoir.

– Ce n'est pas ce que je fais !

– Oh si ! Isa, tu penses que tu sais tout mieux que tout le monde : sur la vie, le pardon, l'épanouissement personnel, les rêves, et si on ne fait pas comme toi, c'est qu'on a tort !

Tu ne te vois pas parler de tes collègues. Tous des pantins qui n'ont rien compris à la vie, alors que toi tu n'es là que temporairement. Un jour, tu vas écrire ton roman, le publier et vivre de ta plume.

Je recroqueville ma main sur ma poitrine. Plus que ses accusations sur ma prétendue attitude, c'est son ironie cinglante sur ma capacité à écrire et à publier qui m'atteint le plus. C'est presque physique, ma poitrine se serre et les larmes me picotent les yeux. Pourquoi est-ce toujours sur ça qu'on essaie de m'atteindre ? Écrire une intrigue et donner vie à des personnages, ça me colle des migraines et des doutes sans fond. Je doute de moi et savoir que Maxim aussi, ça me donne envie de crier.

De lui faire mal.

– Et toi ? Tu penses qu'un jour tu vas te consacrer à la photo ? Qu'est-ce que tu fais à part remplir ton book que tu ne montres à aucun professionnel ? Tout ce que tu me disais sur notre droit à vivre notre vie, à ne pas se conformer aux attentes des autres, c'était juste des conneries ! Des belles paroles ! Tu vas t'enfermer dans la profession d'avocat et faire des semaines de soixante heures. Alors oui, tu vas te faire un maximum d'argent, ton père sera fier de toi et puis après ? Toi, est-ce que tu seras fier de toi ?

Je m'arrête et reprends mon souffle, incrédule face à tout ce que je viens de lui dire. Pourquoi est-ce qu'on attend toujours d'être en colère pour balancer à l'autre ce qu'on a sur le cœur ? Le courage ne vient-il jamais sans la colère ? C'est à mourir de rire. J'ai envie de rejeter la tête en arrière et de rire jusqu'à en perdre la raison. On se pensait si différents des autres couples et on agit exactement comme eux. Maxim jure entre ses dents, retire son sac de voyage du garde-robe et le remplit de quelques vêtements. Je le fixe, interdite.

336

– Qu'est-ce que tu fais ?

– J'ai besoin de me retrouver seul quelque temps.

Je secoue la tête tandis qu'un froid immense m'envahit.

– Tu ne peux pas partir juste à cause de ça.

– Juste à cause de ça ? *Juste à cause de ça ?* Mais dans quel monde tu vis ?

Il continue de plier ses affaires.

– Dis-le franchement si tu veux qu'on arrête ! Ne te sers pas de ta mère pour ça ! J'ai l'impression que tu sautes sur la première occasion pour mettre un terme à une relation que tu regrettes d'avoir commencée !

– Non, c'est toi qui le regrettes.

– Pardon ?

Il fait glisser la fermeture éclair de son sac et le son me déchire en deux. Sans détour, il plante son regard dans le mien.

– Depuis le début, tu ne t'investis pas totalement. Tu te protèges, tu ne te donnes qu'à moitié et, la plupart du temps, je te sens loin de moi. Beaucoup plus que lorsqu'on était amis. Les seuls moments où j'arrive à te toucher, c'est quand on fait l'amour. Le reste du temps, tu dresses une barrière invisible entre nous, et maintenant... Maintenant je me rends compte que tu ne m'acceptes même pas comme je suis. Tu n'acceptes pas mon passé avec les filles, tu n'acceptes pas que je ne veuille plus parler à Louise, tu n'acceptes pas que j'entre au barreau. Tu veux un chum comme tu l'as toujours rêvé, Isa, et tu essaies de me changer pour que je me conforme à tes attentes de petite fille.

Je le regarde comme si c'était la première fois que je le voyais. Mon cœur tremble. Mon corps tremble. Je n'arrive plus à penser. Je n'arrive plus à parler. Je n'aurais jamais imaginé le dixième de tout ce qui se tramait dans la tête de Maxim. Jamais. Oui, je me protège, je le vois bien, mais c'est un réflexe et je ne sais pas comment faire pour arrêter. Je ne sais pas comment aimer sans filet de sécurité.

Avec difficulté, je murmure :

— J'ai juste peur, Maxim.

— De quoi ?

— Mais que tu partes ! Et j'avais raison parce que tu t'en vas !

Il soupire, s'approche de moi, replace une mèche de mes cheveux et se penche pour m'embrasser. Je sens le goût salé de mes larmes sur mes lèvres. Sur les siennes. Je m'agrippe à son bras.

— Je t'en prie, reste.

— Il faut qu'on réfléchisse chacun de notre côté.

— Réfléchir à quoi ?

— À ce que tu veux. Il faut que tu décides si tu veux vraiment être avec moi. Que tu saches si tu es prête à me faire confiance et à m'accepter comme je suis. Et moi... moi il faut que j'arrive à te pardonner ce que tu viens de faire ce soir.

Il retourne près du lit et saisit son sac. Quand il revient vers moi, tente de me caresser les cheveux, mais je repousse sa main. C'est quoi, son problème ?

– Va-t'en si c'est ce que tu veux ! Va-t'en !

– Écoute, je m'en vais chez...

– Je m'en fiche, tu peux aller au diable, je m'en fiche ! Laisse-moi !

Je me retiens de toutes mes forces pour ne pas hurler lorsque Maxim referme la porte d'entrée. Je me retiens de toutes mes forces pour ne pas saisir la lampe de chevet et tout casser. Donner des coups dans les murs, sur le lit, partout. Je me retiens de toutes mes forces pour ne pas ouvrir la fenêtre et balancer dans la rue le reste des affaires de Maxim.

Il est parti. Il est vraiment parti. Je savais que ça finirait comme ça.

Un enfant n'a jamais les parents dont il rêve.
Seuls les enfants sans parents ont des parents de rêve.

Boris Cyrulnik

Chapitre vingt-six

Je crois que je n'ai jamais autant pleuré.

Je crois que j'ai pleuré pour le reste de ma vie.

Je croyais que les « je vais mourir d'amour » étaient terminés après l'adolescence.

Lorsque je me réveille le lendemain matin, le soleil baigne dans la pièce. Un merle chante ma douleur et les larmes me montent déjà aux yeux. Je me lève et me dirige vers la salle de bains comme une automate. J'ouvre les robinets de la baignoire et me glisse à l'intérieur. Le jet d'eau me brûle la peau. Je vais mourir. Sérieusement. Je vais mourir. Mais non. Ce serait trop facile. Endure la douleur, Isa. Endure. Je ferme l'eau et m'enveloppe d'une serviette. Je frotte un peu la buée qui recouvre le miroir et grimace. J'ai une tête affreuse. Non, j'ai une tête de circonstance. Pâle, les yeux rougis, cernés, le nez gonflé comme si j'étais enrhumée, c'est parfait. Ce serait une insulte à ma souffrance si j'étais belle aujourd'hui.

J'enfile une camisole, un pantalon, et file chez Marie-Anne. Une odeur de café flotte dans l'appartement lorsqu'elle m'ouvre. Le jeu d'échecs est sens dessus dessous et je n'ose imaginer ce que Marie-Anne et Alexandre ont bien pu faire pour renverser toutes les pièces et en jeter une bonne partie sur le sol. Je commence à lui raconter ce qui s'est passé et puis j'aperçois Alexandre. Je pensais qu'il était parti, il travaille parfois la fin de semaine. Mais non. Ils déjeunaient et je les dérange. J'aurais dû appeler avant. Je n'ai pensé qu'à moi. Je m'excuse et décide de repartir, quand ils me retiennent presque de force. L'enfer, c'est peut-être les autres, seulement je ne sais pas ce qu'on ferait sans eux.

— Est-ce que tu veux boire quelque chose ? me demande Marie-Anne.

— Non. Merci.

— Tu es sûre ? Un café ? Un thé ?... Un cosmopolitan ?

Je lâche un petit rire.

— Tu réussiras toujours à m'arracher un sourire, toi.

— J'espère bien. Allez, je vais te préparer un thé, ça va te faire du bien.

Elle repart dans la cuisine avec Alexandre et je les entends chuchoter. Je me recroqueville sur le divan tandis que les paroles de Maxim repassent en boucle dans ma tête. Certaines, pour ne pas dire toutes, sont criantes de vérité. Je suis amoureuse de lui, il n'y a pas de doute là-dessus, et quand il me dit je t'aime, je voudrais enfermer ces trois petits mots dans une bouteille et m'enivrer avec. Je suis amoureuse de lui, mais je ne sais pas comment l'aimer.

Ai-je vraiment voulu vivre un amour de conte de fées ? Être Blanche-Neige, Cendrillon ou la Belle au bois dormant et transformer Maxim en Prince parfait ? Peut-être. Je ne sais

342

pas. Ce que je sais, c'est que je l'ai forcé à revoir sa mère parce que je pensais que c'était la meilleure chose à faire. Dans mon monde, les enfants se réconcilient avec leurs parents, dans mon monde, le soleil n'arrête jamais de briller. Je dois vivre avec les *Bisounours**, ça doit être ça. Une passerelle vers la vraie vie ?

Je saisis le journal de la veille, posé sur la table et ouvert à la page d'un article d'Alexandre.

> *« Libération des cinq infirmières bulgares et du médecin palestinien précédemment condamnés à mort par la gouvernement libyen. »*

Enfin une histoire qui se termine bien. Si l'on peut dire. Huit ans de détention et de torture quand on est innocent, je ne sais pas s'il y a une justice là-dedans.

Je me demande ce que ça peut faire de voir ses mots imprimés presque chaque jour et de les savoir lus par des milliers de personnes. Je l'envie, même si le journalisme ne m'attire pas vraiment. Alexandre me tire de mes pensées. Il récupère ses affaires et me salue. J'entends la porte se refermer et Marie-Anne apparaît devant moi, une tasse de thé fumante à la main. Elle s'installe à côté de moi et je termine mon récit. Je lui raconte la soirée d'hier, lui parle de Louise, de la réaction de Maxim et de son départ. Ma gorge se noue, et pour m'éviter de pleurer, je plonge mes lèvres dans mon thé. Marie-Anne me lance un regard attristé.

– Isa, si tu veux vraiment être avec Maxim, il va falloir que tu réfléchisses à un moyen pour ne plus avoir peur et t'engager totalement.

– Comment tu as fait, toi ?

---

* Pourquoi vous appelez ça les Calinours ?

– Je ne sais pas. J'ai suivi ton conseil. Tu te rappelles ? Au Kimono, tu m'as dit que l'amour étant exigeant, qu'il demandait qu'on se consacre à lui totalement. Je ne voulais pas perdre Alexandre, alors j'ai arrêté de me cacher derrière mon travail pour lui faire une place gros comme ça dans ma vie.

Elle écarte ses bras de presque deux mètres et je souris.

– Juste ça ?

– Ouais, je sais, mes bras ne sont pas assez longs.

Nous rions un peu, puis je pousse un long soupir.

– C'est dingue, quand même. On s'est plaintes durant des années du manque d'engagement des hommes, de leur peur d'une vraie relation, et aujourd'hui regarde-nous. C'est nous qui devons faire face à ça.

– Je sais, mais je crois qu'on choisissait des gars pas faits pour nous empêcher d'affronter tout ça. Les *fuck friends*, c'est facile. C'est simple. Se consacrer à sa carrière aussi. L'amour ? C'est incontrôlable. Imprévisible. C'est se montrer vulnérable. Ne pas savoir où l'on va. Que des choses que j'adore. Mais heureusement, ce n'est pas que ça. Et une fois qu'on a apprivoisé l'amour, on apprend à vivre avec ses mauvais côtés.

Apprivoiser l'amour. Comme le Petit Prince et le renard. Comme le Petit Prince et sa rose. Petit à petit.

– Merci, Marie. Pour ton écoute et tes conseils.

– Ce n'est rien, voyons.

– Merci quand même. Je me sens mieux grâce à toi. Et maintenant, je veux que tu ailles retrouver Alexandre. Je sais que vous aviez prévu de faire une randonnée au mont Sainte-Anne, je t'ai entendue annuler.

– Je ne vais pas te laisser te morfondre toute seule ici, franchement.

– Mais je vais bien, ne t'inquiète pas. Je ne veux pas que tu changes tes plans pour moi.

– Je ne te laisse pas toute seule, Isa.

Plus bornée qu'elle, tu meurs. Qu'est-ce que j'ai fait pour avoir des amis qui tiennent autant à moi ?

– Pourquoi tu ne viendrais pas avec nous ? Ça va te faire du bien, un peu de soleil.

– Non, j'ai besoin d'être seule et de me retrouver en tête à tête avec moi. Lucie arrive demain et je ne pourrai plus après.

Elle me dévisage, fronce les sourcils, puis finit par rendre les armes.

– Bon... Comme tu veux. Je vais appeler Alexandre.

Avant de quitter le salon, elle se retourne :

– Je voulais te dire, mon divan est à toi le temps qu'il faudra. Si jamais après tes vacances, tu en as besoin, sache qu'il sera heureux de t'accueillir.

Je la remercie avec un sanglot étranglé dans la voix.

– Je vais te laisser un double de la clé de l'appartement, tu pourras sortir si tu veux. Et s'il y a quoi que ce soit, n'hésite pas à m'appeler, je prends mon cellulaire avec moi.

Je hoche la tête. Je ne suis plus capable de parler. Le bonheur, c'est les autres.

Après le départ de Marie-Anne, je jette un œil à sa collection de DVD. Aucun épisode de *Buffy*, aucun épisode de *Friends*, aucun film de filles, ni même un drame du style de *West Side Story*, *Moulin Rouge* ou *Titanic*. Incrédule et dépitée, je file au vidéoclub, me bats avec le préposé pour qu'il accepte de me louer trois films en échange d'une pièce d'identité, m'arrête à l'épicerie pour m'acheter un énorme pot de Nutella et m'affale sur le divan de Marie-Anne une demi-heure plus tard. Je lance *Pretty Woman* tout en plongeant ma cuillère dans mon baume chocolaté et soupire de satisfaction.

Mes larmes apparaissent au moment où Julia Roberts explique à Richard Gere qu'elle veut vivre un conte de fées, et lorsque le générique de fin défile, je ne suis plus qu'une fontaine ambulante. Bien décidée à tarir mes réserves lacrymales, je continue avec *La Cité des anges* et me révolte quand Meg Ryan finit par mourir. Chaque fois, c'est la même chose, chaque fois que je vois le camion, je me dis qu'elle va réussir à l'éviter. Ouvre tes yeux, Meg, ouvre tes yeux, putain de merde ! Ne gâche pas tout ! Mais non. Et je pleure.

Vers la fin de l'après-midi, je glisse *Coup de foudre à Notting Hill* dans le lecteur DVD avec un sourire. Le meilleur pour la fin. J'adore ce film, j'adore la sensibilité et la maladresse de Hugh Grant, j'adore la scène dans la librairie quand Julia Roberts lui murmure : « Je suis aussi une fille qui se trouve devant un garçon et qui lui demande de l'aimer. » Tout est dit et quand le film se termine, je ne pleure plus. Au contraire. Je suis de plus en plus remontée contre Maxim. Il peut bien me reprocher de ne pas l'accepter tel qu'il l'est, mais lui ? Il refuse de me prendre avec mes doutes, mes questions et mes peurs. Ce que j'ai fait, je ne l'ai pas fait pour le blesser. Je l'ai fait parce que du plus profond de moi, je pensais que c'était juste. C'était une erreur, soit, mais le pardon ne fait-il pas partie de l'amour ? Il n'avait pas le droit de me quitter. On ne change pas les règles du jeu du jour au lendemain. On s'était fait une promesse muette, lui et moi, celle de ne jamais renoncer à nous, surtout pas à la première difficulté. Il a rompu cette promesse.

Non, l'amour, ce n'est vraiment pas comme dans les films.

Et puis la vie reprend ses droits.

Lucie est au-dessus de l'Atlantique quand je me décide à repasser chez moi, avant de partir pour Montréal. Dès que je pousse la porte, j'aperçois le répondeur qui clignote. J'hésite quelques minutes. Je fais le tour de l'appartement, je dépose mon sac près de la porte d'entrée, puis fixe la lumière rouge. Je m'approche de la console et, en une fraction de seconde, j'appuie sur *play*.

« *Vous avez un nouveau message.* »

Bip...

« *Isa, c'est Antoine. Je suis désolé, vraiment je suis désolé, je m'en veux tellement pour ce qui s'est passé, tu ne peux pas savoir. Tu avais raison, c'était une très mauvaise idée et je n'aurais jamais dû t'entraîner là-dedans. Je ne pensais pas que Maxim irait jusqu'à remettre votre relation en question. Je lui ai dit que je t'avais forcé la main et que tu ne voulais pas. Il est venu me voir hier et il a sans doute trouvé que mon œil manquait de couleur. Ça a failli dégénérer, mais mon coloc a calmé le jeu. Je ne sais pas s'il va me pardonner ça, je ne sais pas si toi, tu vas me pardonner. Je t'aime beaucoup, tu sais, et je ne veux pas que tu m'en veuilles. Appelle-moi, juste pour me dire que ça va, d'accord ?* »

347

Bip...

Le message d'Antoine date de la veille. Il doit penser que je lui en veux et que je préfère ne pas lui parler. Ce n'est pas le cas, pourtant. Tout ce que j'ai fait, je l'ai fait en connaissance de cause. Je saisis le téléphone et compose le numéro d'Antoine. Celui-ci semble soulagé de m'entendre. Je le rassure. « Non, je ne suis pas en colère contre toi, je le suis un peu contre Maxim, par contre. Se brouiller avec toi, te frapper, me quitter, même temporairement, c'est n'importe quoi. Je sais que ce n'est pas rien ce que nous avons fait, mais sa réaction est disproportionnée. Nous n'avons jamais voulu lui faire du mal et lui, il nous en fait intentionnellement. Je pars rejoindre Lucie, ça va me faire du bien, on se tient au courant. »

J'appelle un taxi, saisis mon sac, et me voilà dans le bus Québec-Montréal. La campagne québécoise et ses innombrables maisons au bord de l'A-20 défilent sous mes yeux. C'est quoi l'idée de payer pour avoir une vue plongeante sur une autoroute ?

Trois heures plus tard, je pénètre dans l'aéroport Pierre-Elliot-Trudeau. Je cherche le numéro de la porte de débarquement de Lucie sur le grand panneau central et me poste ensuite le plus près possible de l'entrée. Quand le flot de passagers apparaît, je me hisse sur la pointe des pieds, regrettant de ne pas être aussi grande que Marie-Anne. Je tente d'apercevoir ma meilleure amie tout en repensant à ma propre arrivée dans cet aéroport deux ans plus tôt. Personne ne m'attendait, sauf ma nouvelle vie.

Je me revois discuter avec le douanier puis avec l'agent d'immigration qui a imprimé et validé mon permis d'études. Je me sentais perdue en plein milieu de cet univers inconnu, et pourtant je n'étais ni angoissée, ni stressée. J'avais soif de découvertes, je voulais croquer à pleines dents ce projet de vie qui allait me bouleverser à jamais. L'agent d'immigration m'a souhaité la bienvenue sur le sol canadien et un frisson d'adrénaline m'a fait trembler: « Je l'ai vraiment fait, j'ai vraiment quitté la France pour l'inconnu ! »

Lucie finit par passer la porte, traînant derrière elle une valise sur roulettes. Comme à son habitude, aucune trace de fatigue ne chiffonne son visage. C'est quoi son secret ?

– Lucie !

Nous nous embrassons, nous nous sautons dans les bras, puis nous nous dirigeons vers l'agence de location de voiture où j'ai réservé une Kia Rio. Lucie me raconte comment Montréal lui a fait lever les yeux de sa Nintendo DS en se dévoilant petit à petit à travers son hublot et comment le fleuve a surgi de nulle part. Je l'écoute sans dire un mot. Dès qu'on passe les portes, elle s'écrie :

– Mais j'ai atterri en Guadeloupe !

– Je te l'avais dit, l'île de Montréal est une île tropicale!

Dix minutes plus tard, nous sommes installées dans une Kia Rio rouge foncé. J'allume la climatisation et nous partons en direction de notre hôtel à Longueuil. Rien d'exotique, mais je voulais quelque chose de pratique. Une chambre près du métro et qui m'éviterait d'entrer sur l'île de Montréal en voiture.

J'essaie de lui parler de Maxim, mais je n'y arrive pas. Les mots restent enfoncés dans ma gorge et s'emmêlent. C'est elle qui avait raison, c'est elle qui a toujours raison, et j'en ai assez. Je me concentre sur la route pour ne pas me perdre et me retrouver aux États-Unis, mais Lucie me connaît par cœur. Elle sent que quelque chose ne va pas. Elle extirpe les mots de ma bouche, puis me console comme elle peut. Elle évite ce « Je te l'avais dit » que je redoutais tant et plaisante pour me remonter le moral : « Il faut qu'on arrête de se retrouver, je crois que c'est ça qui brise nos couples ! » Elle est douée, elle s'en sort mieux que moi à Noël. Je lui dis que je n'ai plus envie d'en parler et elle n'insiste pas.

On s'écroule dès qu'on aperçoit nos lits dans notre chambre, heureuses de l'air climatisé qui ronronne. Les draps sentent la lessive. On dirait celle que ma mère utilise, une odeur de forêt. Quand nous nous réveillons, la nuit est déjà tombée. Nous sortons à la recherche d'un petit restaurant et je fais découvrir les shish taouk à Lucie. Nous ne tardons pas. Demain nous nous laisserons happer par la *Night Life* montréalaise, demain nous jouerons les touristes dès les premières heures du jour. Pour l'instant, nous préférons nous isoler du reste du monde.

Nous nous asseyons côte à côte sur mon lit et j'allume la télé. Une reprise en anglais de *Grey's Anatomy* joue sur le câble. Pendant un moment, nous ne disons rien. Absorbées par Meredith qui risque sa vie en maintenant une bombe dans le corps d'un patient, nous retenons notre souffle. La coupure publicitaire nous sort de notre torpeur et je me tourne vers Lucie.

– Alors, comment vont les choses avec Justin ?

Elle fixe encore un peu l'écran de la télévision avant de me répondre.

– Ce n'est plus comme avant, mais ça l'est quand même. Inévitablement, on va se retrouver peut-être pas là où on était au moment de notre rupture, mais à côté. La différence, c'est qu'aujourd'hui, je sais que c'est ça, la vie de couple. Je l'aime, il m'aime, on se connaît par cœur, je me sens bien dans nos habitudes et ça me suffit. Je l'ai compris quand on s'est séparés, je suis plus heureuse avec lui que sans lui. La solitude, ce n'est pas pour moi. Pourquoi partir à la recherche de quelqu'un d'autre, sans garantie que ce sera mieux ? Ce n'est pas logique. Sacrifier ce que Justin et moi avons construit depuis cinq ans pour suivre un espoir, un rêve qui n'est sans doute qu'une chimère ? Non, c'est ridicule et je ne ferai pas ça.

Je préfère me taire et ignorer cette résignation qui perce dans sa voix. Celle-là même que j'ai entendue le jour où je lui ai demandé si elle était heureuse et qu'elle m'a répondu que ça allait. Je m'étais tant révoltée contre ce bonheur pâle, sans couleur. Et pourtant, je regarde Lucie et elle semble sereine. Résignée certes, mais sereine. Heureuse aussi, d'un bonheur non pas fade, mais tranquille. Sécurisant. Elle a trouvé son équilibre. Avec Justin. Peu importe pourquoi, peu importe comment. Et s'il lui convient, alors il me convient aussi.

Qu'est-ce que je peux être prétentieuse ! Mon couple s'est retrouvé à la dérive en moins de quatre mois et je continue de penser que ce sont mes réponses aux grandes questions de l'amour qui comptent. On peut être heureux d'une autre façon que la mienne. En vivant une relation amoureuse sans passion. En choisissant de ne plus jamais parler à sa mère ou sans suivre ses rêves. On peut.

Est-ce qu'on peut ?

Comme pour achever de me convaincre, Lucie poursuit :

– Et puis, il fait des efforts, tu sais. Il a compris que j'avais besoin de venir te voir et il a arrêté de faire la gueule. Il fait des efforts, alors de mon côté je m'efforce d'en faire aussi. Je m'efforce d'apprécier ce que nous avons pour enfin arrêter de rêver à l'amour des contes de fées.

Ma meilleure amie secoue la tête.

– Je te jure, Isa, si un jour j'ai une fille, je ne lui lirai jamais Blanche-Neige, Cendrillon ou la Belle au bois dormant !

Je la fixe en fronçant les sourcils. Est-ce si mal de croire aux contes de fées ? Oui. C'est mal. Je m'en rends compte maintenant, nous n'avons plus six ans. Les Blanche-Neige, les Cendrillon et les Julia Roberts qui font le trottoir et qui se font épouser par des Richard Gere pleins aux as, ça n'existe pas.

Terminés les princes et les princesses. Terminées les fées, les marraines magiques et les méchantes sorcières.

Place à la vraie vie.

– Il n'y a pas que les contes de fées qui nous parasitent le cœur. Il faudra aussi lui interdire l'accès aux livres à l'eau de rose et aux films d'amour pour ne lui montrer que des films du genre de *Titanic*.

– *Titanic* ? Arrête, c'est le summum de l'histoire d'amour, même si ça finit mal. *Surtout* parce que ça finit mal. Mais ce genre d'amour existe-t-il encore ? A-t-il même déjà existé ? Qui quitte un avenir doré pour une existence incertaine par amour ? Qui reste dans une eau glacée pendant que Madame se prélasse sur un radeau de fortune? Personne ne ferait ça. Pourquoi nous bourrer le crâne avec des bêtises ? Pourquoi nous faire croire à autre chose que la vie ?

– Pour nous faire rêver, Lucie, il faut bien qu'on puisse rêver. Ce n'est pas de leur faute, aux scénaristes et aux écrivains, si on ne sait plus faire la différence entre la vie et la fiction. Entre ce qu'on peut espérer et ce qui n'arrivera jamais.

Lucie affiche une moue dubitative.

– Peut-être bien... Mais je maintiens mon idée, ce serait plus facile si ces films-là n'existaient pas ! Tiens, d'ailleurs, on devrait lancer une pétition pour que les scénaristes et les écrivains ne nous racontent plus que des histoires à nous taillader les veines. Rien de mieux que de regarder ou de lire une histoire horriblement triste pour se sentir heureux de retrouver sa vie après.

– Alors, c'est dit, je vais écrire le roman le plus déprimant qui soit !

Après quelques éclats de rire, nous restons encore une fois silencieuses. Captivées par Meredith qui retire en pleurant la grenade du corps de son patient, nous tremblons avec elle tout en sachant que ce n'est pas elle qui va mourir. La voix d'Anna Nalick se mêle à la scène. *And breathe. Just breathe. Oh ! breathe.* C'est ce que je me répète à chaque seconde. Respire pour faire passer la douleur, Isa, respire pour faire passer la colère, respire, Isa, respire. Mais ça ne marche pas. Lorsque le secouriste explose avec la bombe, j'éclate en sanglots. Toute cette avalanche d'émotions contradictoires depuis deux jours. D'émotions puissantes. Négatives. C'est trop. Ça me submerge. Je veux que Maxim revienne et en même temps, je le déteste de m'avoir quittée. Je veux être capable de lui accorder une confiance totale et, en même temps, je le déteste d'avoir brisé celle que je lui avais donnée. Il est parti à la première difficulté, comment croire en notre relation après ça ? On ne part pas dès que le vent se lève. Non. On hisse les voiles et on affronte ce qui se déchaîne. C'est trop facile de fuir. Il a fui les relations de couple, il a fui ses sentiments pour moi, il a fui quand j'ai eu mon trou de mémoire, il a fui devant sa mère, il fuit devant mes erreurs. Il fuit et c'est tout. Je l'ai presque supplié de rester, il a vu la peine qu'il me causait et il a franchi cette foutue porte.

– Est-ce que tu lui as parlé depuis qu'il est parti ?

Je sèche mes larmes avec le mouchoir que Lucie me tend et secoue la tête.

– Non. Pour lui dire quoi ? C'est lui qui a décidé de partir, c'est à lui de m'appeler.

– Je ne te savais pas si orgueilleuse, plaisante Lucie.

– Peut-être, mais c'est comme ça, je ne ramperai pas à ses pieds !

Son sourire s'efface.

– Tu ne crois pas que tu as une part de responsabilité dans tout ça ? Tu l'as forcé à voir sa mère, Isa, ce n'est quand même pas rien. Il a le droit d'être en colère. Imagine que du temps où tu ne parlais plus à ton père, il t'aurait fait la même chose.

Voilà. On y est. Je l'attendais, celle-là. C'est ce que ma petite voix me répète depuis le début. « Tu as fait à Maxim ce que ta mère a tenté de faire avec toi. » La pomme ne tombe jamais loin de l'arbre.

Je soupire et lâche, un peu contrainte :

– D'accord, je lui en aurais voulu, mais pas au point de partir.

– Il n'est pas parti seulement pour ça.

– Je sais.

– Isa, c'est à toi de l'appeler. Tu dois lui demander de te pardonner et ensuite l'aimer jusqu'à n'en plus pouvoir.

354

Ma gorge se noue et je me mords la lèvre inférieure. Ma voix est vacillante lorsque je reprends la parole.

– Est-ce que tu aimes Justin sans réserve, toi ?

– Oui.

– Comment tu fais ?

– Je ferme les yeux et je saute.

– Et quand on a peur du vide ?

– On saute pareil.

Ah ! d'accord. Ce serait donc ça, l'amour ? Un saut dans le vide ? Un saut dans la vie ? Apprivoiser ses peurs ? Est-ce que quelqu'un pourrait me pousser ? Je veux bien sauter, mais je voudrais être certaine que Maxim sera là. En bas. À m'attendre.

Comment être certaine qu'il sera là ?

> *Aimer, ce n'est pas savoir.*
> *Ce n'est pas être sûre. Ni presque sûre.*
> *Aucune certitude, aucun repos dans l'amour.*
> *Aucune compréhension. L'incertitude totale.*

Claire de Lamirande

Dans la tête de Maxim
(suite et fin)

Tous les matins, chaque fois que je me lève, je me retiens d'appeler Isa. Elle me manque à un point, ce n'est pas croyable. Je l'aime, c'est indéniable, mais je continue de lui en vouloir. Je n'arrête pas de penser depuis que je suis arrivé à La Malbaie. Je passe des heures au bord du fleuve, les fesses dans le sable, et le regard sur l'horizon. Pour un peu, j'entendrais une saleté de musique déprimante bourdonner dans mes oreilles. Je pense à Louise, à ce qu'elle a fait, et pas seulement au restaurant.

Elle nous a quittés parce qu'elle s'est dit qu'on était assez grands pour se débrouiller seuls et qu'il était temps qu'elle s'occupe d'elle. De sa vie. Comme si elle se lavait les mains de la suite pour nous. Comme si son état de mère avait une date d'expiration. Ce qu'elle avait ne lui suffisait pas. Trois fils et un mari, qu'est-ce que c'est dans une vie, hein ? Elle voulait plus. Un travail, de l'argent, du luxe, le prestige. Elle a réussi. Tant mieux pour elle. Mais qu'elle n'essaie pas de m'inclure dans sa nouvelle vie.

Dix ans qu'elle est partie. Dix ans. Et je n'arrive toujours pas à comprendre et admettre qu'elle ait pu faire ça. Il n'y avait pas une once d'égoïsme chez elle et pourtant... Je suis encore tellement en colère, je ne lui pardonnerai jamais. Pour quoi faire, de toute façon ? Lui donner une autre occasion de me blesser ? Non. Je ne suis pas maso. Je ne lui referai jamais confiance. Ni à elle. Ni à Antoine.

Combien de fois je lui ai dit que je ne voulais plus voir Louise et d'arrêter de se mêler de mes affaires ? Mais il n'en a quand même fait qu'à sa tête. Depuis le début, il est du côté de Louise, et comme un bon petit garçon, il fait tout ce qu'elle lui demande. « Elle est désespérée, elle a besoin de toi, tu ne peux pas continuer à lui faire ça. » Et elle, qu'est-ce qu'elle m'a fait ? Et mes besoins à moi ? Est-ce qu'elle les a respectés ?

Antoine est arrivé hier soir et je ne réussis toujours pas à le regarder. Dès que je l'aperçois, je repense à tout ce qui s'est passé au Cosmos. Je revois son comportement des dernières années, et j'ai des envies de meurtre. Il a voulu contrôler ma vie pour faire plaisir à Louise, et cerise sur le sundae, il a entraîné Isa dans tout ça et cette histoire a failli ruiner ma relation avec elle.

Je vais l'appeler. Je n'aurais pas dû partir. J'ai reporté ma colère contre Louise et Antoine sur elle. J'ai beau continuer à lui en vouloir, petit à petit, je commence à comprendre son acte. Elle voulait m'aider, sincèrement. Pas parce que, comme je l'ai cru au début, elle pensait avoir raison. Elle voulait juste que j'aille mieux. Que je dépose ma colère, ma rancœur, et tous ces trucs-là quelque part pour que je sois plus heureux. C'était une erreur. Je vis bien avec ma colère, avec cette décision prise il y a dix ans, je n'ai plus besoin de Louise. Mais j'ai besoin d'Isa.

On va dépasser cette histoire, elle et moi, ce qu'on ressent l'un pour l'autre est plus fort que ça. On a encore trop de bonheur à vivre. Je réussirai à effacer ses craintes, ses doutes, ses incertitudes, et elle n'aura plus jamais peur que je parte parce que je ne partirai plus. Elle n'est pas facile, Isa, mais je le savais quand je me suis lancé là-dedans. Je vais la prendre telle qu'elle est. Je vais essayer en tout cas. De toute façon, l'amour, ce n'est pas juste ça ? Essayer ? Essayer de s'aimer correctement, de vivre en harmonie, de pardonner, et d'être ce couple qui s'aime encore, même après dix ans ?

Essayer. C'est tout.

Chapitre vingt-sept

Lucie et moi arrivons à Québec en fin de journée. Après trois jours de promenades au Jardin botanique, dans le Vieux-Port et à travers les allées du mont Royal, nous avons rendu notre voiture de location et pris le bus pour la Vieille Capitale.

Depuis son arrivée, Lucie s'extasie chaque fois qu'elle voit un écureuil. Ah mon Dieu ! un écureuil, et puis encore un autre, et encore un autre ! Ça me le faisait au début, aussi. Je ne lui ai pas dit qu'au Québec, certains affirment que les écureuils ne sont que des rats vêtus de leurs habits de mariage. Ça l'aurait déçue comme ça m'a déçue. C'est tellement mignon, un écureuil !

Lorsque nous pénétrons dans l'appartement, nous sommes accueillies par un silence persistant. Je fais visiter les lieux à Lucie. Elle reste un moment accrochée aux photos de Maxim et puis, alors qu'elle se détend sous une douche, j'allume mon portable pour lire mes courriels. Mon cœur manque un battement en apercevant un mail d'Antoine datant de la vieille. L'objet se veut rassurant, mais je double-clique quand même sur son nom en prenant une profonde inspiration.

D'Antoine à moi :

« *Objet : Rien de grave, ne t'en fais pas.*

Respire Isa, je ne t'écris pas parce que j'ai quelque chose de grave à t'annoncer. Je crois que j'ai juste besoin d'évacuer un peu tout ce qui se passe. Je me sens comme une cocotte-minute sur le point d'exploser ! Je suis arrivé à La Malbaie hier soir et Maxim ne m'a toujours pas adressé la parole ! Il agit comme si je n'existais pas. Même mon père n'a pas été ravi d'apprendre ce qui s'est passé avec Louise, et comme si ça ne suffisait pas, Sylvain m'a appelé pour m'engueuler. Apparemment, Maxim lui a tout raconté.

Je ne les comprends pas, pourquoi sont-ils tous tournés vers le passé comme ça ? Merde ! ça fait dix ans ! Est-ce moi qui ai tort ? Aurais-je dû rester amer, blessé et en colère, moi aussi ? Est-ce un crime de vouloir une mère ? Et celui de Louise est-il si terrible ? Sylvain lui parle, lui, mais il ne sera jamais proche d'elle comme avant. En tout cas...

J'espère que tout ça ne gâche pas tes vacances, mais comment ça ne pourrait pas, hein ? Je m'en veux tellement. Si je peux faire quelque chose...

Isa, merci de me lire, et pour ne pas te quitter sur une note décourageante, je vais t'avouer que Cécile et moi, on se parle sur Skype presque tous les jours. On se raconte nos journées, elle me parle de ses élèves au camp d'équitation, de Nanou, son cheval, et des paysages de la Camargue. Je ne lui ai pas encore raconté ce qui s'est passé, c'est encore trop tôt, mais je commence à me lever le matin uniquement pour entendre les inflexions de sa voix. J'adore son accent. J'adore le rythme de son rire. Tout me fait craquer chez elle. Tout.

À bientôt, Isa. Antoine »

C'est beau un homme qui tombe amoureux, beaucoup plus qu'une femme. On s'attend à ce que les femmes soient amoureuses. L'amour, c'est presque féminin, alors lorsque c'est un homme qui est touché, c'est plus beau à regarder.

Je préfère me concentrer sur ça, sur Antoine qui tombe amoureux. Parce que le reste... Je le répète, je sais que ce qu'on a fait est grave, mais cela justifie-t-il que Maxim se brouille avec tout le monde ? Avec ceux qui l'aiment ? Lucie tente de me calmer. Elle me demande de me mettre à la place de Maxim et d'arrêter de le juger.

– Les choses seraient plus faciles si on pouvait vivre dans les chaussures de l'autre quelque temps. Pas seulement dans celles de son copain ou de sa copine, mais aussi dans celles de nos parents ou de nos enfants.

Lucie était vraiment faite pour être institutrice. Elle sait trouver les mots pour nous faire comprendre quelque chose. Je suis certaine que si c'était elle qui me les avait enseignées, j'aurais aimé les maths. Devenir Maxim, donc ? Tomber amoureux de sa colocataire quand on ne croit pas en l'amour parce que sa mère a emporté cette croyance avec elle. Essayer d'y croire malgré tout. Même quand celle qu'on aime refuse de se donner complètement, refuse de nous accepter tel que l'on est parce qu'elle n'a pas réussi à vivre selon ses propres rêves. Et puis, être forcé par deux des personnes en qui on avait le plus confiance à revoir cette mère qui nous a abandonnés.

Bon. Soit. Peut-être ne suis-je qu'une jeune fille égoïste et butée. Peut-être ma colère n'est-elle pas totalement justifiée. Je me sens honteuse tout à coup. Je n'ai pensé qu'à moi, à ce que je ressentais. Mais Maxim, lui, que ressent-il ?

Je m'enferme à mon tour dans la salle de bains pendant que Lucie s'installe sur la galerie, un verre de jus de fruits à la main. Je me déshabille, ouvre les jets d'eau et entre dans la baignoire. Les images de Maxim et moi, nus, me hantent, nous avons fait l'amour ici tellement souvent. Je l'aime. Oui, je l'aime vraiment. C'est mon meilleur ami, c'est mon amant, c'est mon amour. Qu'est-ce que je dois faire ? Est-ce à moi de faire le premier pas et de lui présenter mes excuses ?

– *Dis donc, toi, pourrais-tu m'aider ? J'ai besoin de conseils.*

– *Et depuis quand tu écoutes les conseils que je te donne ?*

– *Essaie toujours, ça pourrait être une première aujourd'hui.*

– *Mouais, je n'y crois pas trop, mais je vais tout de même y aller : appelle-le.*

Je grimace en saisissant mon gel de douche.

– *Oui, mais s'il me raccroche au nez ?*

– *Appelle-le.*

Je verse un peu de savon dans une de mes mains et repose le flacon.

– *Et s'il me dit que c'est vraiment fini ?*

– *Appelle-le.*

Je me savonne les bras puis me penche pour me frotter les jambes.

– *Et s'il m'avoue qu'il ne m'a jamais vraiment aimée et qu'il a renoué avec Sophie ?*

– *Appelle-le.*

Je me redresse et gronde entre mes dents :

– *Est-ce que tu entends ce que je te dis depuis trente secondes ?*

– *Oui et tes protestations me passent au-dessus de la tête. Appelle-le.*

– *Je ne me savais pas si obsessionnelle.*

– *Excuse-moi ?*

– *O.K., je suis obsessionnelle, mais ce n'est pas ce qui fait mon charme ?*

La sonnerie du téléphone me fait sursauter. Sauvée par le gong. Je ferme le robinet et tends l'oreille. Le répondeur se déclenche et la voix de Maxim me parvient.

> « *Isa... C'est moi... Je ne sais pas si tu es à la maison ou si tu es déjà partie pour la Gaspésie, mais je voulais savoir comment tu allais. Je suis chez mon père et... Isa... Je ne voulais pas te dire tout ça, en tout cas pas comme ça, je ne suis pas doué pour dire les choses quand il faut ou comme il faut... Je... Écoute... Je te souhaite un bon voyage avec Lucie... On se parlera à ton retour.* »

J'arrive près du téléphone enroulée dans une serviette, dégoulinante et encore couverte de savon, alors que le bip du répondeur résonne dans la pièce. Je reste un moment immobile, ne sachant trop quoi faire. Il m'a appelée, bordel, il m'a appelée ! Et sa voix, sans être chaleureuse, était engageante. Oui, mais... s'il en veut encore à Antoine, pourquoi m'aurait-il pardonné à moi ? Il est entier, Maxim. C'est blanc ou noir, pas de milieu. Et pourquoi veut-il qu'on se parle ?

– Allons le voir.

Je me retourne vers Lucie, assise sur le rebord du divan.

– Mais oui, poursuit-elle, allons voir Maxim. Tu en as besoin, Isa, et il est là avec nous de toute façon, tout le temps. Et moi, j'ai envie de découvrir Charlevoix.

– Je suis tellement désolée de te faire vivre tout ça. Toi qui pensais voyager à travers le Québec en compagnie de ta meilleure amie amoureuse et épanouie, tu te retrouves avec une fille blessée et en colère.

– Je t'ai toujours connue comme ça, me répond-elle avec un sourire, au moins, je ne me sens pas trop dépaysée.

– Ouais, mais moi je me préfère en jeune fille épanouie.

– Alors, allons à La Malbaie.

Je secoue la tête.

– Je ne sais pas si je suis prête, je ne saurais pas quoi dire à Maxim.

– Tu ne seras jamais prête, Isa. On nous conseille toujours d'attendre d'être prête. Prête à faire l'amour, à vivre seule, à vivre en couple, à faire des enfants. Prête à la vie, en somme, sauf qu'on ne l'est jamais. On n'est jamais prête à rien, mais on vit pareil, parce que sinon, à quoi ça sert ?

Et si c'était vrai ? Je ne serai peut-être jamais prête à aimer, à pardonner et à recommencer, mais je dois le faire quand même. Je dois le faire quand même parce que la vie, c'est maintenant. On passe trop de temps à attendre de vivre, à chercher des réponses ou des certitudes pour avancer. Et, au bout du compte, à quoi ça sert ? L'important n'est-il pas ce qu'on sait ? Ce qu'on a ? Pas ce qu'on avait, ce qu'on n'a plus, ce qu'on voudrait ou ce qu'on aura. Mais c'est ce qu'on a maintenant ? Aujourd'hui ?

Alors, allons-y pour l'amour. Allons-y pour la vie. Allons nous enivrer d'amour et pimenter la vie.

*   *

*

Le père de Maxim habite Pointe-au-Pic, au bord du fleuve. En descendant de voiture, Lucie et moi sommes tout de suite accueillies par une brise salée enivrante et un soleil qui amorce sa descente. L'existence a l'air si douce ici, calme, reposante. Dommage que des centaines de touristes s'entassaient sur la route du fleuve entre Baie-Saint-Paul et La Malbaie. Prenant mon mal en patience, j'ai adopté leur allure pendant que Lucie s'extasiait devant tous ces paysages qui ont la chance de côtoyer le Saint-Laurent. En dans d'autres circonstances, je me serais laissée éblouir à nouveau.

Avant de partir deux heures plus tôt, j'ai tenté d'appeler Maxim pour le prévenir de notre visite. Je voulais m'assurer qu'il n'était pas contre l'idée de me voir. Je suis tombée sur Antoine. Celui-ci m'a dit que son frère était parti faire des photos pour la journée. « Notre père n'est pas là et je suis certain que Maxim ne voulait pas rester seul avec moi. Tu fais bien de venir, Isa, je le préviendrai de ton arrivée à son retour. » Mon cœur n'a pas arrêté d'exploser dans mes oreilles durant tout le trajet. Je carbure peut-être aux émotions, mais pas à celles-là. Les mini-drames, c'est terminé. Tout gâcher parce que c'est plus facile, aussi.

Je claque ma portière et Lucie et moi marchons jusqu'à la maison. Antoine nous ouvre la porte, nous sourit, et nous fait entrer. Il s'excuse encore pour tout, je lui demande d'arrêter, et nous nous installons sur la galerie en arrière. Les souvenirs m'assaillent aussitôt. Je nous revois, Maxim et moi, un an plus tôt, lors de mon passage à La Malbaie, avec ma mère. Je nous revois discuter le soir quand tout le monde dormait. Il me connaissait déjà si bien. J'ai vraiment été aveugle. S'il ne m'avait rien avoué, je ne sais pas si je me serais rendu compte que je l'aimais. C'est étrange, l'amour, grand, violent, exigeant, et pourtant il s'est fait tout petit pendant plus d'un an. Il attendait son moment.

Nous parlons un peu de la France et de Lyon. Lucie évoque Montréal, Québec et tout ce qu'elle découvre depuis son arrivée. Je n'écoute que d'une oreille. Mais où est passé Maxim ? Je peux savoir pourquoi les portables n'ont pas encore déferlé sur le Québec comme sur la France ? D'un autre côté, je déteste les portables. C'est à cause de celui d'Antoine que toute cette histoire a commencé. Oui. Parfaitement. Louise n'aurait jamais pu l'appeler alors qu'il se trouvait avec Maxim si Antoine n'en avait pas eu !

N'y tenant plus, je me lève et décide d'aller me dégourdir les jambes. Je me perdrai peut-être, mais tant pis. Et puis, alors que je referme la porte d'entrée, Maxim arrive enfin. Il aperçoit d'abord la voiture de location, louée avant de partir, puis tourne la tête vers moi. Je retiens mon souffle. Je vois la surprise colorer son visage, un sourire qui se dessine peu à peu. Et tout ce qui compte, c'est ce sourire. Tout ce qui compte, ce sont ces pas qui le conduisent vers moi et le baiser qu'on se donne.

Un baiser pour s'excuser.

Je n'aurais pas dû décider pour toi, je n'aurais pas dû te forcer. Je sais pourquoi tu l'as fait. Je n'aurais pas dû attendre avant de dire tout ce que j'avais sur le cœur.

Un baiser pour pardonner. Tu as bien fait de me le dire, tout était vrai. Non pas tout, je sais que tu vas l'écrire, ton roman.

Un baiser pour promettre. Je suis prête à sauter dans le vide, maintenant. Plus de parachute. Plus de demi-mesure. Et si tu ne veux pas voir ta mère, je respecte cela. Si tu veux devenir avocat, je te soutiens. Je suis prête parce que ça ne sert à rien de se protéger, on souffre quand même, alors autant aimer jusqu'au bout. Autant vivre jusqu'au bout.

Je suis prête parce que la vie, c'est maintenant.

Le moment présent est la piste désignée à tout nouveau départ.

Louis-Marie Parent

Épilogue

De moi à Lucie, dix mois plus tard :

« *Objet : Maudite Française !*

Au Québec, on dit que les maudits Français sont ceux qui restent. Eh bien, je t'annonce que depuis ce matin, j'en fais officiellement partie ! Je viens de recevoir mon passeport avec mon visa permanent collé à l'intérieur et me voilà autorisée à rester ici toute ma vie ! Dans un pays dont les températures varient de -40 à +40 en l'espace de six mois ! Non mais quelle idée ai-je eue !

Tu sais, Lucie, je plaisante comme ça, mais je sais que si c'est difficile pour ceux qui décident de partir, ça l'est tout autant pour ceux qui restent et qui n'ont rien demandé. Notre amitié ne changera pas. Même si je suis loin. J'en suis certaine. Ce n'est pas un océan qui va éteindre tout ce qu'on a construit depuis quinze ans ! Et puis, je compte bien m'en tenir à ma visite annuelle. D'ailleurs, prépare-toi, je viens de poser mes dates de vacances et je débarque en août avec Maxim. Il ne tient plus en place, mon futur avocat. Depuis le temps qu'il rêve de Paris, de Londres et de la Toscane. On pourrait passer quelques jours ensemble avec Justin dans la plus belle ville du monde. Oui, soyons chauvins : Paris est la plus belle ville du monde !

Je vais en profiter pour rencontrer ma sœur aussi. À Noël, je n'étais pas encore prête et avec le mariage de ma mère, je n'avais pas la tête à ça. Aujourd'hui, le moment est venu. Revoir mon père aussi. Oui. Le moment est venu.

À bientôt, ma belle !

Isa xxx »

– Qu'est-ce tu fais, ma maudite Française ?

Je lance un regard faussement courroucé à Maxim qui entre dans la pièce. Il caresse mes sourcils froncés et les remet en place.

– J'écrivais à Lucie.

Il s'assoit près de moi tout en saisissant mon passeport ouvert à la page de mon visa.

– T'es prise avec moi pour le reste de ta vie, maintenant.

– Ça aurait pu être pire.

Notre relation ne s'est pas arrangée du jour au lendemain. On s'est excusés, on s'est pardonné, on s'est juré de s'aimer, mais ce n'était que des mots. Quand il a fallu faire place aux actes après le départ de Lucie, ça n'a pas été facile. Et puis, de disputes en réflexions sournoises, la confiance et le vrai pardon sont arrivés. L'acceptation aussi. Maxim n'a pas jamais voulu revoir sa mère depuis cette soirée au restaurant. Je suis triste pour elle. Triste pour lui aussi, mais la différence, c'est qu'aujourd'hui, je ne dis plus rien. J'espère en silence. Il me parle d'elle de temps en temps et, sans dire que les choses s'arrangent, au moins, elles n'empirent pas.

Sa réconciliation avec Antoine a néanmoins été plus longue et plus difficile qu'avec moi. Maxim s'obstinait à penser que son frère s'était rangé du côté de leur mère, qu'il avait voulu l'aider, elle. Sans penser à lui. Je m'en suis mêlée même si je n'aurais pas dû. Il me l'a reproché avant de comprendre que je suis comme ça, que je ne peux pas rester les bras croisés quand quelque chose ne va pas. Surtout quand cela touche des personnes que j'aime. Accepter l'autre tel qu'il est, c'est ce qu'on nous bassine à longueur de journée et c'est pourtant ce qui est le plus difficile.

Après des semaines de lutte, Maxim a fini par pardonner à Antoine. Ils sont à nouveau frères. À la vie à la mort, comme ils disent, et Cécile et moi sommes devenues belles-sœurs de cœur.

Je regarde mon passeport en me mordillant la lèvre. J'ai choisi. Je me suis décidée. Ma vie est ici.

– Il va falloir qu'on aille faire le tour du poteau* bientôt.

– On pourrait passer trois jours à Boston, propose Maxim, tant qu'à faire de la route.

– C'est combien de temps en voiture, ça ?

– Sept heures, peut-être.

---

* Je ne sais pas d'où vient cette expression, mais en tout cas, ça veut dire passer la frontière, faire un coucou aux douaniers américains, et revenir tout de suite après pour rencontrer un douanier canadien et valider sa résidence permanente. Procédure obligatoire quand on vit déjà au Canada.

– Tant que ça ? C'est trop long.

– Oui, mais maintenant que tu vis ici, il faut que t'apprennes à faire des longues distances, ma luciole.

Mon visage s'éclaire d'un sourire.

– O.K. d'abord, va pour Boston !

Le monde pourrait-il s'arrêter de tourner maintenant ? Se figer sur ce moment. Sur le souffle chaud de Maxim qui frôle ma peau. Sur sa bouche qui se pose sur la mienne. Un bouton *pause* sur la vie, ce serait génial, non ? Un *avance rapide* aussi, d'ailleurs, et tant qu'on y est, un bouton *recule*. Un scientifique ? Non ?

Lecture, alors. Lecture.

Je surfe sur Internet à la recherche d'informations touristiques sur Boston, quand Maxim remarque les centaines de feuilles reliées et déposées sur mon bureau.

– C'est ton roman ?

Mon cœur s'emballe. Mon roman. Mon premier roman. Terminé. Je ne sais pas comment tous ces mots, toutes ces phrases, me sont venus. Un soir, j'ai imaginé mon héroïne, j'ai esquissé l'intrigue et les personnages secondaires ont frappé à ma porte. Je n'ai pas tenu ma promesse à Lucie, j'ai écrit une histoire d'amour. Une histoire d'expatriation, de questions sans réponses aussi, et hier soir j'ai tapé le point final. Le point final. Je vois les lettres qui s'enchevêtrent sur le papier encré de noir et je me dandine sur ma chaise. Mon premier roman. J'ai réussi. J'ai été jusqu'au bout. J'ai réalisé mon rêve, et maintenant je sais que je peux écrire.

– Oui, je l'ai imprimé pour toi.

Quand j'ai commencé à écrire, Maxim venait frapper à ma porte le soir. Il m'apportait un thé et me demandait comment les choses avançaient. Parfois je lui souriais, parfois je hurlais. J'ai préféré ne pas lui faire lire mon roman pendant que je l'écrivais. Un excès de pudeur et de crainte, sans doute. Si son appréciation avait été mitigée, cela aurait pu m'empêcher d'aller jusqu'au bout. Aujourd'hui, j'ai quelque chose de concret à retravailler. J'ai finalement compris pourquoi je n'avais jamais réussi à écrire plus de trente pages ces dernières années. Je n'avais pas réalisé qu'un roman demande une correction, beaucoup de corrections. Je tenais coûte que coûte à écrire du premier coup quelque chose de parfait, tant au niveau du style que du fond. C'est impossible, les plus grands écrivains retouchent leurs manuscrits des mois durant, et ça m'a désinhibée. Sélectionner. Effacer. Recommencer. Avancer à tâtons. Reculer. Apprendre. Comme dans la vie. J'ai avancé pas à pas vers mon rêve.

Je ne travaille plus les vendredis depuis janvier. Je les consacre à l'écriture et j'ai enfin trouvé l'équilibre dont j'avais besoin. J'ai laissé entrer un peu plus de rêve dans ma vie et ma petite voix s'est tue.

Curieusement, ma mère m'a encouragée quand elle a su que j'écrivais ce roman dont je parlais depuis tant d'années. Je ne voulais pas le lui dire, mais les choses m'ont échappé. J'ai cru perdre cette fierté que j'ai tant lue dans ses yeux à Noël, lors de son mariage, une fierté acquise au prix fort, mais il n'en fut rien. Au contraire. Elle s'est même excusée d'avoir mis en doute mon aptitude à écrire et à réussir. Les miracles existent, n'en doutez plus jamais. Et si cela ne vous convainc pas, laissez-moi ajouter qu'elle a également reconnu que j'étais adulte et capable de prendre mes propres décisions. Je ne sais pas ce qui l'a fait changer d'attitude. Elle s'est peut-être rendu compte qu'elle n'avait qu'une fille et qu'elle devait la prendre telle qu'elle est. D'accord, elle interfère encore dans ma vie à petites doses, je ne la changerai jamais, mais je dois avouer que de temps en temps, ce n'est pas si désagréable que ça.

Maxim saisit mon manuscrit, s'installe pour lire les premières pages et une boule se forme dans mon ventre.

– Tu le commences tout de suite ?

– Six mois que j'attends, Isa, je n'en peux plus, moi.

– Bon, O.K., mais n'oublie pas que c'est un premier jet ! Je sais qu'il faut que je retravaille mes descriptions. Et la scène d'ouverture, elle n'est peut-être pas...

Mon cœur me brûle, le sang se retire de mes joues. Et si c'était nul, ce que j'ai écrit ? Et si, depuis le début, je me fais des illusions sur ma capacité à écrire quelque chose de publiable ? Et si Maxim déteste et qu'il n'ose pas me le dire ? Et si...

Oh ! arrête ! Avec des *si*, on referait Paris ! Et si c'était super ?

Maxim dépose son index sur mes lèvres et murmure :

– Chut. Je lis.

Pour réaliser une chose vraiment extraordinaire, commencez par la rêver. Ensuite, réveillez-vous calmement et allez d'un trait jusqu'au bout de votre rêve sans jamais vous laisser décourager.

Walt Disney

Ma promesse

Mais non, je n'ai pas oublié la recette de la lasagne aux deux saumons d'Antoine qui était vraiment trop bonne, alors la voici. *Enjoy !*

Pour 4 personnes

- 600 g de pavés de saumon
- 200 g de saumon fumé
- 400 g d'épinards hachés (surgelés)
- 1 échalote
- 1 oignon
- 1/2 l de béchamel (50 g de beurre, 50 g de farine, 1/2 l de lait)
- 10 cl de vin blanc
- 6 à 8 plaques de lasagnes vertes (aux épinards)
- 1/2 boîte de pulpe de tomates en dés
- emmental ou parmesan râpé
- huile d'olive
- noix de muscade râpée
- sel, poivre

1. Émincez les pavés de saumon en dés. Faites-les revenir pendant quelques minutes dans une sauteuse avec un peu d'huile d'olive. Ajoutez ensuite l'oignon et l'échalote finement émincés.

2. Quand l'oignon et l'échalote sont translucides, ajoutez la pulpe de tomate et le vin blanc. Salez et poivrez. Laissez mijoter à feu moyen pendant 10 minutes.

3. Pendant ce temps, faites cuire les épinards dans une casserole avec un peu d'eau salée pendant 10 minutes. Préparez la béchamel : faites fondre le beurre dans une casserole, ajoutez-y la farine en remuant sans arrêt. Incorporez progressivement le lait, sans cesser de remuer pour éviter les grumeaux.

4. Laissez sur le feu en remuant jusqu'à obtention d'une pâte épaisse et lisse. Salez, poivrez et ajoutez un peu de noix de muscade râpée.

5. Préchauffez votre four à 200 °C et beurrez un plat à gratin. Coupez le saumon fumé en fines lamelles. Au fond de votre plat, commencez par une couche du mélange saumon/tomates, puis par les lamelles de saumon fumé.

6. Mettez au four à 200 °C pendant environ 20-25 minutes, selon la marque de vos lasagnes (certaines se cuisent en 40 minutes) jusqu'à ce qu'elles soient légèrement dorées sur le dessus.

7. Recouvrez par une couche d'épinards (que vous aurez égouttés au préalable), puis par les plaques de lasagnes et la béchamel. Saupoudrez de fromage râpé. Recommencez l'opération une fois : deux saumons, épinards, lasagnes, béchamel, fromage râpé.

Source : http://www.linternaute.com/femmes/cuisine/recette/305687/1344012495/ lasagnes_aux_deux_saumons.shtml

À PARAÎTRE
Tome 2

100%

 Cascades

 BIO GAZ

Imprimé sur du papier 100 % recyclé